ANDERSON UNIVERSITY
PQ6257 .C23 1959 ¢42680!
INAN
Cardona / Novelistas espa noles de hoy : cuatro no
3 2197 00019 5335

D0982692

NOVELISTAS ESPAÑOLES DE HOY

RODOLFO CARDONA
Chatham College

Novelistas españoles de hoy

Cuatro novelas cortas de la España contemporánea

CARMEN LAFORET

CAMILO JOSÉ CELA

JUAN ANTONIO DE ZUNZUNEGUI

RAMÓN GÓMEZ DE LA SERNA

W. W. Norton & Company, Inc.
NEW YORK

Library of Congress Catalog Card No. 59-5905

Format by Nancy H. Dale

PRINTED IN THE UNITED STATES OF AMERICA
FOR THE PUBLISHERS BY THE VAIL-BALLOU PRESS
2 3 4 5 6 7 8 9

TO *E.D.C.*, THE CO-EDITOR

Contents

Preface

For the present volume of contemporary Spanish fiction, four outstanding living authors were chosen as the most representative today. All of them, regardless of age, have left an indelible imprint in contemporary Spanish letters. The selection of the individual novels was a difficult task because of the limitations imposed by the nature and scope of this textbook and because of the wide range offered in some cases. The criteria followed were threefold: to find short novels with a sound literary value; to give good examples to the student of trends in Spanish fiction; and to keep in mind the accessibility of the text to the intermediate student.

The extraordinary flexibility of the short novels selected has allowed the editor to aim at several objectives simultaneously. To this end, a more detailed Introduction has been prepared than is now usually accorded to a third- or fourth- semester textbook. Its purpose is to provide a proper background for the student confronted for the first time with Spanish literature. The first part gives a brief historical survey of the development of narrative fiction in Spain. The second part provides the student with definitions of the terms *short story, short novel,* and *novel.* The third part provides a discussion, built around the four chosen authors, of twentieth-century Spanish novels and novelists, with special emphasis on trends and techniques.

To meet the various requirements of less mature students, a series of footnotes and a combination Vocabulary-Dictionary have been made sufficiently inclusive to supply to students of varied proficiency the help each wants and can assimilate. The Vocabulary-Dictionary comprises not only the usual Spanish-English glossary but also provides more detailed explanations for geographic, historical, and proper names than could be handled in footnotes. Such names are followed by an asterisk in the text to indicate to the reader that they may be found in the Vocabulary-Dictionary.

Exercises to stimulate conversation and discussion will be found in an Appendix at the end of the text. They have been divided into two kinds: (1) *Cuestionarios* for simple drill of vocabulary and syntax; included in each section is a list of idioms which the student will have encountered in his reading and which may be utilized in drill work. (2) *Discusiones literarias,* a series of questions and points raised to encourage the student to read a literary text carefully and sensitively and not merely to skim over the material for simple entertainment or as a means of expanding his knowledge of the language.

The novels have been placed in reverse chronological order, an order which corresponds to the degree of difficulty of the text. The footnotes have been prepared to take into account the order of difficulty. *El piano,* the first short novel, has the most complete set of notes and thereafter certain repeated constructions have not been footnoted. The vocabulary for the first two short novels is all contained in Keniston's *Basic List of Spanish Words and Idioms* (1933), except for proper names, slang expressions, and a few foreign words. The last two short novels add approximately 20 per cent more words of lower frequency, Gómez de la Serna's being responsible for most of them. This last story is the most difficult in respect both to vocabulary and to style. Because of Gómez de la Serna's highly imaginative style, the student through his short novel may be introduced to the field of poetry without having to contend with the additional difficulty of a verse form.

In preparing this book, standard texts approved by the authors have been used with no omissions or corrections other than those occasioned by obvious typographical errors.

For their gracious permission to reproduce the Spanish texts I am greatly indebted to D. Ramón Gómez de la Serna, D. Juan Antonio de Zunzunegui, D. Camilo José Cela, and Dña. Carmen Laforet de Cerezales. I also wish to express my deep appreciation to Dr. Edith Helman of Simmons College for her painstaking reading of the entire manuscript and for her excellent and helpful suggestions, and always to my wife for her invaluable help.

R.C.

Chatham College,
Pittsburgh, Pennsylvania

NOVELISTAS ESPAÑOLES DE HOY

Introduction

HISTORICAL DEVELOPMENT OF THE SHORT NARRATIVE IN SPANISH LITERATURE

The short narrative has held a very important place in the development of Spanish letters. Its manifestations include a wide variety of forms which range from the very short anonymous folk tale or fable to a quite complex and intimate expression of a writer's personality. The tendency in Spain and Spanish America has been to group all these short narratives under one single category—the *cuento*. Under closer observation, however, and in making a historical survey of this general form, one can easily notice how varied its expressions have been.

Spain is the European country in which were mingled three of the most important cultural influences of the early Christian era —Christian, Arab, and Jewish. The Arab civilization, particularly, reached its peak during the Middle Ages (ninth and tenth centuries) and the richest manifestations of this civilization were located in Spanish cities such as Cordova, Toledo, and Granada. Cordova was the only city in Western Europe which at one time could rival Byzantium in its cultural advancement. The Arabs brought to Spain not only the great achievements of the ancient world in fields such as science and philosophy but also the great wealth of Oriental tales. All these cultural manifestations from the East were by and by transmitted to the rest of Western Europe through Spain.

The development of prose narrative in Europe stems from these early Oriental tales. A notable Aragonese Jew, baptized in 1106 in Huesca with the name of Pedro Alfonso, compiled a collection of thirty brief tales of Oriental origin which he translated from the Arabic to Latin, giving to it the ambitious title of *Disciplina clericalis*. All the European novelists—the obscure ones as well as the most famous ones in Spain, Italy, and England (Don Juan Manuel, The Archpriest of Hita, Boccaccio, Chaucer) —are indebted to Pedro Alfonso for their themes and for the special twist which they gave to their moralizing spirit. Later Alfonso the Wise was instrumental in translating these Oriental tales into Spanish.

The thirteenth and fourteenth centuries witnessed a tremendous growth of the short narrative in the form of apologues, fables, and examples, all of which had primarily didactic purpose: they aimed to teach a moral lesson to the readers. Don Juan Manuel (1282–1349), a nephew of Alfonso the Wise, devised a way in which to gather together several such tales into a larger structural form. This framework idea had been used earlier by Pedro Alfonso and later we also find it in other important medieval works, principally in Boccaccio's *Decameron* and Chaucer's *Canterbury Tales,* the latter, of course, in verse form. The tales used by Don Juan Manuel reveal, however, a greater psychological insight when compared to earlier works, for instance to the tales in such books as *Calila y Dimna* and *Sendebar,* both of which had been translated into Castilian in 1251 and 1253, respectively. Boccaccio, in Italy, goes even further into the development of this type of short narrative. He moves beyond the Middle Ages into a world infused with new life in which the senses are given an importance hitherto unknown among the Christian writers. The Oriental influence on Spanish tales is replaced by the Italianate, owing to the great popularity of Boccaccio all through the sixteenth century. Up to 1613, the year in which Cervantes' *Novelas ejemplares* appeared, we find in Spain a host of imitators of Boccaccio. Antonio de Torquemada and Juan de Timoneda are the first writers of short narratives to exploit the new Italian vein. After them, and "after the triumph of Cervantes, who never imitates Boccaccio directly, but who received from him a very deep stylistic and formal influence, the imitators are numerous." [1]

It was not until Cervantes' *Novelas ejemplares,* therefore, that the short Spanish narrative came to find its real form. It is interesting to notice that Cervantes used the term *novela,* which was

1. Marcelino Menéndez y Pelayo, *Orígenes de la novela,* Vol. V (Buenos Aires, Editorial Glem, 1943), p. 31.

of Italian origin and which in that language always referred to short narratives. In Spanish as well as in English the term was also used to include the long narratives called in France *romans* and in Italy *romanzos.* The term *novela,* then, in Cervantes' time, referred to what is today generally termed *cuento* or sometimes *novela corta* as well as to long narratives such as *Don Quixote.* Although Cervantes was considerably influenced by Italian form and style, his contribution was the synthesizing in his *novelas* of most of the types of narrative literature which had preceded him; thus he actually created something new. His claim that he was the first to write, in Castilian, *novelas* with original plots is a valid one. "In the *Novelas ejemplares* he virtually created the genre for Spain." [2] The success of his *novelas* was immense; by 1665 twenty-four editions had been made, the first twelve between the years 1613 and 1625. They were immediately translated into French (1615) and later into Italian (1626). Six of them were translated into English (1640) and one, *Rinconete y Cortadillo,* into German (1617). None of his immediate imitators in or outside of Spain were able to equal his incomparable skill in reflecting life in its many manifestations. "Not one of his successors reached the same level of attainment, none articulates his stories so well or writes with the same mastery of style; not one approaches him as a psychologist or observer; none . . . compares with him in his power to depict life truly and to create character." [3]

Of all the host of Spanish imitators of the Italian *novelle* during the seventeenth century, few really contributed anything new with the notable exception already discussed. Three names, however, can be brought up in this brief discussion of the historical development of the short narrative. First, two women writers—María de Zayas and Mariana de Carabajal—both of whom made a special contribution to the *novela,* and who will serve to show that the woman writer of the late nineteenth and twentieth centuries in Spain is not a product of "our mixed-up times" but rather a continuing tradition. Zayas' *novelas* contribute a great deal as documents of her intense feminism, an unex-

2. Caroline B. Bourland, *The Short Story in Spain in the XVII Century* (Massachusetts, Smith College Anniversary Series, 1927), p. 3.
3. *Ibid.,* p. 8.

pected note in seventeenth-century Spain. Carabajal's *novelas* are simple in form and style but quite true to nature. Her interest lies in her ability to portray feminine characters and domestic manners. The third name which can be added to this small group is that of Alonso Gerónimo de Salas Barbadillo, one of the best writers of *novelas* after Cervantes. He is best in the cultivation of satirico-didactic fiction. In a way he continues the picaresque tradition, along with Cervantes, in the short-narrative form.

The eighteenth century makes small but important contributions to the narrative. Works such as *Eusebio* by Pedro Montengón (1786), *Noches lúgubres* by José de Cadalso (1790), and *El Valdemaro* by Vicente Martínez Calomar (1792), may be considered precursors of what we can call "modern" fiction in Spain. Here in these novels "the plot is no longer a string of loosely disconnected incidents but is the result of an organic and dramatic interaction of character, incident and setting." [4]

The various narrative forms did not fully emerge, however, until the nineteenth century. With the advent of Romanticism there begins in Spain an immense popularity for the narrative—be it in prose or in verse—which increases and becomes more defined and refined towards the end of the second half of the century.

The short narrative, perhaps earlier than the novel, began to acquire a sophistication of style and expression with romantic writers such as Larra and his (perhaps less romantic) contemporaries, Mesonero Romanos and Serafín Estébanez Calderón. Towards the middle of the century we have the beautiful *leyendas* in prose of Gustavo Adolfo Bécquer and almost contemporary with these, the first "realist" attempts of Fernán Caballero (Cecilia Böhl de Fáber) and Trueba. In the second half of the century, with the advent of Realism and Naturalism, both the novel and the short narratives flourish into full-fledged development. Almost without exception, all the "big" names in Spanish literature during this time cultivated the novel as well as the shorter narrative forms. To mention a few one can list such names as Juan Valera, José María de Pereda, Benito Pérez Galdós, Clarín (Leopoldo Alas), Emilia Pardo Bazán, Armando

4. Reginald Brown, "The Place of the Novel in XVIII Century Spain," *Hispania*, Vol. XXVI, No. 1, p. 42.

Palacio Valdés, Pedro Antonio de Alarcón, and a host of less known names. The twentieth century has continued to produce in Spain a great number of excellent writers who have vigorously cultivated narrative literature in its various forms. A fuller discussion of this period will be given later.

THE NARRATIVE FORMS: CUENTO, NOVELA CORTA, NOVELA

There has always been a confusion of terminology not only in Spanish but also in English letters when one is confronted with the short narrative forms. Thus in English and American literatures one may find the same short narrative included in collections of short novels as well as in collections of short stories. For example, narratives such as *The Bear* by William Faulkner, *Noon Wine* by Katherine Anne Porter, or *The Dead* by James Joyce, all three of which appear together in one book titled *Six Great Modern Short Novels,* have also appeared in many an anthology of short stories. What are they, then: short stories? short novels? Is there a difference between the two? According to most encyclopaedias there is not. The only difference pointed out is the number of words, setting an arbitrary limit to determine when a short story ceases to be one and becomes a short novel; or when a short novel ceases to be one and becomes a novel.[5]

Any avid reader of short stories has probably sensed a basic difference between this genre and the novel. Here the distinction becomes quite clear. Anyone asked about this difference would immediately reply: "Why, there is an immense difference of scope; one gives us a panoramic view, tending to be complete and complex in its development, whereas the other is limited: one action, concentrated; few characters; limited descriptive passages, etc." The problem of distinguishing between the short novel and the short story is not so readily resolved. The general tendency in English or American literature has been to group all short narratives together, as in Spanish, under the term "short story" (*cuento*). Other literatures, however, have and have had

5. Novel: 50,000 words considered the lower limit; short novel: 30,000 to 50,000 words; short story: 2000 to 30,000 words.

for centuries a special term for this in-between narrative form which we at times call short novel. Is this distinction in terminology a reflection of a basic difference between the three forms?

Qualitatively, the tendency among some critics has been to distinguish the short story from the novel by the greater importance of plot over style in the former.[6] Any excess in ornamentation of style distracts the reader from the main objective which is essentially the "story." Therefore, what may be termed "a straight narrative style" has served for the *cuento* during the past—Middle Ages, Renaissance, nineteenth century—which fact, of course, does not imply an absence of technique or of art.

The traditional *cuento* tended to present only one interesting, decisive moment of human life, reflecting an experience known by everyone. As one critic has put it, in our lives there are moments in which everything seems to be at play, in which life reaches a maximum of tension. In the nineteenth-century *cuentos,* men appear before us who live that moment *of theirs,* only to disappear later with their lives destroyed or made. This reduction of time becomes even more emphasized in the modern *cuentos,* which often tend to present not the decisive moment in one life but simply any moment—gray, insignificant—because many writers consider that, potentially, these moments contain a whole life.[7]

The modern *cuento,* thus, may deal with incidents so insignificant and ordinary that they give the impression of an almost complete absence of plot, compared to earlier, more traditional *cuentos.* We may observe this, for instance, in "The Light of the World" by Hemingway, a story where plot is almost absent. There is an element here which stands out over plot—an emotion not unlike that which we find in poetry. Yet this emotion could not have been successfully expressed in verse form because it would have turned out too prosaic. Neither could it lend itself to a more extensive narrative treatment such as the novel because there it would have become dissolved and would have lost its poetic quality.

Here, perhaps, is the key which will eventually help us to dif-

6. M. Baquero Goyanes, *El cuento español en el siglo XIX,* Anejo L (Madrid, *Revista de filología española,* 1949), pp. 1–150.
7. *Ibid.,* pp. 86–87.

ferentiate the *cuento* from the short novel and the novel. Going back to the same narrative by Hemingway, we can say that this four-page short story is full of poetry and that this poetic emotion has been achieved partly because of its brevity. The poetic tone—in spite of the subject matter which may be considered vulgar by some—has been maintained throughout. Had Hemingway not pared all the basic elements of this story to the bone, perhaps we would have had only an anecdote.

When the question of defining these genres comes up, one may find as many definitions as there are authors or critics who set out to make them. This variety is particularly applicable to the novel. The American critic Malcom Cowley has defined the novel as a "long but unified story, designed to be read in more than one sitting, that deals with the relations among a group of characters and leads to a change in those relations." This definition, even though it stresses a quantitative element, brings out a capital point—the importance of the *change* which occurs in the relationship among a group of characters. From a novel we remember situations, descriptions, atmosphere, but seldom the entire development of its plot and its complex structure, unless we make a special point of analyzing it carefully. A *cuento* we remember in its totality. It leaves in us the same impression as, for instance, a poem. It is an aftertaste of the whole rather than a reminiscence of its components. The complication and resolution are so close together that they almost constitute one single element.

Now, where does the short novel stand? To which of these two genres is it more closely related? Although it is impossible to establish a canon, other than the obvious one of length, to make a clear distinction, one should still be able to recognize a difference, however vague, between the short story and the short novel, which most critics, for the sake of convenience, tend to group together.

One must accept that there is a conscious choice—*intention*—on the part of the author for the longer narrative form when the *quality* of the subject matter so requires: a good short story can in no way be considered a potential good novel, or vice versa. That is to say that certain subject matters, *by nature,* may necessitate a greater development without which the full *intention* of the author cannot be achieved. A writer interested in the novel or short novel will be attracted to subjects which require a development of character through a series of incidents or a prolonged experience.

Seán O'Faoláin, in a discussion of Henry James' short stories, points up that this writer "did not recognize enough that in short-story writing there can be no development of character. The most that can be done is to peel off an outer skin or mask, by means of an incident or two, in order to reveal that which is—as each writer sees this 'is.' The character will not change his spots; there is no time; if he seems likely to do so in the future the story can but glance at that future." [8] It is for this reason that most of Henry James' short narratives may be classed among the short novels rather than among the short stories, and in doing so we are accepting two propositions: first, that there is a definite difference between these two genres, and second, that, contrary to what most critics believe, the short novel is closer to the novel than to the short story, or otherwise it would not be so called. It may not be altogether unfitting, then, to liken the development of the short novel—in both technique and purpose—to that of the novel.

THE CONTEMPORARY NOVEL IN SPAIN: 1900–1958

The short form of the novel has been particularly popular with writers in twentieth-century Spain. In fact, with few exceptions, it may be said that the novel as a whole becomes shorter, especially during the first 36 years of this century (for examples, the novels of Unamuno, many of the novels of Baroja, the *Sonatas* of Valle-Inclán, the *novelas poemáticas* of Pérez de Ayala, many of the novels of Gabriel Miró and Gómez de la Serna, are much shorter than their counterparts by nineteenth-century novelists like Galdós, Clarín, Pardo Bazán, José María de Pereda, etc.). The general tendency among the writers of the generation of 1898 as well as of the following generations up to the time of the Spanish Civil War was toward brevity. The long novel of 400 pages and more does not come back to Spain

8. *The Short Story* (New York, Devin-Adair, 1951), p. 191.

until after the war with novels by Zunzunegui, Gironella, and other younger novelists. Perhaps among the writers of the first and second generations after that of 1898 we find the greatest number of novelists devoting themselves to the short novel, either through personal choice or because of a general trend, or even because of publishing facilities available at the time.[9]

RAMÓN GÓMEZ DE LA SERNA

Representing this large group of writers I have chosen only one, Ramón Gómez de la Serna (b. 1888), who, in many ways, may be considered one of the most representative Spanish authors of the period between 1914 and 1936. RAMÓN, as he is universally known, has never been presented to the North American student of Spanish literature in a special annotated edition, whereas some of his contemporaries have already been introduced to the classroom; nevertheless, this amazingly prolific writer can give us the most representative example, not only within Spain but within the European tradition, of the between-wars literature, a literature characterized by a lack of social context—compared to that of the preceding century—which at times gave it a certain air of absurdity often found in a work of art in which the creative sense and the social circumstance live separate lives.

The writers of the generation of '98 had begun to pave the way for the younger writers with their intimate, poetic, highly subjective conceptions of the novel. This is the period of a dominant lyricism in Spanish letters. All genres are invaded by the poetic spirit and the authors—whether in the fields of drama, the novel, poetry, and even the essay—create highly personal worlds. They develop fresh, original, highly suggestive styles in which images and metaphors play an important part in their attempt to pierce the outer layers of reality and to probe into a deeper, more intimate reality. Gómez de la Serna carries this development to its ultimate expression in novels of the continu-

9. In a recent anthology compiled by the critic F. C. Sainz de Robles and published by Aguilar, we find the outstanding figure of forty authors all of whom were avidly cultivating the short novel during these years.

ous image such as *¡Rebeca!* and *El hombre perdido,* just to mention two of the most outstanding.

These lyric artists definitely represent a great departure from the earlier novelists of the end of the nineteenth century. The realist novelists, headed by the master Galdós, developed their art within the current style of writing which depended upon a "colloquial imitative attitude" [10] in dealing with reality. Thus they contrast strongly with the style-conscious group of writers who follow. These two groups represent, in short, two different, perhaps diametrically opposed, ways of approaching reality. Let us compare Galdós' conception of the novel with Unamuno's.

Galdós conceives the novel as "an image of life" and the art of writing it as "the reproduction of human characters, passions, weaknesses . . . , everything spiritual and physical which constitutes us and surrounds us . . . : all this without forgetting that there should be a perfect equilibrium between accuracy and beauty of reproduction." Whereas Unamuno would scorn the external and emphasize the aspects of what he calls the *real* reality, "the intimate, creative, and willed reality." And he admonishes his readers that if they wish to create for art *real* characters, "do not accumulate details, do not devote yourselves to observe the external aspects of those who live around you; rather treat them, excite them, if you can, love them above all, and hope that someday—perhaps never—they will reveal the soul of their soul . . ."

Unamuno, then, in his desire to penetrate to the innermost reality of his characters, tends to reject completely the apparent reality and is interested only in revealing the very core of their soul. One must remember, however, that writers of the realist tradition like Galdós did not reject the inner reality of their characters. They simply believed that it could sometimes be further revealed by using the social world as their field of observation; that manners can be an indication of the direction of man's soul: therefore their emphasis on the description of clothes, physiognomies, tics, etc. Both groups of writers are intimately concerned with evoking reality, with approaching a particular truth—which, after all, is the function of all artists—

10. D. Pérez Minik, *Novelistas españoles de los siglos XIX y XX* (Madrid, Ediciones Guadarrama, S.L., 1957), p. 81.

but through different means. RAMÓN and his contemporaries, who, stretching the concept of this word, would include the writers of the generation of '98, created a world of their own; the other one, the alien one, was rejected as lacking in "truth."

There are several reasons which justify the choice of Gómez de la Serna as representative of the pre-Civil War writers in this collection of short novels. He represents the Spanish writer of this period because he has been able to synthesize the literary and artistic currents of his native Spain with those which prevailed throughout Europe and the Western World in general during the first three decades of the twentieth century.[11] RAMÓN is undoubtedly a product of his country and can be counted among those artists who have best expressed the soul of Spain; but, like his countryman Picasso, he has constantly been aware of the changes in sensibility in the artistic world and has managed to be ahead of his time, always reacting with a fresh outlook to everything that surrounds him. RAMÓN, famous and translated into most languages, represents the re-integration of Spain during the twentieth century to the cultural European tradition.

He develops a style which synthesizes the most characteristic features of his famous immediate predecessors: Unamuno's love for a conceptual and twisted language; Baroja's love for the gloomy and the absurd; Azorín's love for inanimate, humble objects. In Gómez de la Serna, however, these characteristics appear completely atomized.[12] His language and his style acquire a uniqueness which is soon recognizable in his own writings and in those of the numerous writers of younger generations who, consciously or unconsciously, succumbed to his highly creative method in which words achieve a new and authentic value because they have been liberated from their ordinary context. His highly imaginative view of the world crystallizes often in short statements, purposely detached from all other context, in which he expresses an observation, a subconscious association, a metaphor, sometimes with a humorous intention. To these short

11. See Rodolfo Cardona, *Ramón: A Study of Gómez de la Serna and His Works* (New York, Eliseo Torres & Sons, 1957).

12. M. J. Bernardete and Angel del Río, *El concepto contemporáneo de España; Antología de ensayos (1895–1932)* (Buenos Aires, Editorial Losada, 1946), p. 716.

flashes of his imagination he has given the name *greguerías:* "Los ángulos son unos pájaros que quieren volar." Through his use of multiple metaphors—the multiple image of many levels of meaning—he is able to give us a multifaceted view of reality. This lyricism is characteristic of all his novels. Both in his subject matter and in his style RAMÓN is perhaps the best example of the lyricism prevalent in the Spanish novel of the early twentieth century.

His novels are best characterized by their arbitrariness. The "arbitrary" in RAMÓN's works becomes not only a point of departure but an entire climate. Yet, as one reads on and realizes that this arbitrariness dominates the subject, the characters, and the atmosphere of the novel, one accepts it to the point of finding it "natural." RAMÓN himself has said that ". . . the arbitrary must behave with naturalness, taking into account that naturalness changes with the times and today's naturalness is in no way that of yesterday." [13] This produces a unique form of liberation which brings to mind his surrealist tendencies. His characters, as a rule, have no past, no "psychology" as such. They are caught by RAMÓN, who endows them with a reality—because there is always unmistakable life in them—but with a reality which, we soon realize, is not and cannot be *our* reality. As a critic has remarked, ". . . his heroes fabricate themselves and inhabit a world in character with them. They remain outside ordinary history and they can lodge in any geographical latitude and at any time of the political clock." [14]

Thus, in *El turco de los nardos* we know that the action takes place in America, but no specific country or city are named. It could be just as easily North America as South America. The physical environment is not important as it would be in a realistic or naturalistic novel. RAMÓN creates an American environment and a definite type of environment, but it is *created,* not *reproduced* or *mirrored.* In this created atmosphere he mixes characters and things and both occupy a similar plane. No hierarchy of values, as such, is given to the components of this world. Things may be treated as humans and humans as things. For

13. See R. Gómez de la Serna's chapter "Novelismo" in *Ismos* (Buenos Aires, Editorial Poseidón, 1943).
14. Pérez Minik, *op. cit.,* pp. 214–215.

RAMÓN nothing exists by and for itself. In his novels we no longer find man against a backdrop of the material world. He tries to discover—and more often than not he succeeds—the relationship of man with "things." [15]

In addition, everything in his novels appears tempered by his own personal humor, a special way of looking at things in a totally fresh and unpredictable manner, and of transforming them through his powerful imagination into something else. This humor is translated linguistically and finds its form of expression in the already mentioned *greguerías*. The style of RAMÓN is affected by this eminently personal way of seeing—physically or imaginatively—and translating the thing seen into a plastic language. At the very beginning of *El turco de los nardos* we find examples of this humor and this style:

> Paseando por las veredas de esa calle llegaban los turistas desviados a aquella rinconada y se quedaban admirados de ver casas tan chicas, como si sólo tuvieran *hall* y nada más.
>
> Parecía que la ciudad había disminuido hasta no tener más que casas en miniatura, primeras semillas de las casas que después toman mayores proporciones.

Here in these two brief paragraphs we have an illustration of the objective-subjective process which makes up RAMÓN's style. The first paragraph is an objective statement in which he gives us the possible "impression" which the houses in this particular neighborhood may produce on the hypothetical tourist who may arrive there by mistake. Here we have a case of a visual impression candidly and objectively reported. The second paragraph, however, enlarges upon it; notice the use of the main verb at the beginning—*parecía,* "it seemed"—which gives us the clue to what follows, namely, a subjective interpretation of the first "impression," an interpretation which reveals to us the highly imaginative mind of the writer, and which, furthermore, reveals to us his kind of humor.

This process of RAMÓN has been called, in the paragraph above, his objective-subjective style, but in reality it represents the use of "impressionism" and "expressionism" in language. This is perhaps the trait that characterizes his style and distin-

15. See "Ramón and the World of 'Things'" in R. Cardona, *op. cit.,* pp. 113–130.

guishes it from that of any other author. To read RAMÓN's novels is to let oneself be led into an adventurous world of imagery in which, for the reader, the pleasure consists precisely of being there, not in getting any place. Plot and theme are perhaps secondary to this main adventure of penetrating into RAMÓN's world. This intricate world of images affects both persons and things with equal force. Quite often throughout the novel a thing, an object, emerges with such emphasis that it almost overshadows the characters. Such is the case, for instance, with novels and short novels such as *El secreto del acueducto, La quinta de Palmyra, La capa de Don Dámaso,* etc., where the aqueduct of Segovia, Palmyra's villa, and the cape of Don Dámaso are respectively the true protagonists. These inanimate objects obtain their tremendous emphasis by a curious process of accumulation of images which, little by little, reconstruct for us the object itself in all its possible facets; but, oddly enough, instead of presenting it to us in all its solid wholeness, RAMÓN presents it as if reflected in a mirror which has been broken into a thousand pieces. The process is at the same time constructive and destructive. But it is precisely the destructive aspect of it which makes it so apt to achieve, as it does in RAMÓN's work, the perfect re-creation of the thing in question. When he finishes, the object has been characterized in a far better and more complete way than any traditional writer could possibly have accomplished with traditional means of description.

The construction of his novels, finally, is quite similar in all cases. This similarity does not mean, however, that he repeats himself. The construction is similar because it is a by-product of his style. He usually presents the main ingredients for the novel, creates the climate and the atmosphere with his unique gift for imaginative detail, presents his characters and the conflict, which at times may be internal—within the characters—or external, or both. At this point we are in the midst of what constitutes the most thrilling part of the novelesque adventure: finding ourselves in the maze of the intricate, imaginative, humorous world of RAMÓN. The plot advances quite slowly and is by far the least important element in his novels. As one approaches the end of the book, the pace perhaps increases ever so slightly. A few pages from the end things are wound up quickly but neatly. There are never loose ends. This ending may or may not constitute a surprise. It does not matter. The reader's adventure of RAMÓN's created world has been so enjoyable that he wishes the author might have continued in the same fashion indefinitely.

JUAN ANTONIO DE ZUNZUNEGUI

There are, of course, many different types of novels, but, as has often been pointed out, they may be reduced to two classes: the dramatic or objective and the lyrical or subjective. This division is determined by what one may term the mode of inspiration which predominates in them. At bottom, the opposition between the lyrical novel and the dramatic novel may be said to stem from the opposition between the poet and the dramatist. Each creates with the purpose of uniting the outer world with his soul in a complete circle of experience, but they perform this circumvolution in opposite directions. The poet goes within himself, then he goes out to Nature full of his intimate experience, and finally he returns to himself. The dramatist goes to Nature first, then he penetrates within himself, with the experience gathered from the outer reality. This distinction, for instance, would serve to differentiate the Galdós and Unamuno conceptions of the novel. It may also serve to establish a distinction between RAMÓN's novels and those of the writer Juan Antonio de Zunzunegui (b. 1902), whose method of composition is dramatic or objective—from outside in. This may be said in spite of the fact that many of Zunzunegui's works—especially some of his early novels and short stories—very clearly reveal the influence of Gómez de la Serna, particularly in the use of images and metaphors such as the following: ". . . la estilográfica de las chimeneas ya no firma en el talonario del cielo cheques de poderío. . . ." (*El chiplinchandle,* p. 366). Or, from the same novel: "Fuera, la lluvia ata el paisaje con sus mil cuerdas" (p. 256). The influence of RAMÓN on Zunzunegui also makes itself felt in a certain type of short narrative of an imaginative nature in which he presents the power of suggestion which an inanimate object may have upon a person's moods and even upon his life. This is a theme which abounds in RAMÓN and which appears in Zunzunegui from the very beginning of his literary career.[16] Stories of his such as *Fortunas y adversidades de un llavín de buenas costumbres, Tres en una, o la dichosa honra, Historia apacible de un hombre gordo, El hombre que iba para estatua, La vida y sus sorpresas,* all reveal the unmistakable Ramonian touch, both in the nature of the subject matter and in the style in which they are written. These stories, oddly enough, are among the favorites of the author, who sincerely believes he has succeeded in achieving a genuine originality through this use of a freer technique and a more imaginative and perhaps subjective approach. This fact leads one to believe that Zunzunegui may be experiencing RAMÓN's influence quite unconsciously. To say of a writer that his prose style may have been influenced by RAMÓN in no way detracts from his originality or reputation. Some critic has remarked that Spanish prose has not been the same since the appearance of Gómez de la Serna on the literary scene.[17]

Many critics—and I should like to be counted among them—tend to prefer those narratives in which, with perhaps a more "traditional" technique and a less "original" intent, this fine novelist succeeds in presenting profound human truths. Zunzunegui is at his best when he is least conscious of language and style—even though it is never possible for any author to forget altogether these two very important elements of his craft. However, they should be functional and should be determined, to a great extent, by the very nature of the narrative; or at least, there has to be a balance between them—as happens with all the great novelists from Cervantes through Stendhal and Flaubert. Sometimes some of the greatest novelists were never conscious of their styles—Dostoyevsky, Baroja. When Zunzunegui succeeds in creating real-life characters in which he becomes genuinely interested, then he writes their lives, which they themselves create and which he faithfully records, apparently oblivious of

16. See "La boina" in his *Vida y paisaje de Bilbao* (Bilbao, Imprenta Comercial, 1926).

17. Luis Cernuda has shown Ramón's influence on many of the best Spanish poets (see "Gómez de la Serna y la generación poética de 1925" in his *Estudios sobre poesía española contemporánea,* Madrid, Ediciones Guadarrama, S.L., 1957, pp. 167–177).

"style" and yet creating a style *pari passu* as he writes. It is then that he is genuinely original even though his subject matter and his style may appear to be more traditional. Thus, long novels like *Ramón o la vida baldía* and its continuation *Beatriz o la vida abandonada* not only create these two magnificent characters and a host of excellently characterized secondary figures but they also give us a portrayal of an epoch in Spain's history—from about 1914 to the fall of the monarchy in 1931—as accurate and interesting as Galdós gives in his *Episodios nacionales.* Even though Zunzunegui concentrates on presenting in these novels the environment of Bilbao during the period of its economic growth and collapse, he also succeeds in enlarging his vision and ours by giving us a more complete picture of Spain during these ominous years. His technique is that of observation and analysis of reality, typical of the writers whom he seems to admire the most—Dickens, Dostoyevsky, Flaubert, Galdós, Eça de Queiroz.

But the trait which most characterizes Zunzunegui and which is present in the majority of his long and short novels and even in his *cuentos,* is that of transplanting to the novel the technique of biography. He writes, then, biographical novels: the life of a fictional character or characters. *El chiplinchandle* presents the life of Joselín; *¡Ay—estos hijos!,* the life of Luis Larrinaga; *Ramón* and *Beatriz,* the parallel lives of these two characters. The axis of his novels constitutes, then, a life, not a given fact or an incident. His technique tends, therefore, to be linear. At times his purpose may be to give us the formation and crisis of a character which affects and changes his relationship with other characters. At times this purpose becomes more complex and in addition he presents this change of relationships in the background of a significant historical period. In the latter case the background achieves monumental dimensions and almost absorbs the characters—and not accidentally but intentionally.

A semipicaresque element also appears in some of Zunzunegui's novels. *El chiplinchandle* exhibits perhaps the first example of it in his long novels. This picaresque element acquires its best expression in what most critics consider his masterpiece—*La vida como es.* This is not in any way an imitation of the traditional picaresque novel. For once Zunzunegui is not interested in presenting to us the biography of a hero. *La vida como es* depicts, rather, a particular social stratum, and toward this object Zunzunegui has avoided the linear technique and has chosen a less traditional one of presenting interwoven and parallel actions. The cast of this novel is composed of a variegated collection of rogues, some of whom are presented with a maximum of depth. We find here the type of neonaturalism which we shall encounter over and over again in the postwar period.

La vocación, the short novel which represents Zunzunegui in this collection, is one constructed along much more traditional lines. It is nevertheless a powerful human drama which presents a very real and significant central theme—that of the conflict between art and the pressures of society. The theme of the artist's life and the difficult terms of sacrifice and self-denial on which his art is achieved are presented as a conflict between father and son in deciding a course for the young life—a motif which recurs in many of Zunzunegui's works. This conflict between father and son, although for entirely different reasons than those in *La vocación,* is at the core of what I consider the best short novel of this author—*Dos hombres y dos mujeres en medio*—which because of its length has not been chosen to represent him here.

Of the novelists who have emerged since the end of the Civil War, Zunzunegui is one of two who have definitely established themselves among the best writers of the period. Older than most of the writers of the postwar period (he had published three books by the year 1936), Zunzunegui, however, did not begin to attract attention until after the war, in 1940 to be exact, with the publication of his novel *El chiplinchandle.* In a way this has been a handicap: he was too young before the war to compete with the established giants, including all the writers of the generation of '98, and not young enough to be "discovered" after the war. Nevertheless Juan Antonio has succeeded, through a continuous and highly productive effort, in establishing himself among the novelists of the postwar years, and his efforts have been recognized with several literary prizes and with the highest honor conferred on a Spanish writer—membership in the Spanish Academy in 1957.

CAMILO JOSÉ CELA

In 1957 also, the second of these eminent novelists, who inaugurated the postwar period with one of the best novels to have come out of Spain since 1939—*La familia de Pascual Duarte*—was invited by the Academy to occupy one of its vacant chairs. This high honor for one so young, for Camilo José Cela (b. 1916) was barely forty at the time, reminds one of the early success of another European postwar figure whose career culminated recently with the highest honor a writer can receive—the Nobel prize. Both young writers have had outstanding success as novelists and both launched their careers the same year with the novels that made them famous. The year was 1942, and the novels, the already mentioned *La familia de Pascual Duarte,* and *L'Étranger* of Albert Camus.

This early success of Cela has been reinforced with a long and impressive list of publications which attest to his high accomplishments as a novelist, a poet, an essayist, and an excellent editor and founder of what today is one of the best literary magazines published in Spanish—his *Papeles de Son Armadans.*

The first years after the end of the Civil War were years of great expectation for the Spanish literary public. Who was going to come out with the first postwar novel? What would this novel be like? In 1942 these questions were answered in the most unexpected way with the appearance of Cela's novel. It fell to *La familia de Pascual Duarte,* then, to initiate and to set the pace for the postwar novel in Spain. This audacious novel was the promise of Spain's literary rebirth after the decline of the war years.

This novel shows many of the traits of present-day European novels. For one, the lyric or aesthetic attention characteristic of the earlier twentieth-century novel was replaced by moral and even metaphysical preoccupations of a social and religious order, which previously had occupied a secondary place, although Unamuno and Baroja were exceptions in Spain. In many ways, and allowing for very noticeable differences in approach and technique, Unamuno's novels are heralds of what becomes in postwar Europe the prescribed literature of "engagement." Baroja's novels are even closer to those of the young novelists. The young postwar writers understood their mission somewhat as these two Basques of the generation of '98 had understood theirs —they felt themselves urged to fulfill ethical and metaphysical obligations which were of the uttermost importance. The expression of these problems became the most important element in their literature. Aesthetic considerations—the form which this literature should assume—were relegated to a secondary place. The ethical and metaphysical adventure replaced the historical adventure of the romantic novel, the sociological adventure of the realist and naturalist novels, the psychological adventure of the early twentieth-century novel.

This postwar novel had to invent its hero. As has been pointed out by the critic Domingo Pérez Minik, ". . . the hero was alone, abandoned by society, by history, by nature. . . . Today's novel has done nothing but present to us this man in the decisive moment in which he wants to pass from an unbearable solitude to which he has been relegated, to a transcendental reality of solidarity and hope." [18]

La familia de Pascual Duarte shows a deep concern for the enigma of man's fate. It is the story of Pascual Duarte, an average man, who leads a life of dark violence and senseless crime and is finally sentenced to death. His tragedy is that of a poor devil who has almost no other choice but to become a criminal over and over again, although, under different circumstances, he could have been an honest man in his town. Pascual's life is unintelligible to him. He is responsible for his actions, of course, but he is also a victim, a victim of a society which has no values to offer him. What the author accomplishes masterfully here, as has been pointed out by Dr. G. Marañón, is to distract the reader so that he will not notice that Pascual is a far better person than any of his victims, and that his horrible crimes represent a kind of abstract and barbarous—but undeniable—justice.[19]

The technique used by Cela allows him to be in complete control at all times to direct the reader, and at the same time to be absent from the narrative so as to give an impression of

18. *Op. cit.*, p. 240.
19. "Prólogo," *La familia de Pascual Duarte* (Barcelona, Ediciones Destino S.L., 1955), p. 14.

complete objectivity. His is an objective, carefully controlled, but very personal style. In *Pascual Duarte* everything is told as remembered by the "hero," a murderer waiting for his execution. There is no narrative but rather the unwinding of a rough and uneven memory, which at times dwells on an apparently unimportant event and at others quickly recalls a momentous action. The dialogues are, too, reported as if remembered. We are told at the beginning of the novel the circumstances under which the author "found" the memoirs of Pascual Duarte and how he is therefore only the transcriber of them. Cela, like Cervantes then, presents himself as the midwife through whose efforts the actual facts of the life of an individual are brought forth. This complete detachment on the part of Cela as an author, not as a possibly concerned spectator of Pascual Duarte's life, is completely established from the very beginning in his *"Nota del transcriptor"*:

> I wish to establish from the beginning that, of the work which I am presenting today to the curious reader, I am only responsible for its transcription; I have neither corrected nor added one iota because I wanted to respect the narrative even in matters of style. I have preferred, in some overly crude passages of this work, to use the scissors and to cut it short; this procedure, evidently, deprives the reader from knowing some small details—for which he is better off; it presents on the other hand, the advantage of preventing his glance from falling over certain intimacies which are even disgusting, intimacies which—I repeat—I thought better to cut than to polish.
>
> The character, in my opinion, and this is perhaps the only reason why I am presenting him to the world, is a model of behavior; a model not to be imitated, but to be avoided; a model before whom any doubtful attitude is superfluous; a model before whom one can only say: "Do you see what he does? Well then, he is doing exactly the opposite of what he should."
>
> But let us leave Pascual Duarte to speak for himself, because he is the one who has interesting things to tell us.[20]

Although this literary device is common, Cela has used it here to emphasize his detachment, as an author, from the pages of his book. His intention is to give the reader a more important rôle in the literary creation. This is accomplished by removing the novelist, by making use almost exclusively of action and

20. *La familia de Pascual Duarte,* pp. 29–30.

dialogue, and eliminating the more traditional psychological analysis. Thus the reader, instead of being "told" what a character is like, is "shown" through the character's behavior and speech. The author's realistic technique consists here in reproducing only what is seen and heard, and the reader must extract from these data the peculiar psychology of each character. The novelist, then, must choose carefully among all possible actions and words which may be performed or uttered by his characters so that only those which are pertinent to presenting his point of view come through to the reader. This objective technique is thus used for a highly subjective purpose.

Cela's "objective" presentation crystallizes completely in some of his later works, particularly in his long novel *La colmena* and in his short novel *El molino de viento*. Cela himself explains his literary method in the following words:

> My novel *La colmena,* the first of the series *Caminos inciertos,* is nothing but a pale reflection, a humble shadow of the harsh, intimate, painful reality of every day. They lie who want to disguise life with a crazy mask of literature. The evil that corrodes the soul, the evil that has as many names as we choose to give it, cannot be fought with the poultices of conformism or the plasters of rhetoric and poetics. My novel sets out to be no more—yet no less either—than a slice of life told step by step, without reticence, without external tragedies, without charity, exactly as life itself rambles on.[21]

Cela uses his realistic technique deliberately, to show life as he sees it, subjectively, personally. Thus, in *La colmena,* Cela presents us with a sequence of brief episodes reminiscent of candid-camera shots which develop in or around a middle-class café just off the center of Madrid. From there he follows his characters—296 imaginary and 50 real persons in total appear or are mentioned in some way in this novel—for brief encounters into the streets of the city or into dilapidated apartment houses. He picks up, like ants, his men and women from the city, allows them to run about a while in the palm of his hand, and then drops them back into the seething urban anonymity. "Without charity and quite without reticence, as he claims for himself, but by no means without compassion, he shows the pitiful content of their lives: hunger, greed, fear, frustration, desire, malice, snob-

21. *La colmena* (Barcelona-Mexico, Editorial Noguer, S.A., 1955), p. 9.

bery, poverty, nausea, and fumbling tenderness, all expressing themselves through small talk and small actions." [22]

This particular technique of Cela is not of his own invention. It had been used much earlier here in the United States by John Dos Passos, particularly in his novel *Manhattan Transfer*. Many critics in Spain, perhaps somewhat apprehensive of the great success which Cela has achieved, have been quite careful to point this out. If he uses the same technique that Dos Passos had utilized earlier, one must also bear in mind that the American writer's experimental novels of the prewar period would have been impossible without the technical discoveries of James Joyce. But this question of priority is of no concern to us now. Cela does use Dos Passos' technique but, in my opinion, more successfully. This superior success is due, in part, to the time limitations which Cela has imposed on his novel, which spans only a few days in the lives of his characters. Dos Passos, on the other hand, extends his time limits over a period of more than 25 years, making it almost impossible for any one of his characters to achieve in our eyes a human significance. The reason for the difference is that Dos Passos moves laterally across—instead of perpendicularly through, as does Cela—his representative lives. *Manhattan Transfer* is like a nightmare come true with an endless procession of persons, scenes, buildings, ships—a procession leading from nowhere to nowhere. In Cela's novel, hunger and fear are the dominant notes and act as a unifying force. The climate which he builds may result from the specific conditions which prevailed in Spain in 1942, right after the Civil War. And yet with all its Spanishness, Cela's book achieves the universality of a true work of art. As Barea has remarked, ". . . the feelings of the little men and women he reveals in his merciless snapshots may be distorted and poisoned by a specific social atmosphere, but they are human feelings not confined to present-day Spain or to the so-called Spanish temperament. For anyone who does not let himself be stopped by the surface descriptions, Cela's burning anger and compassion will speak an international language." [23]

The novel which represents Cela in this book presents perhaps

22. Arturo Barea, "Introduction," *The Hive* (New York, The New American Library, 1954), p. vi.
23. *Ibid.*, p. vii.

a different view of this author, although some aspects of his style which appear in *Timoteo, el incomprendido* can be found in some of his other books. His prose always tends to have certain mannerisms. Most noticeable among them is repetition, which has to do as much with sound and rhythm as with psychological emphasis. His colloquial style is, of course, purposely used to show life in his realistic, objective way. Another of his peculiarities of style which is almost immediately noticed is his habit of appending a descriptive adjective or a nickname to some of his characters, which will accompany them like a shadow somewhat as do the famous Homeric epithets. This can at times produce a certain "primitive" quality in his prose. There is also the humorous side of Cela: his peculiar brand of humor—of a strictly modern vintage—which dwells on the grim aspects of life and which has been termed black humor. This is more apparent in *La colmena* and in *El molino de viento* than in *Timoteo, el incomprendido*.

In all these novels Cela tries, through a deformation of reality to the point of the grotesque, to present to us lives which show, more or less strongly, a flicker of some inspiring desire, but which have their outward existence in a world of frustration and fear: human beings, aimless in their complete lack of orientation, bewildered before the painful uncertainty and cruelty of life, and by their own mediocrity and personal lack of authenticity. Thus in *Timoteo* he gives us the pathetic-comical life of a false profession. In *El molino de viento,* a much larger short novel, he has the opportunity of carrying this presentation of the grotesque aspects of life to an entire town. Here he has ample opportunity to give greater dimensions to what in *Timoteo* is a small slice-of-life depiction, by bringing in all the small details which make truly alive persons of his characters, even though they live submerged in the grotesqueness of a disjointed and miserable life which they try to cover under the cloak of a pretended bourgeois normality, making the grotesqueness stand out all the more.

Cela has been accused of producing a negative literature which has nothing to offer but a grim and hopeless world. But his is a literature which has an objective justification: to uncover the hideous sores of society in novels written in a brutally direct style which may bring about a catharsis in both the writer and the reader. This particular approach to art has had a long tradition in Spain, from the picaresque superrealistic narratives on through to Quevedo, Goya, and Valle Inclán. Cela's way of expressing the disturbing truths of life is therefore nothing new in Spain. What he does is to effect a synthesis of the technical procedures of the contemporary novel with a thematic and linguistic tradition of long standing in Spanish letters.

This novelistic approach, of which Cela is by no means the only representative, with its impulsion towards disconformity, has been termed in Spain *tremendismo.* This literature represents the type of emphatic realism which has been described above and which is the manifestation in Spain of the existentialist currents of postwar Europe. As a critic has remarked, the existential restlessness is reflected in the contemporary Spanish novels with their pessimism, bitterness, fatalism, and defeatism.[24] *Tremendismo* is the reflection in the literary production of postwar Spain of living conditions prevalent in that country during the first difficult years—the Spanish anguish in the face of the desolate everyday reality.

Among the novelists mentioned in connection with *tremendismo,* Camilo José Cela heads the list and is usually considered its initiator, however much he has protested. About this subject Cela has made the following declaration:

> "*Tremendismo,*" so far as I know, has no father, at least not a known father. *Tremendismo,* in Spanish literature, is as old as this literature itself. Although we are living in a somewhat crazy period, in which novelists consider themselves better than Baroja and painters better than Velázquez, I, in my candor, have difficulties in believing that I might have exerted any influence on Quevedo or upon the anonymous author of *Lazarillo.* I know that everything is a matter of getting used to it; but to this idea, for the time being, I have not been able to get used. I beg my admirers to forgive me.[25]

His defense of this type of literature, however, is quite vehement. In the same article he makes reference to the criticism of the

24. Olga P. Ferrer, "La literatura española tremendista y su nexo con el existencialismo," *Revista Hispánica Moderna,* Nos. 3–4 (Julio–Octubre, 1956), p. 298.
25. "Sobre los tremendismos," *La rueda de los ocios* (Barcelona, Editorial Mateu, 1957), p. 15.

detractors of this movement who argue that life is not all black. But for Cela the only hope in a dark world is to lay bare the problems. As he says,

> . . . what happens is that this tremendous reality of hunger and infamy, the inexorable and fatal moment of death, and that black swallow of doubt which nests in our hearts, are the only common denominators which can be found and be pointed out in our lives. . . . To ration tenderness and not to become blind nor pretend not to see the inhumanity is the most noble function of the writer, of the notarial and solemn chronicler of the times in which we have been destined to live. The opposite would be immoral. . . . A *tremendista* work . . . must portray the world with a cruel and raw sincerity; it must always tell the whole truth; it must never be disloyal to its calendar or to its geography. . . .[26]

CARMEN LAFORET

Other names usually linked with *tremendismo* are Carmen Laforet, José Suárez Carreño, Juan Goytisolo, Ignacio Aldecoa, and José María Gironella. Of all these names that of Carmen Laforet (b. 1921) has obtained, along with that of Cela, the greatest popularity and renown inside and outside Spain. Several circumstances, in addition to the excellence of her first novel, contributed to thrust her into prominence. One of them was the establishment of the Eugenio Nadal prize, in Barcelona, in the year 1944. This prize continues to be the most distinguished literary award given in Spain, comparable to the Prix Goncourt in France. The first novel to receive this prize was *Nada* by Carmen Laforet. This circumstance in itself was sufficient to make Carmen Laforet's name famous overnight, though she was only twenty-three and had been completely unknown to the literary circles of Spain.

Nada deals with the arrival in Barcelona of a young girl, two years after the end of the Civil War, her encounter with the weird members of her family with whom she must live, as well as her experiences as a student at the university and her relationships with some of her fellow-students. The material of the novel is, then, quite simple; there is an almost complete absence of plot

26. *Ibid.*, pp. 16–17.

as such. The style is equally simple and unassuming, which proves that in Spain, as well as in the rest of Europe, the present-day novel is judged by the moral world which may be contained within, the criticism of the surrounding reality, rather than by its style or its aesthetic aspects. With utmost simplicity *Nada* evokes the sordid atmosphere of the heroine's family and records the candid reactions of this girl towards her new life in a country where a devastating civil war had left its indelible scars.

What gives this novel its irresistible appeal is the criticism of the harsh reality that surrounds the protagonist, a portrayal sharp and clear, but which has a freshness lent to it by its ingenuousness and which, at the same time, surprises one by its highly intense tone, a tone so personal that it has led several critics to consider the novel autobiographical. The author denies this assertion although she admits that

> . . . the idea for the novel came from the shock experienced by her sensibility upon her arrival in Barcelona, in September of 1939, immediately after the end of the Spanish war, from the friendly and peaceful world of the Canary Islands. . . . *Nada* is a lively, anxious interrogation. Andrea—the protagonist—searches among some beings, in an atmosphere unsettled by circumstances, for something which her education has given her the right to hope for; a truth in her convictions, a cleanliness in her life, a strong ideal which will solve for her the riddle of existence. Andrea goes through the novel with her eyes open, with curiosity, without rancor. She leaves it without anything in her hands, having found nothing . . . and also—I have wanted to express this—without hopelessness.[27]

It is this approach which gives the novel, otherwise somewhat traditional in its technique and style, its modernity. With the contemporary novel it coincides in the sordidness of the reality depicted, in the blackness and hopelessness of its inhabitants, in the anguish it uncovers, in the anxious groping for some meaning to existence.

After a long waiting period Laforet published her second long novel, *La isla y los demonios*. The theme of this novel is somewhat the same as that of *Nada*. It deals with the efforts of Marta—a young teenager who could very well be Andrea before

27. Carmen Laforet, *Mis páginas mejores* (Madrid, Editorial Gredos, 1956), p. 13.

her arrival in Barcelona—to escape from an uncongenial home atmosphere and to gain her independence. This novel is perhaps better written but it lacks the fiery passion and candor which are the two greatest assets of *Nada*.

With the publication of a volume of short stories (*La muerta,* 1947) and one of short novels (*La llamada,* 1954), Carmen Laforet begins to widen the scope of her thematic material and a change of tone begins to appear in some of these shorter narratives. In this book, Carmen Laforet is represented by one of her best short novels, *El piano.* The tone of this short novel is optimistic, and although the atmosphere in which it takes place is one of poverty, there is a tremendous effort on the part of the characters to face their unfortunate circumstances; and we find their courage, their optimism, their basic faith in humanity, rewarded. The essential concern is with the weighing of values. Rosa, the heroine, could very well be Marta or Andrea after having found a strong ideal, a positive philosophy which may not wholly explain the riddle of life, but which makes life and all its burdens bearable. This novel gives an excellent portrayal of the life of a young lower-middle-class couple in one of Spain's largest cities—probably Madrid or Barcelona—and their efforts not only in fighting against adverse circumstances in their everyday existence but also in achieving their spiritual and intellectual ideals and a feeling of fulfillment.

In three out of the four short novels contained in the volume *La llamada,* we find a more optimistic and positive outlook towards life. In one of them religion occupies a very important position for the first time in the works of Laforet, and it serves as a prelude to her most recent long novel, *La mujer nueva,* in which the religious theme dominates completely. This novel deals with the religious conversion of a married, adulterous woman. Of all her novels this is undoubtedly the most complex in its structure but, in spite of the prizes it has received, it is the consensus of most critics that it is the least successful of her works. The plot and theme are quite good. Where the novel fails, in my opinion, is in the old-fashioned omniscient technique used by the author. In today's world we know that it is impossible to enter into people's minds and to penetrate their inner thoughts. If the novel is autobiographical—that is to say, told in the first person—then we may allow this character to reveal himself to us completely. In *La mujer nueva,* however, the omniscient point of view makes it almost impossible for the reader to *believe* the inner struggles of any of the characters.

The novel deals with a theme which had been treated earlier —quite successfully—by the British writer Graham Greene in his novel *The End of the Affair.* Here the religious conversion is believable and is immensely moving because the novel is told from the point of view of Bendrix, the lover of the heroine with whose conversion the narrative deals. The force which the theme acquires here is partly due to the fact that the narrator—Bendrix —is an avowed disbeliever. Thus we have the touching story of this agnostic telling us, first hand, the circumstances of the conversion of his ex-mistress, the adulterous wife of a close friend, and certain "miraculous" happenings which follow. The tone of the novel, rather than being pious and righteous, is one of rebellion and near blasphemy directed to God by this nonbeliever. This Unamunian paradox is what makes the story so convincing. Laforet, dealing with a similar situation—the same love triangle—treats the conversion in a much too personal way. Perhaps because she is dealing with a personal matter—her own conversion to the Catholic faith in December of 1951—she is too close to it to achieve the proper perspective.

Today's tendencies are, then, for the novelist to imagine a world *like* the real world, like *a* particular and concrete real world in time and space. In this way the novelist is able to analyze, as deeply as he wishes, his characters, as long as he does not do so in front of the reader but in private. He is able to show the result of this deep analysis through the words and actions of each one of his characters. The narrative may utilize the results of his thorough analysis but he is very careful to hide from the reader the fact that he has obtained his results by entering into places which *in reality* he is unable to enter. The writer is creating a reality—the reality of his novelistic world—and he presents this reality to us as if it were a true reality. Thus the novelist has to limit in his novels the exposition of facts to those which are *normally* perceptible by the real man who is the author. It is not permitted to the author to suppose anything more than what is permissible for a real man to suppose.[28]

The modern novel of the postwar period, although still dealing with the same basic problem of reality and appearance with which Cervantes inaugurated the western novel, instead of contrasting appearance and reality (the world of appearance and the real world) creates an apparent reality which is presented to the reader *as if* it were the real reality. The novelist is still in the midst of the arbitrary, his work returning to the appearance of reality which is the essential requisite for its effectiveness as a novel. Life—the real reality as such—has never been nor will ever be art, or novel.

28. See an excellent discussion on this subject by Maurici Serrahima, "De lo arbitrario en la novela," *Insula,* Año XII, No. 132 (Nov. 1957), pp. 1 and 5.

Tabla cronológica

1843 Comienza el reinado de Isabel II que dura hasta 1868.
1843 Nace en Las Palmas de Gran Canaria Benito Pérez Galdós.
1849 Comienza el realismo en España con la publicación de la novela *La gaviota* de Fernán Caballero.
1864 Nace en Bilbao el poeta, novelista y filósofo Miguel de Unamuno.
1866 Nace en Villanueva de Arosa el gran estilista Ramón María del Valle Inclán.
1868 Se derroca la monarquía y comienza la primera República que dura hasta 1874.
1872 Nace en San Sebastián el novelista Pío Baroja.
1873 Nace en Monóvar el gran escritor, único superviviente de la generación de 1898, José Martínez Ruiz, seudónimo Azorín.
1874 Restauración de la monarquía con la vuelta de los Borbones a España (Alfonso XII).
1883 Nace en Madrid el filósofo José Ortega y Gasset.
1883 Publica la escritora Emilia Pardo Bazán su libro de crítica *La cuestión palpitante* introduciendo así las teorías del naturalismo francés en España.
1888 Nace en Madrid el escritor Ramón Gómez de la Serna.
1898 Guerra entre España y los Estados Unidos que concluye con la derrota de aquélla y su pérdida de las últimas posesiones de ultramar. Este año da nombre a la generación de escritores integrada por Unamuno, Azorín, Baroja, Valle Inclán y otros, y marca el comienzo del renacimiento literario que se efectúa en España durante el siglo veinte.
1901 Nace en Portugalete (Bilbao) el novelista Juan Antonio de Zunzunegui.
1902 Termina la regencia de María Cristina y comienza el reinado de Alfonso XIII.

1914 Comienza la primera Guerra Mundial que dura hasta 1918.

1916 Nace en Iria-Flavia (La Coruña) el novelista Camilo José Cela.

1920 Muere Benito Pérez Galdós.

1921 Nace en Barcelona la novelista Carmen Laforet.

1923 Comienza la dictadura del General Primo de Rivera que dura hasta 1930.

1931 Se establece la segunda República.

1936 Comienza la revolución que culmina en la Guerra Civil.

1936 Muere en Salamanca Miguel de Unamuno.

1936 Muere Ramón María del Valle Inclán.

1939 Cae Madrid y termina la Guerra Civil con la victoria de las fuerzas rebeldes.

1939 Comienza la segunda Guerra Mundial que dura hasta 1945. Los años entre 1918 y 1939 constituyen el período de "entre guerras" durante el cual se desarrollaron todos los principales movimientos artísticos y literarios conocidos con el nombre de "ismos." En España este año marca el comienzo de la post-guerra.

1942 Publicación de la primera novela importante de la post-guerra: *La familia de Pascual Duarte* de Camilo José Cela.

1944 Se publica la novela *Nada* de Carmen Laforet y se le otorga el primer premio Eugenio Nadal.

1956 Muere el novelista Pío Baroja.

CARMEN LAFORET

Carmen Laforet was born in Barcelona on September 6, 1921. When she was only two years old her family moved to Las Palmas in the Canary Islands, where she stayed until shortly after the end of the Civil War in 1939. Her life in this island as a young adolescent is reflected in her book *La isla y los demonios,* although, of course, this is not an autobiographical novel. In Barcelona she attended the University for three years, after which she moved to Madrid, where she continued studying at the Universidad Central.

At the age of twenty-three she became famous overnight after the publication of her first novel. She published a collection of short stories a few years later, but it was not until 1952, after she had been married and had started a family which today numbers five children, that she published her second long novel.

Married to a journalist and critic, Manuel G. Cerezales, today in charge of the Spanish newspaper in Tangier, Carmen Laforet has successfully combined a literary career with her duties as a wife and mother of a large family.

Her novels and shorter fictional works up to date are: *Nada;* Novela, Premio Eugenio Nadal, 1944. *La muerta;* Cuentos, 1947. *La isla y los demonios;* Novela, 1952. *La Llamada;* Novelas cortas, 1954, which includes *El piano. La mujer nueva;* Novela, Menorca Prize, 1955; Miguel de Cervantes Prize, 1956.

CARMEN LAFORET

El piano

I

Aquel año había llegado pronto el calor. Era a principios de junio y el aire quemaba a mediodía.

La luz cegaba los ojos al rebotar en el cemento y la cal de las fachadas, en el asfalto polvoriento, que se resquebrajaba por algunos sitios, dando una impresión miserable. Se echaba de menos el canto de las chicharras en aquella pequeña calle de la ciudad, que ya estaba cerca del campo. Toda una acera estaba bordeada por la tapia de un solar, sobre el que gravitaba un cielo deslumbrante, casi negro. En la otra acera, un monstruoso bloque de viviendas baratas recibía aquel baño de calor, y sus infinitas ventanas llameaban.

Un ser humano, un chiquillo andrajoso, salió despedido de una de las puertas del edificio, y su figurilla parecía agrandar las proporciones de aquel mundo silencioso que lo envolvía; parecía aumentar el angustioso calor, y la soledad.

El crío se refugió en un filo de sombra bajo la tapia del solar. Hasta llegar allí, la luz era tan intensa, que impedía ver a la vieja vendedora de caramelos, siempre en su puesto, al lado del tenderete, donde su mercancía estaba protegida contra las moscas por una tarlatana de un agrio color rosa.

—Un pirulí.

—¿Traes los cuartos? [1]

—Mire.

La vieja no se fiaba nunca de los chiquillos, aunque solía sonreírles por encima de sus pómulos tostados, que, invierno y verano, recibían la caricia del aire libre. La vida —según solía contarle a una de las vecinas de la casa— le había enseñado mucho. No es que estuviese amargada —las rayitas simpáticas que le cruzaban alrededor de los ojos hacían entender bien a las claras que su dueña se había reído mucho en la vida—, pero no

1. **¿Traes los cuartos?** *Do you have the money with you?*

se fiaba de las criaturas que le venían a comprar, porque ya le habían hecho más de una faena.[2]

—Ya ve usted, señorita Rosa, quince años vendiendo en esta esquina . . . ; que [3] he visto construir esa casa, y todo . . . A mí ya no hay quien [4] me engañe, señorita Rosa; porque esto [5] es lo 5 único que yo tengo para vivir . . . , y que no me falte.[6] Lo mejor que yo tengo es la salud, que [7] puedo decir que no he estado nunca enferma desde que estoy vendiendo aquí, en mi puesto, a pesar de que he cogido buenos hielos en las espaldas . . . Pero arrimándose, en verano a la sombra y en invierno al sol, yo 10 creo que no hay vida más sana que ésta de estar al aire libre.

La señorita Rosa escuchaba con gusto estas confidencias.

Era la única vecina del bloque de viviendas a la que la vendedora daba este tratamiento. Era una criatura joven, siempre sonriente. Demasiado flaca para ser bonita, y que tenía la rara 15 virtud de parecer bien vestida siempre, aunque esto no fuera verdad.

Una verdadera señorita.

Así la había calificado la vieja, años antes, cuando ella vino a vivir al bloque de cemento. A su alrededor se levantaron mur- 20 muraciones, desde el primer momento. Había en ella, en aquella señorita Rosa, algo indefinible, algo incalificable y molesto. No tenía tipo de perdida y vivía con un hombre joven y guapo, que, al parecer, era su marido . . . Pero ahí estaba lo extraño: en que siendo su marido aquel buen mozo, no ocultase,[8] a los ojos 25 vigilantes de la calle, una adoración, una ternura casi vergonzosa por la mujercita flaca y fea, que casi desaparecía debajo de sus hombros cuando iban juntos. El matrimonio solía tener criada, sobre todo desde que les nació un niño, ya que la señorita Rosa trabajaba fuera de casa; y las criadas confirmaban las extrava- 30 gantes conclusiones a que llegaba la vecindad al verlos juntos.

—Ella es la que manda . . . Ella hace lo que le da la gana. Él

2. **más . . . faena** *more than one bit of mischief*
3. **que:** omit in translation
4. **quien = nadie que**
5. **esto:** refers to her candy business
6. **y . . . falte = y** [espero] **que no me falte**
7. **que = porque**
8. **en que . . . no ocultase** *in that* [*in spite of*] *that good looking young man being her husband, he did not hide*

es un cordero para ella... Para mí [9] que no están casados...

—Pero, ¿qué le ve? [10]

La indignación era que la protagonista de aquella historia de amor fuese tan fea, tan poquita cosa, tan retaco. Además, con 5 aquella cara lavada, con aquel aire sencillo..., ¡se atrevía a fumar!

Si hubiera sido una "entretenida", según todas las reglas establecidas por la costumbre, aquello de fumar no hubiera tenido importancia. ¡Pero una mujer que, pese a todos los pesares, 10 parecía honrada y cuyo marido no tenía vicios!... Estos detalles eran enloquecedores.

La vieja de los caramelos, que vendía cigarrillos sueltos [11] y de la que por eso era cliente la señorita Rosa, había afirmado, al pronto, que los cigarrillos eran para él. Pero hubo que de- 15 sengañarse.[12] La señorita Rosa fumaba y su marido no.

Hubo un detalle chusco, relacionado con esto de los cigarrillos; un detalle íntimo, que provocó muchísimos comentarios entre las vecinas, que causó risas, indignaciones y..., cosa rara, también algunas débiles simpatías entre las mujeres del barrio.

20 Fué el día en que nació el niño de aquella mujer. Aquel embarazo, como todo lo que se refería a la pareja, fué seguido con gran curiosidad. Las mujeres más experimentadas opinaban que una criatura tan estrecha no valía para esos menesteres, reservados a las mujeres de verdad.

25 La criada que por entonces habían tomado, fué interrogada sobre el asunto, y daba gustosamente toda clase de detalles.

—No le hace ni una chaqueta de punto al niño; no sabe coser... Es como un marimacho.

—Bueno, bueno...; ahora aprenderá, ahora verá lo que es 30 bueno...[13] Ya se le [14] quitarán los humos cuando le llegue el momento.

Porque, en verdad, lo que la calle entera encontraba insufrible

9. **Para mí** *My opinion is*
10. **¿qué le ve?** *what does he see in her?*
11. **cigarrillos sueltos:** poor people in Spain buy cigarettes singly instead of by the pack
12. **desengañarse** *to face the facts*
13. **ahora ... bueno** *now she'll see what the score is*
14. **le:** the dative of separation, used with verbs like **quitar** and **robar** and untranslatable

en la señorita Rosa era aquel aire de felicidad perpetua, aquella especie de reto de su sonrisa, como si fuera distinta de todos, como si a ella no le rozara la miseria, ni el dolor, ni la angustia... Y era tanto más imperdonable, cuanto que era pobre, pobrísima. Si hubiera tenido dinero, si hubiera sido aunque no fuera más que "de buena familia",[15] aquello se hubiera explicado. Pero los orígenes de la señorita Rosa y de su marido se perdían en el misterio. La criada afirmaba que no tenían parientes y que, desde luego, dinero no tenían más que el poco que ganaban.

—Ahora, ahora sabrá ésa lo que es bueno —comentaban la frutera y la lechera al verla pasar, del brazo de su marido, en aquellos días en que ella esperaba a su hijo.

La vieja vendedora escuchaba estas palabras, veía la fruición con que se pronunciaban y movía la cabeza.

—Bueno...; ¿pues no decían ustedes que no valía para eso?...[16] Ella está tan contenta. ¿Qué hay de malo?[17]

La frutera y la lechera opinaron que la señorita Rosa iría a una clínica, para el acontecimiento; pero la criada informó que no tenía bastante dinero, y que habían pensado en la Maternidad, y luego, en que todo sucediese en casa. Y al fin, un día se vió pasar a la matrona, Julita, conocida de todo el barrio...

Como ellos vivían en uno de los áticos de la casa, aquellas tenderas y otras muchas mujeres subieron las escaleras varias veces para "ofrecerse", siendo suavemente rechazadas por el marido. Y no había manera de enterarse de la marcha del acontecimiento hasta que apareció en la calle la criadita.

—¿Qué? ¿Cómo va?[18]

—¡Ay! Yo no sé nada... Yo soy soltera... Yo vengo a[19] por un recado. Doña Julita dice que va bien.

—Pero, bueno, ¿te mandaron por alguna medicina?

—¿A mí?... No; yo vengo a por tabaco para la señorita.

—¿A por tabaco?... ¡Ave María!... Pero ¿tiene humor esa mujer...?[20]

15. **si hubiera ... familia"** *if she had at least been from a good family*
16. **eso:** refers to her having a child
17. **¿Qué hay de malo?** *What's wrong with that?*
18. **¿Cómo va?** *How is she doing?*
19. **a:** omit in translation; its use here is dialectal to imitate the speech of the lower classes; also below: **a por tabaco**
20. **¿tiene humor esa mujer ... ?** *is that woman in the mood [to smoke]?*

—Sí; dice que así, fumando, puede no quejarse.

—Y ¿no se queja?

—No.

Entonces fué cuando a la vendedora de caramelos le dió
5 aquella risa,[21] que le arrugaba los ojos sobre las mejillas curtidas
y le hacía saltar las lágrimas.

—Yo siempre dije que tenía aguante.

Y desde entonces, a la vendedora, la señorita Rosa le pareció
algo suyo. Era inexplicable, pero cuando la veía aparecer, con
10 sus blusas limpias y su sonrisa inmutable, a la vieja se le alegraba
el corazón.[22] Y se alegraba de que el niño fuese hermoso y bien
cuidado, y se alegró y se ahuecó toda cuando, poco después, un
acontecimiento notable hizo que la gente del barrio empezase
a mirar al matrimonio con un nuevo respeto... El día en que,
15 hasta al ático donde ellos vivían, fué izado, con infinitos trabajos,
un espléndido piano de cola.

—Parece que son de gente rica venida a menos... El piano
es una herencia... Y, además, ella lo toca... Son artistas.

Inexplicable; pero, desde aquel día, la señorita Rosa encontró
20 muchas más sonrisas en los saludos de las vecinas. Una nueva
cordialidad, que ella apreciaba quizá, porque sonreía también,
con dulzura... O que, todo era posible, no tuviera en cuenta,
porque su gesto siempre había tenido la misma amabilidad y
la misma lejanía que ahora.

25 —Yo siempre lo dije. Siempre dije que eran gente de mucha
altura...

—Sí, es verdad; se ve que son finos. Y ellos, los pobres, pasarán
sus apuros; pero no deben nada a nadie; ésa es la verdad...

"Los pobres..." Esta frase compasiva que ahora les aplicaban,
30 les envolvía, sin que ellos lo supieran, en una aureola cariñosa
y respetuosa a la vez. Era un fenómeno inexplicable, pero el piano
de cola, en aquella casa-colmena, donde había más de cien aparatos de radio, era un orgullo, y daba a toda la calle como un aire
de señorío...[23]

35 Aquel día de principios de verano, la vieja vendedora suspiró,

21. **cuando ... risa** *when the candy vendor was overcome by that laughter*
22. **a la vieja ... corazón** *the old woman's heart was gladdened*
23. **era un ... señorío** *was a thing to be proud of, and gave to the whole street a kind of aristocratic atmosphere*

distraída, mientras despachaba su pirulí al muchacho. Estaba pensando, precisamente, en la señorita Rosa. La había visto salir, muy temprano, de la casa, y no se había acercado a saludarla siquiera. Sabía la vieja que llevaba pasando [24] una mala temporada. El marido había estado enfermo, el niño también. Por primera vez empezaron a deber dinero en las tiendas de la vecindad...; ¿qué se iba a hacer? [25] Ella seguía sonriendo. Y según la criada, tocaba su piano y recibía a aquellos extraños amigos que tenía el matrimonio, con la misma tranquilidad de siempre. El chiquillo del pirulí volvió a meterse en la casa, y la calle quedó otra vez alucinante y vacía a los ojos de la vieja. De la puerta de la lechería, cubierta con una cortina, se escapaba un horrible olor agrio y fétido. No cruzaba un alma por la acera.

Fué en aquel momento cuando se oyó la bocina de un automóvil, la trepidación de un motor, y apareció allí, en la pequeña calle, abandonada al rigor del sol, un camión de mudanzas.

Paró delante de una de las puertas del edificio. Se bajaron unos hombres y preguntaron algo. Inmediatamente empezaron a temblar las cortinas que protegían las puertas de la frutera y la lechera. Apareció el zapatero remendón de la esquina, y las puertas comenzaron a vomitar chiquillos.

Se abrieron algunas ventanas.

Era la hora de la vuelta del trabajo. En cinco minutos aquel rincón desolado se convirtió en un sitio concurrido. Hombres y mujeres, sin miedo al sol, veían las operaciones de los mozos de la mudanza. Se llamaban unos a otros, hacían comentarios.

La vieja vendedora, quieta en su silla, aguzaba el oído.

—Caray, sí, ¡ya era hora!...[26] Me debían más de veinte duros...

—Y bien que se los pagaron a usted ayer,[27] señora...

—Ya lo creo. Ahora me lo explico... Han vendido el piano...

La vieja vendedora aguzaba el oído desde el principio, para enterarse de lo que chillaban aquellos dos energúmenos, la frutera y la lechera; pero al oír la palabra "piano", ya no tuvo la menor duda de lo que se trataba.

24. **llevaba pasando:** progressive form; **estar, andar, venir, ir, seguir** and **llevar** are commonly used with the present participle
25. **¿qué se iba a hacer?** *what could they do?*
26. **¡ya era hora!** *it was about time!*
27. **Y bien ... ayer** *And they paid you yesterday all right*

Con unos zorros de papel, la vieja espantó, nerviosamente, las moscas que insistían en posarse sobre la tarlatana protectora de sus dulces...

"¿Un piano?... Y ¿qué importa que vendan un piano?... 5 Pues vaya —gruñó para sí—. Cualquiera diría que sin piano no se puede vivir... Pues me han fastidiado esas mujeres con tanta risa... Las muy brujas se alegran... Pues vaya..."

—¿Qué le pasa, señora Gertrudis?

El zapatero remendón estaba delante de ella.

10 —¿A mí? Que me molesta la gente que comenta lo que no le importa, eso me pasa.

El zapatero se echó a reír. Tenía los dientes muy negros.

—Vaya, señora Gertrudis, ni que le diera a usted de comer esa señorita del pan pringao...[28]

15 Gertrudis no contestó. Se le había ocurrido una contestación disparatada, de todo punto disparatada, y pudo contenérsela. Pues, ¿no había estado a punto de decirle a aquel hombre que ella quería a la señorita Rosa como si fuera su hija?... Y ¿de qué conocía ella, la vieja Gertrudis, a aquella muchacha? De nada, 20 ésa era la verdad; de verla en la calle, durante años, en cortos ratitos, siempre sonriente...

En aquel momento, de los espectadores se escapó un rumor, como un pequeño mar que alborotara el oleaje. Allá arriba, en la terracita que adornaba uno de los áticos, acababa de aparecer 25 el mueble, protegido por mantas.

Había una especial fascinación en seguir el trabajo de aquellos hombres. Un trabajo primoroso, como de equilibristas de circo. Un trabajo que se apreciaba a pesar del calor, el polvo y la sed del día...

30 Gertrudis suspiró. Se sonó con su gran pañuelo blanco y apartó la vista de aquellas alturas.

Entonces vió que en una esquina de la calle, allí, bajo el filo de sombra de la tapia del solar, muy quieta, inadvertida, estaba la señorita Rosa.

35 La vieja la vió, inmóvil, fascinada. Tenía en la mano muchos

28. **ni ... pringao** [*the way you act you'd think*] *that that young lady with her high-class airs was feeding you.* **Pan pringao** (*bread dipped in gravy*) is an epithet used by the lower classes to refer disparagingly to the upper classes, implying that they eat well

paquetes. Vió que no pestañeaba, mientras el lujoso mueble descendía... Siguió allí quieta, mirando, hasta que estuvo el piano ya dentro del coche de la mudanza. Hasta que este mismo coche arrancó de allí, y los vecinos se disolvieron, huyendo de una insolación... Luego vió cómo suspiraba, y se disponía a 5 entrar en la casa.

Pero antes se volvió hacia ella, hacia la vieja Gertrudis, y le dedicó una sonrisa.

II

Rosa se metió en el portal, con cierto desánimo. Aquella sombra fresca, bienhechora, le acarició las piernas, el pecho, los 10 pómulos ardorosos. Parpadeó para acostumbrarse a la relativa oscuridad y pudo ver, al fin, un panorama muy conocido. El largo zaguán, parecido a un pasillo, con la garita de la portera, que allí la acechaba, sin disimular su curiosidad. Rosa no la había visto. Estaba ocupada en contar sus paquetes, cuando 15 asomó la cabeza de aquella mujer.

—¿Se encuentra mal, señorita Rosa?

—No, por Dios, gracias... Hace tanto calor... ¿Verdad?

—Sí, señorita, cuando vienen malos tiempos [1] todo parece que agobia más... 20

Rosa la miró, sorprendida, como si por primera vez viese a Juana, la portera. Consideró su estatura alta, su pecho fuerte que había amamantado a varios hijos, sus descuidados cabellos negros, que hubieran sido bellísimos si no hubiesen estado llenos de polvo, y aquellos ojos grandes, brillantes, que achicaba al 25 hablar. Se fijó en sus manos, una de las cuales sostenía la escoba, y otra se apoyaba en el marco de la puerta de su cuchitril. Eran unas manos morenas, descuidadas, de forma bella, como —pensó Rosa, sorprendida— todo en aquella mujer, pero tenía las uñas rotas y negruzcas. Rosa no sabía por qué la estaba mirando con 30 tanta atención. Le parecía que aquella mañana no había hecho otra cosa que mirar fijándose de esta manera, a los seres y a las cosas con los que sus ojos habían tropezado. Y en aquellos segundos la portera la miraba también, esperando. Rosa reaccionó. 35

1. **malos tiempos** *bad times;* refers to Rosa's situation and not the weather

—¡Ah! ... Los malos tiempos ... Bueno, no sé ...

Como todo lo arreglaba sonriéndose, se sonrió, y fué Juana la que quedó un poco cortada con aquella sonrisa distraída, y aquella chispa luminosa de los ojos de la señorita Rosa. Siempre pasaba igual; cuando iba a preguntarle algo, aquella mujer se le iba.[2] Y no se podía decir que fuera orgullosa, ni nada parecido. Era que no podía uno pegar la hebra con ella por nada del mundo ...

Rosa llegó hasta la escalera. Su escalera ... Un sitio bien conocido, y hasta querido, si la apuraban mucho. Una escalera fea, con escalones de cemento y frágiles barandillas que retemblaban al paso constante de la chiquillería de la casa. Siempre estaba sirviendo de escenario aquella escalera a representaciones de películas de "gangsters", tiros imitados con la boca, peleas reales, realizadas por críos mocosos, de ojos furibundos. Al hijo de Rosa, que tenía cinco años, aquellos diablillos le llamaban "el gallina" unas veces, y otras "el santito", porque su madre no le dejaba mezclarse en estos juegos.

Ahora la escalera estaba solitaria. Por las ventanas que le daban luz, se veía un patio grande y sucio, lleno de ropa tendida. De aquel patio llegaban voces, risas. Pero sobre todo chillidos de aviso para la comida del mediodía, y olores de esta misma comida. Los diablejos, pobladores de aquel mundo, propietarios de feroces nombres de bandidos, estarían sentados a la mesa, frente a la cazuela de las patatas.

Por estos mismos diablos, la escalera estaba adornada, en su pared, con dibujos torpes y algunas palabras y avisos de una ingenua obscenidad.

Rosa, que contra su costumbre, la subía muy despacio, se entretuvo en descifrar aquello.

No le eran antipáticos en manera alguna aquellos críos de su vecindad. Y ellos, cosa rara, la querían. Siempre había tenido un atractivo especial para aquellos niños. Quizá porque en los primeros tiempos de vivir allí les compraba caramelos.

Pero, reflexionó, no por esto ... Se los compraba porque eran tan graciosos.

Hacía ya seis años que vivía allí, y los primitivos chiquillos favorecidos con sus caramelos, eran ya talluditos. Algunos hasta

2. **se le iba** *escaped her*

trabajaban. Los nuevos, que habían venido a reemplazarlos, jugaban exactamente a lo mismo . . . Y ella tenía la impresión de que también la querían, aunque le guardasen rencor porque tenía tan apartado a su hijo. A veces, ella misma se lo había reprochado. Sabía que el pequeño Pablo se mordía los puños de rabia con aquellos apelativos de "gallina" y "santito", y que deseaba enormemente correr por las escaleras, y pegarse, y vivir gloriosamente con aquella feliz patulea.

Rosa misma, de pequeña, había jugado a bandidos, y podía comprender muy bien la alegría de un vestido sucio y roto después de una tarde de juego feliz . . . Pero no era esto. Lo que Rosa no quería para su niño, ahora lo sabía, era ese deseo de brutalidad, ese afán que convertía en héroes a los malos. Una vez lo había hablado con Rafael, su marido. Cuando ellos eran pequeños iban al "cine" como estos chiquillos, y de las películas tomaban sus héroes y sus malvados . . . Y se peleaban y herían . . . ; Rosa y Rafael habían jugado así, en la calle de una pequeña ciudad, casi un pueblo, donde, al menos durante la infancia, no había clases sociales ni diferencias de educación . . . Una vez, Rosa misma, había herido a Rafael con una piedra . . . Rosa, descuidadamente, se sentó ahora en uno de aquellos sucios escalones, y dejó los paquetes a un lado . . . Estaba cansada. No sabía por qué estaba cansada. Pero sonreía a su recuerdo. Maquinalmente buscó en su bolso, y sacó de allí un cigarrillo. Lo encendió . . . La escalera estaba solitaria, oscura, casi fresca. ¿Qué hubiera pensado un vecino al verla así, sentada en ella, fumando?

Era muy propio de Rosa hacer tonterías de [3] éstas. Luego Rafael se enfadaría, con razón. Pero ella no se daba cuenta, en absoluto, de sus gestos, ni tampoco de por qué se le hacía tan larga la subida hacia su casa, ni de por qué retardaba aquella llegada, cuando siempre había subido casi en un vuelo, anhelante por besar a Rafael y al niño, un poco asustada de su desorden, de su incapacidad para medir el tiempo, que siempre le hacía pensar que llegaba tarde. Aquel día era más tarde que nunca para la comida. La buena de Luisa, la criada, gruñiría lo suyo . . .[4] Pero Rosa no pensaba en esto. Estaba sentada en los escalones, fumando y recordando su infancia en aquella ciudad

3. **de** = **como**
4. **La buena . . . suyo** *Good old Luisa, the servant, would have her grumbling*

de provincias, y sus peleas con la chiquillería, y la herida que hizo a Rafael con una piedra.

"Pero es que él era el bandido."

Se sonrió. Quizá allí estaba la clave del asunto, el por qué no
5 quería ella que Pablito jugase con los críos del barrio, como ella misma y Rafael habían jugado. En sus tiempos ser el bandido era lo más desagradable del juego. Todos querían ser héroes buenos, justicieros, limpios... Era el tiempo de las películas de americanos y de indios en que, siempre, una joven inocente y pura era
10 salvada de las garras de unos felones por un héroe maravilloso y bueno... Ahora el héroe era el pirata o el "gangster", y el malvado o los malvados y ridículos, los policías... Desaparecía la caballerosidad. Lo importante era conseguir dinero... El cigarrillo se le apagó a Rosa entre los dedos. Oyó un portazo. Se
15 puso en pie, asustada. Era la misma loca que de costumbre. Empezó a recoger sus paquetes...

—Vaya, bien se ve que ha ido usted de compras.

Un vecino bajaba en aquel momento. Verdaderamente, debería de ser muy tarde, si ya era hora de volver al trabajo.

20 Rosa asintió. Sí, había ido de compras. Pero por primera vez en la mañana este pensamiento no le causó alegría, ni le iluminó los ojos con una sonrisa... Aquella mañana había bajado las escaleras sintiéndose ligera y feliz. Ahora las subía como si tuviera plomo en las rodillas. Temía la llegada a su casa, por
25 primera vez desde que vivía en aquel piso. Suspiró. Dios sabría por qué.

III

Aquel amanecer había sido venturoso. Rosa estaba despierta desde que la primera luz, toda inflamada de un color rosa que hacía presentir el calor, de pequeñas nubes, como plumillas de
30 fuego, de chillidos de golondrinas, entró por la ventana abierta de par en par.

Rafael dormía a su lado, en paz. Lo estuvo mirando; de codos sobre la almohada, inclinada sobre su sueño, como sobre el sueño de un niño. Le conmovía a ella la línea ingenua de su boca,
35 la bien formada estructura de su cara, su frente limpia como la de un adolescente.

De las pocas cosas que se pueden saber de los seres que amamos, son a veces los sueños de estos seres, si ellos también nos aman. Rosa conocía los sueños de Rafael, las ilusiones un poco pueriles que subían detrás de aquella frente amplia, y que ella contribuía a alimentar, muchas veces, sin compartirlas... Y en esto sí que se sentía ligeramente culpable Rosa. Suavemente, casi sin querer, sin que Rafael se diese cuenta, ella había ido limando [1] las ambiciones de aquel hombre... Alimentándolas con palabras, y limándolas, al mismo tiempo, con su falta de deseo de que se realizaran. Estas dos cosas pueden hacerse a la vez.

Rafael deseaba ser rico y famoso un día, y a ello le parecía consagrar su vida... Y Rosa le decía que nadie [2] más capacitado que él para serlo; pero al mismo tiempo le acostumbraba a la oscura felicidad de ser pobre, a la beata felicidad de pasar oscuro e ignorado por la existencia.

Rafael había dejado su ciudad de provincias, el porvenir seguro y cómodo del comercio que tenía su padre en aquella ciudad, y se había venido a la capital, sin más preparación que una cultura adquirida heroicamente, casi en soledad, en horas interminables de lectura y proyectos. Deseaba ser escritor, y escritor de primera categoría, naturalmente. Había enviado un cuento a una revista avanzada y había ganado el primer premio de un concurso. Fué entonces cuando su cabeza empezó a hervir de proyectos; [3] cuando rompió con la paz asustadiza de su familia, cuando dejó a Rosa, la novia de su infancia, y se vino a la capital, dispuesto a conquistar el mundo. Él no quería fama, sino dinero. La gustaban las cosas bellas, las mujeres elegantes, los automóviles silenciosos que hacen ir, como en un vuelo, adonde se desea. Se creía capacitado para adquirir todo esto... Pero eso sí,[4] con la mayor pureza. Sólo por medio de la fama que pudiera darle su arte.

Era un muchacho tan bien plantado, con una sonrisa tan blanca y luminosa, con unos ojos tan limpios, que despertaba simpatía y burlas a la vez. No podía él explicarse este fenómeno, y muchas veces hasta había sentido un infantil resquemor de

1. **había ido limando** *had gradually cut down.*
2. **que nadie = que [no había] nadie**
3. **hervir de proyectos** *to teem with ideas*
4. **eso sí** *of course*

lágrimas en la garganta cuando había oído el comentario burlón.

—Pobre hombre, con esa salud, con esa talla . . . Usted donde tiene porvenir es en el boxeo, o como artista de "cine" . . . ¿De veras no se ha hecho probar nunca a ver si sirve? . . .

5 Salud, belleza, juventud . . . Llegó a aborrecer estos dones que de nada le servían para sus deseos. Aceptó un pequeño empleo de oficinista que le dejaba horas libres, y conoció una heroica pobreza, y él, que en nada quería claudicar, transformó su estilo literario según las últimas modas y corrientes de su círculo de 10 intelectuales de café . . . Y no logró nada. Después del primer éxito, nadie lo tomó en serio.

—Pero, hombre —le decían los guasones—, la culpa es de ese físico de divo que tienes[5] . . . No inspiras respeto ni miedo.

Rafael, aunque allá en su fondo estaba creyendo que lo que 15 pasaba era sencillamente que él era idiota, reaccionaba a estas cosas con una vanidad herida, chillona, cómica.

Por aquel tiempo fué cuando encontró de nuevo a Rosa, convertida en universitaria. Parecía ser todo lo contrario que él mismo, y la quiso otra vez.

20 Parecía imposible que aquella chiquilla flaca, fuese la imagen del éxito personal. Pero así era. Tenía un círculo de amigos que la querían y que la admiraban. No se sabía por qué; porque ella concretamente no ambicionaba nada. En aquel ambiente suyo de artistas incipientes, ella era la única que no se había pro- 25 puesto ni pintar, ni escribir, ni esculpir, ni nada . . . Pensaba terminar su carrera y después ver qué pasaba en la vida. Eso le dijo a Rafael, y más tarde él supo que también Rosa vivía mal. Era huérfana y becaria, estaba enfadada con una tía rica, su único pariente, por su demasiado afán de independencia.

30 —Bueno, te diré . . . Ella está enfadada conmigo. Yo no estoy enfadada con ella . . . Sólo que no quiero vivir en su casa, porque aquello es un aburridero. Algunas veces, voy a visitarla porque me da pena.[6] Y ¿sabes en qué consiste la visita? . . . En que me hace tocar el piano . . . ¿Has visto absurdo mayor? Yo lo hago 35 de una manera horrible. Todavía me acuerdo de las torturas a que fuí sometida en mi infancia y adolescencia, sólo porque era lo clásico que una niña de nuestra ciudad supiese teclear . . .

5. **la culpa . . . tienes** *that godlike physique that you have is to blame*
6. **me da pena** *I feel sorry for her*

No tengo ni gusto, ni disposición, en absoluto... Y como me encanta la música, por otra parte, me parece que hago un crimen, que la asesino... Pues eso es lo que la buena señora encuentra aceptable en mí: que sepa tocar su piano.

Y Rafael, cuando Rosa le contaba esto, ya había decidido casarse con ella... Algo extrañamente sensato empezaba a madurar en él, de modo que le preguntó:

—Te dejará heredera, ¿no?

Rosa le miró con curiosidad mientras él enrojecía.

—Ni lo espero ni lo quiero, puedes estar seguro... No te hagas ilusiones.

Él se indignó.

—¿Qué te has creído? [7]

No hablaron nunca más de aquella señora, durante su noviazgo; pero fué la madrina, solemne y ofendida, en la boda...

Porque Rafael, con aquel cariño de Rosa había recobrado alegría y fuerza, y quería protegerla. Logró un empleo algo mejor retribuído que el que tenía; ella encontró otro, y se casaron alegremente, inaugurando aquel pisito modesto con dos o tres muebles de pino y mucha alegría.

—Ahora —dijo Rafael— podré triunfar... Tú eres de esas mujeres que hacen triunfar a un hombre. A ti no te importa pasarlo mal, con tal de que el día de mañana podamos tener todo lo que deseamos.

—Yo no deseo nada... Tengo todo lo que quiero.

Ésta era la diferencia. Él ambicionaba; ella se sentía colmada ya. Lo pensó aquella mañana al ver dormir a Rafael, a su lado, en la amanecida. Le parecía que iba a estallar de amor al mirarle, tan suyo, y tan abandonado en su fuerza.

Él hizo un movimiento. Tal vez la luz le molestaba en sueños. Rosa sintió que le [8] latía el corazón. Luego vió cómo seguía durmiendo Rafael, y ella misma se volvió a echar suavemente en la cama, mirando al techo, con los ojos abiertos y dejándose invadir por aquella oleada de alegría y de paz.

—No sé por qué estoy tan contenta. No lo sé...

7. **¿Qué ... creído?** *You didn't think that I ...?*
8. **le:** When the definite article is used with a part of the body (or article of clothing, etc.), the possessor may appear as indirect object; e.g., **le aliviara la sangre, las rodillas le tiemblan, los ojos empezaron a dolerle, le dolía en todo el cuerpo**

Entonces recordó que tenía dinero. Recordó que ella, Rafael y el niño iban a tomar un mes de vacaciones en el campo. Recordó que la pesadilla de los últimos meses había pasado del todo... Por lo menos había pasado por el momento. Se sentía 5 ligera como quien respira después de haber llevado en los hombros una carga demasiado pesada. Y al mismo tiempo aquella felicidad parecía demasiado grande. Parecía que ahogaba sin remedio, que volvía la sangre demasiado pesada, que traía una ligera sombra en ella, no sabía qué, ni quería saberlo... Cerró 10 los ojos, para no pensar.

En aquel momento oyó una batahola horrible en la cocina. La criada, Luisa, encendía la lumbre. A poco, el niño se despertó. Sintió su voz gritando que le fueran a vestir. Las golondrinas, en la ventana, se volvían frenéticas de tanta luz que 15 había ya, y en el piso de al lado, separada de ellos por un ligero tabique, una familia entera desayunaba... Era el ruido de todos los días, la vida de todos los días conmoviendo la pequeña casita, y sin embargo, resonaba distinta en el corazón. Tenía un sentido distinto. Un ritmo nuevo.

20 La puerta de la alcoba fué aporreada.

—¡Que se levante! [9]... ¡Que [10] llega tarde a la oficina!

Rafael se incorporó sobresaltado en la cama y luego sonrió, al ver que Rosa, a su lado, muy despabilada ya, sonreía.

—Ya lo oyes —dijo.

25 El aviso era para ella. Rafael estaba aún enfermo. En verdad, casi bueno. Pero el médico había prohibido toda clase de trabajo; al menos antes de que tomase vacaciones en el campo... Había perdido su empleo, después de varios meses de esperarle, sin sueldo... Si hubiese conservado su trabajo, Rafael habría ido 30 a él, aunque no se encontrara bien del todo. Rosa lo sabía. Y aquel día se alegraba de que lo hubiese perdido.

—Quédate tú en la cama.

—Estás loca. Voy a trabajar un rato. Me parece que esa novela está saliendo... [11]

35 A Rosa, sinceramente, también se lo parecía. Era muy posible que Rafael triunfase. Ella sabía más que nadie que él tenía dotes,

9. **¡Que se levante!** Translate as direct command
10. **Que = Porque**
11. **está saliendo: bien** is implied

que tenía imaginación y sobriedad escribiendo... Ella quería su éxito, pero sólo por la alegría que él pudiese sentir, no por las mil cosas inoportunas e infantiles que Rafael pensaba que vendrían, cuando fuese un escritor conocido.

El niño tenía vacaciones y la criada le dijo a Rosa —mientras ella desayunaba en la cocina— que lo iba a llevar al mercado. El mal genio de aquella eficiente Luisa, que les había tocado en suerte no hacía mucho, estaba aplacado esta mañana, porque, en verdad, la pobre, en los últimos tiempos había temido mucho no llegar a cobrar jamás sus sueldos; y con gran sorpresa suya, la noche anterior los había recibido íntegros, y un regalo además, por lo bien que se había portado [12] durante la enfermedad del niño y de Rafael.

—Ande, ande, dése prisa...

Luisa gruñía. Tenía verdadera ansiedad por verla fuera de su cocina.

—No sé cómo [13] no se ha desayunado en el salón...

Rosa sonrió como siempre que oía esta palabra. En aquella casita chica, había una habitación llamada el salón... Y hasta merecía su nombre y todo.

—No, hoy no... Me voy corriendo.[14]

En [15] un momento se le ensombrecieron los ojos verdes y brillantes que tenía. Luego se le volvieron a iluminar.

—Adiós... Dame un beso, Pablillo...

—¿Cuándo nos vamos al campo?

—En seguida, muy pronto. Me voy a ocupar de eso en seguida.

—¿Allí me vas a dejar jugar en la calle?

—¡Ya lo creo!...

—Bueno, bueno, basta de mimos —cortó Luisa por lo sano—, que [16] este se va a volver raquítico con tanto beso y tanto mimo...

Rosa no contestó en absoluto a esta salida de tono de la criada. Era muy raro, pero ella, tan valiente para otras cosas, a las criadas siempre les había tenido miedo. Sabía que la juzgaban

12. **por ... portado** *because she had behaved so well*
13. **cómo:** frequently used in speech instead of **por qué** in constructions like this
14. **Me voy corriendo** *I have to run*
15. **En** *for*
16. **que = porque**

agriamente. Que les parecía tonta e inepta en las cosas de la casa, que no comprendían el que un hombre "cabal" como Rafael se hubiese casado con ella. Lo que no sabía es que, además de ama de casa calamitosa, sus criadas la creyesen fea hasta un punto notable. Y se hubiese sorprendido mucho con esto, porque toda su vida había oído palabras halagadoras respecto a su propio físico, del que tenía una ligera e inconsciente vanidad. Y, sin embargo, era fea. Pero quizá en no saberlo residía aquel encanto que le encontraban los que la trataban.

Se desprendió, casi vergonzosamente, de los brazos del niño, y salió desde el pasillito oscuro al rellano de la escalera.

Cuando la puerta de su casa se cerró detrás de ella, sintió como [17] un alivio inexplicable.

"Voy a tomarme unas vacaciones", pensó.

No se trataba de la célebres vacaciones proyectadas... Era algo inmediato, apetecible de hacer. Un lujo maravilloso que iba a permitirse. Aquella mañana, decidió, no iría a la oficina.

IV

Bajó las escaleras, radiante. Las mismas escaleras que se le iban a hacer interminables en su subida a mediodía, volaron entonces bajo sus zapatos. Las bajaba haciendo retemblar las barandillas como los chiquillos de la vecindad.

—¡Se va a matar!

La advertencia, bastante agria, vino de una vecina, una mujerona [1] enorme, cuyos labios estaban decorados con unos respetables bigotes grises. Aquella buena mujer subía resoplando y jadeando y la miraba con muy poca cordialidad.

—No hay cuidado —gritó Rosa alegremente.

Y en aquel momento resbaló en una cáscara de plátano, y, en efecto, estuvo en un tris de salir rodando. La barandilla contuvo la caída, y Rosa empezó a reírse, sofocada, mientras oía un comentario gruñón contra las personas locas.

17. **como** *a kind of*

1. **mujerona:** The augmentative ending, in addition to the idea of large size, often adds a suggestion of ugliness, roughness, and at times scorn or mockery

Pero, en fin, ya estaba en la calle. En aquella gloria del día, que aun no era demasiado ardoroso, y, sin embargo, llenaba los ojos de luz. Con todas aquellas horas para dejarse vivir en ellas, para vagabundear.

Hacía mucho que Rosa no podía hacer esto. Vagabundear. Ir de un lado a otro a placer, sin objeto... Y ¡cuánto le gustaba!... Una de las cosas que le habían determinado a no vivir con aquella señora imponente que era su tía, había sido su incomprensión para este afán de libre vagabundeo suyo.

"Con lo que tienes, te morirás de hambre... Y además, no lo tienes más que hasta el término de tu carrera... Y eso si no pierdes asignaturas, que lo veo difícil, porque para vivir vas a tener que ayudarte trabajando. Y trabajar y estudiar no es cosa que pueda hacer una cabeza de chorlito como tú... Yo te advierto, como pariente. Pero eres mayor de edad, y me lavo las manos... Si alguna vez quieres volver, puedes hacerlo. Pero aquí hay que someterse, ya lo sabes... A cambio de eso no te he tratado tan mal, me parece. He cuidado de ti como Dios manda, y he cultivado la única buena disposición que tienes, que es el piano... Si por ahí te hubieras encaminado, otra cosa sería..."

Con este discurso, o algo parecido, se habían separado tía y sobrina algunos años antes.

No, no la había tratado mal aquella imponente doña Micaela. Había vivido con ella en una casa oscura, lujosa y confortable, y como hija de aquella casa había sido tratada. Pero Rosa prefirió morirse de hambre, y en su alegre pobreza juvenil fué muy feliz. Jamás había sentido tentaciones de volver a casa de doña Micaela, ni siquiera cuando la iba a visitar, y la señora, con cierta ostentación, hacía sacar para ella una espléndida merienda.

—Es una lástima que todo esto —solía decirle doña Micaela achicando un poco los ojos y señalando con la mano el mobiliario, los bellos cuadros antiguos, las alfombras—, que todo esto, cuando yo me muera, pase a manos extrañas por no tener a nadie querido a quien dejárselo. Por no tener a nadie que lo sepa apreciar.

—Ya es bastante con que lo disfrute usted, tía...

—Bueno, bueno... Ahora que has merendado, espero que por lo menos tendrás la amabilidad de tocar un poco el piano. ¿No?

—¡Ya lo creo!... Aunque no sé qué gusto puede sacar de oírme tocar.

—Mejor es oírte tocar que charlar. Además, así me duermo, que [2] con los insomnios que tengo no me hace poca falta...[3]

Quien salía de aquellas visitas con un sueño tremendo era la propia Rosa. Pero reflexionaba que, en verdad, las cosas interesadas se pagan siempre, y que buscaba el interés de un chocolate y unos bollos reparadores de sus energías en la visita a la tía Micaela. Se espantaba de pensar, a veces, que algunas personas, en su caso, hubieran sido capaces de perder no unos ratos, de cuando en cuando, sino lo más hermoso de la vida, la juventud, la alegría, para recibir a su debido tiempo aquellos muebles tan apreciados por doña Micaela, la plata de los aparadores, la porcelana de las vitrinas y la renta que sostenía esta casa con criados y con lustre.

Exagerando este horror, le parecía ya que los años que vivió allí, desde la muerte de sus padres hasta su mayoría de edad, fueron espantosos y atormentadores, y las atenciones que la señora tenía con ella,[4] aquellas atenciones que le hacía aceptar a la fuerza, y que consistían en desayunar en la cama apenas estaba acatarrada, vestirse "muy bien", con telas y hechuras escogidas —y regaladas— por la misma señora; hacerla acostarse a la hora de las gallinas para que no se debilitase su salud, y tomarse a media mañana una yema de huevo con vino de Jerez, porque para el gusto de doña Micaela siempre estaba demasiado flaca... Todo aquello, en fin, que la envolvía y la amparaba cálidamente, como las gruesas cortinas de la casa, se le representaban humillaciones de la riqueza que tanto apreciaba su tía. Por reacción, la pobreza, la sencillez espartana de la vida que se había creado, le parecían llenas de encanto.

—Has tirado por la ventana una fortuna bastante respetable.

Esta advertencia se la hacía su tía cada vez que las dos se encontraban.

"¡Y con qué gusto!", pensaba Rosa. Pero no lo decía, porque doña Micaela no lo hubiera entendido nunca. Ni siquiera el mismo Rafael lo entendía del todo, aunque si él la había amado

2. **que = porque**
3. **no ... falta** *I'm in no small need of it*
4. **tenía con ella** *showed her*

era por ser como era, libre y desprendida, generosamente alegre; por haberle llevado las manos vacías, la despreocupación del porvenir y la sonrisa abierta.

"Hay dos clases de pobres —pensaba Rosa aquella mañana, al comenzar su vacación, mientras un autobús la iba llevando hacia 5 el centro de la ciudad—. Los pobres que lo[5] son a la fuerza y los que, como nosotros, estamos encantados de serlo, de sentirnos libres siéndolo. Los pobres de espíritu . . ."[6]

El autobús iba atestado de gente. Era el mismo que Rosa cogía todos los días para ir a su oficina, y era la hora de comenzar 10 el trabajo. Aun olía aquella gente a jabón y agua fresca; aun estaban alisados aquellos cabellos[7] y sin cansancio los ojos que Rosa miraba. Ella sabía que, unas horas más tarde, el sudor, el calor espantoso volvería pálidas aquellas caras, y que los trajes de las mujeres estarían más arrugados. 15

Rosa los miró a todos; a todos sus compañeros de trayecto, con sus brillantes ojos, excitada. Tenía ganas de decirles que en el hilo de sus pensamientos había descubierto nada menos que el sentido de una de las bienaventuranzas.

"Bienaventurados los pobres de espíritu, porque de ellos es el 20 reino de los Cielos."

Se avergonzó de la idea absurda de comunicar esto a todas las personas que allí estaban. Quizá lo sabían mejor que ella; quizá lo habían entendido desde el momento en que los prepararon para la primera comunión. Quizá jamás se les había ocurrido 25 pensar, como a la misma Rosa, que "pobre de espíritu" quiere decir persona de pocas luces, y no tiene otro sentido, el sentido que ella acababa de encontrar: Pobre de espíritu, persona que en nada estima la riqueza . . .

Pobre de espíritu, y no "pobre" solamente, porque el pobre 30 de espíritu puede poseer muchos bienes, pero nunca estará sujeto por ellos, nunca los querrá, y en cambio, una persona pobre puede estar sujeta, angustiada, agarrada por riquezas que codicia . . .

5. **lo:** direct object pronouns in this sentence refer to **los pobres** and should be translated by *so*
6. **Los pobres de espíritu:** refers to the Beatitudes, any of the eight or nine declarations made in the Sermon on the Mount (Matt. v. 3–12), beginning "Blessed are," as "Blessed are the poor in spirit."
7. **aquellos cabellos** *their hair*

—¡Va muy contenta, guapa! ¡Quién pudiera acompañarla! [8]

Este inesperado piropo del cobrador, en el momento en que ella bajaba del autobús, la regocijó.

¿Qué pensaría aquel hombre de la bienaventuranza? Se imaginaba que, el pobre, se llevaría una sorpresa tremenda si supiera cuáles eran los pensamientos que la hacían sonreír.

"Sin la menor duda, me consideraría idiota."

Se había bajado frente a un gran parque, desde cuya arboleda venía frescura, olor a flores que aun no había agostado el día... Era como entrar un poco en el campo que anhelaba andar por aquellos paseos recién regados.

"... De ellos será el reino de los Cielos."

"Un poco mío —pensó con orgullo humilde—, un poco mío sí que es el Reino de los Cielos, ya, aquí, en la tierra."

De los pobres de espíritu es también la riqueza; son los que, apenas la tienen en sus manos, pueden darla a otros, pueden cambiarla, pueden hacer con ella lo que quieren, porque no la aman y no les da pena perderla. Rosa había traído en su bolso bastante dinero que quería gastar. Ya, la noche anterior, había dado a un amigo, el pesado pianista "genial" que los visitaba tan a menudo, y que les obligaba a oír sus conciertos, parte de aquellos billetes recién adquiridos.[9] Fué un gran placer hacerlo, porque el pobre hombre andaba muy mal...[10] Por esto había tenido una ligera discusión con Rafael.

—Hay que ser un poco más prudentes, niña; date cuenta de que yo, hasta octubre, no puedo entrar a trabajar en ese sitio que me han prometido...

Rafael sufría un poco con este despilfarro suyo. Quizá, en efecto, era más prudente que ella y, en muchas cosas, más bueno. No había que olvidar que tenían al niño... Pero no era por esto sólo, sino por mil cosas, mil detalles que deseaba y no tenía, por lo que sufría Rafael... Quizá llevaba camino de ser pobre de espíritu algún día, pero por ahora no lo era del todo. Y sufría. Porque el deseo de las cosas de la tierra da sufrimiento y es un

8. **¡Quién pudiera ...!** *I wish I could ...!*
9. **billetes recién adquiridos:** refers to the money received from the sale of the piano
10. **andaba muy mal** *was very badly off*

pequeño infierno que nada apaga. Se sufre siempre. Porque según se van consiguiendo,[11] otras nuevas se hacen desear, y todas, una vez logradas, decepcionan y parecen miserables... Aquel dinero, por ejemplo. Dos días antes, cuando era sólo una posibilidad, les parecía fabuloso... Ahora resultaba, ya, muy poco...

Rosa recordó la cara de preocupación de su marido la noche antes. Él sufría. Quizá con el piano de cola, que aquella misma mañana se llevarían de la casa, él perdía algo que había estimado mucho. Quizá también, allá en su fondo, ella no era tan libre como aparentaba y también le tenía apego a aquel mueble lujoso. ¿Por qué no había querido entrar en el salón, si no?... Sólo por no verlo.

"¡Pobre Rafael! ¡Pobre amor mío! ¡Quién nos lo iba a decir[12] cuando nos cayó encima ese piano, por la voluntad de la terrible Micaela!..."

Rosa dijo estas cosas en alta voz, ensimismada, con una mezcla de burla y de ternura en su entonación. Burla y ternura que se referían a Rafael y a ella misma. No se daba cuenta de que, en aquel paseo sombreado del parque estaba sola. Absolutamente sola.

V

Rafael se había llevado un disgusto de verdad con aquella disposición del testamento de la tía Micaela, en que les dejaba el hermoso piano de cola como única herencia.

Rosa se había reído hasta saltársele las lágrimas, y apreció más a la difunta señora.

—¡Quién hubiera dicho que mi tía era una bromista!... Nunca lo hubiese pensado.

—¿Bromista? ¿Llamas bromista a dejarte en la calle?

—Yo escogí estar en la calle.

—Pero te has portado con ella, en su última enfermedad, como una hija...

—También ella se portó como una madre conmigo, cuando yo viví en su casa... Hizo todo lo que pudo por mí, a su manera,

11. **según ... consiguiendo** *as they are gradually obtained*
12. **¡Quién ... decir** *Who could have foretold this*

que no era la que a mí me gustaba... Yo le he correspondido a mi manera, llegada la ocasión.[1] Estábamos casi en paz. No tenía ni por qué haberme dejado el piano...

Era muy difícil hablar con Rafael en aquel momento. Paseaba, 5 excitado, por una habitación pequeña, donde tenían instalado el comedor. Con su alta estatura, con sus cabellos rizados, que se le rebelaban,[2] lo llenaba todo.

—¡Una bromista! ... Una miserable, diría yo... Cuando nació el niño, ni una ayuda... A pesar de eso, has ido a cuidarla, te 10 has pasado noches a su lado... Y luego, ¿qué?... ¡El piano de cola!

Era inútil decirle a Rafael que él había visto con agrado aquella abnegación de Rosa para con su tía. También Rafael había ido a visitarla en el curso de su enfermedad. Y hasta había 15 sido él quien había ofrecido servilmente —sabiendo la manía de la vieja señora —que Rosa tocara el piano para ella de modo que pudiese oírlo a través de la puerta de comunicación.

La tía Micaela estaba en la cama como en un trono. Incorporada sobre almohadas, que tenían cubiertas de hilo fino, muy 20 bordado. Con una cofia de encaje sobre los cabellos blancos, con la cara desencajada por la enfermedad, pero con los ojos brillantes de malicia. Apenas levantó un poco la mano que abandonaba sobre la colcha.

—No... No... Ya[3] tocará Rosa el piano cuando yo me 25 muera; para ella ha de ser... ¿Verdad, hija mía?

Rosa, ceñuda, junto a la ventana, no había respondido entonces ni una palabra.

También Rosa, en aquellos días, creyó, por estas alusiones, que la tía les iba a dejar herederos. Y cuando Rafael aludía a 30 ello, callaba. No por temor a un chasco como el que luego se habían llevado,[4] sino por temor, precisamente, a aquella herencia. Habían sido tan felices desde que se casaron, con aquel pan de cada día,[5] que ganaban trabajosamente... Felices en la

1. **llegada la ocasión** *when the occasion arrived*
2. **que se le rebelaban** *rebellious*
3. **Ya:** with future verbs often means *later, by and by*
4. **No ... llevado** *Not for fear of suffering a disappointment such as the one they had [indeed] suffered later*
5. **aquel pan de cada día:** an allusion to "our daily bread" in The Lord's Prayer

obscuridad, felices con los amigos íntimos, sinceros, que compartían con ellos la conversación y los apuros económicos. Felices con el hijo que se turnaban a cuidar, que les costaba tanto, que por eso era más suyo. Felices con cualquier modesta alegría, porque cualquier diversión les era un sacrificio y un sueño antes de realizarla... ¡Y Rafael hablaba, como puede hablar un niño, de aquellos millones que les iban a caer encima! Hacía proyectos; maravillosos algunos, es verdad, pero otros, que a Rosa le daban miedo.

Rafael hablaba de largos viajes; pero más que nada parecía importarle el que en el transcurso de aquellos viajes Rosa y él pararan en hoteles caros.

—Serás una mujer elegantísima... Serás mi orgullo.

Rosa sabía que en aquellos hoteles ella no sería el orgullo de Rafael, si él cifraba este orgullo en su elegancia. Rosa sabía que ella no era elegante, ni lo sería nunca, por mucho dinero que tuviese;[6] entre otras cosas, porque le importaba demasiado poco para procurarlo.

—Tendremos una casa de maravilla... Reformando ésa en que vive tu tía, quedará hecha un verdadero palacio... Y quiero tener un mayordomo, y un ayuda de cámara, porque eso viste y da tono...[7] Y...

—Podremos regalarle el piano al pobre Jacinto —interrumpía Rosa, recordando al pianista amigo.

Rafael se molestaba, silenciosamente.

—No sé qué va a hacer el pobre con él... No tendría nunca dónde meterlo...

—¿No has pensado nunca que nosotros podremos hacer que tenga dónde meterlo?...[8] ¿No has pensado que si tenemos dinero, este dinero será también para nuestros amigos?...

Rafael la miraba entonces con una expresión difícil, como si se le ensombrecieran aquellos ojos azules, cuya claridad era para Rosa algo que amaba más que ninguna otra cosa en la tierra.

Al fin, Rafael le sonreía, y su sonrisa provocaba la muy vacilante de ella.

—Eres muy niña, Rosa... Eres sorprendentemente niña para

6. **por ... tuviese** *no matter how much money she would have*
7. **porque ... tono** *because that is stylish and sets a high tone*
8. **hacer ... meterlo?** *to see to it that he will have a place to put it?*

tu edad y para lo que has vivido... Porque no se puede decir que no hayas sufrido. ¡Válgame Dios! ... Te he visto hacer los trabajos más duros sin quejarte nunca... Barrer, fregar, ir a la oficina, con nieve o achicharrándote... ¿No estás harta de 5 eso? ... Ahora te llega tu momento ... ¡Y no piensas más que en ese desgraciado Jacinto, que nos da la murga con su charla sobre música y sobre su talento extraordinario! ... No piensas que tienes un hijo a quien educar ...

—A mi hijo no le hace falta ser millonario.

10 —Me vas a enfadar, Rosa. No he visto a nadie más irrazonable que tú ... Por una vez en la vida me vas a obedecer cuando nos llegue esa herencia; por una vez en la vida te protegeré contra esa estupidez innata que tienes ...

Sí; las discusiones más duras, más violentas de su vida de 15 casados fueron las de los días en que esperaban la fabulosa herencia. Las discusiones en que se dicen cosas hirientes, cosas que estropean los recuerdos y el cariño. Parecía que Rafael y ella se odiasen. Y casi lo odiaba Rosa cuando él decía ...

—Rosa, trataremos con todo lo mejor ...[9]

20 —¿Con "todo lo mejor"? ... Y ¿qué entiendes tú por todo lo mejor? ... ¡Que yo tenga que oír esas imbecilidades de tu boca, Rafael... ! ¡Que seas tú quien sólo al pensamiento de tener dinero ya haces traición a los amigos con quienes te ves todos los días, a los que acudes en tu necesidad! [10]

25 —Y que acuden a mí ...

—Y que acuden a ti, claro está ... A los amigos [11] que soportan las lecturas de tus obras porque son tuyas ...

—Me estás llamando imbécil.

—Sí, imbécil y desagradecido. Eso te estoy llamando.

30 Una de aquellas noches en que discutían, Rafael cogió la puerta de la calle [12] y no volvió hasta el amanecer. Rosa lloró amargada y rendida. Jamás le había sucedido cosa semejante. Los dos se volvieron a ver, avergonzados y heridos uno por el otro. Se pidieron perdón y estuvieron varios días tristes, sin 35 querer hablar de sus pensamientos. Huyéndose. Parecía que una

9. **trataremos ... mejor** *we shall rub elbows with the best* [*of society*]
10. Supply a main verb *to think* before each of the preceding exclamations; e.g., *to think that you are the one who ...*
11. **A los amigos: haces traición** is understood as the main verb
12. **cogió ... calle** *stormed out* [*into the street*]

gran tragedia gravitara sobre la casa, y era sólo la posibilidad de una herencia grande.

Rosa perdió su sueño tranquilo, al lado del inquieto y pesado de Rafael. Ella sabía que era injusta al acusar como lo hacía a su marido. Sabía que él, con la riqueza, no dejaría a un lado a los amigos queridos de los malos tiempos. Sabía que Rafael era generoso y bueno... Sabía todo esto, pero sabía también que sólo el pensamiento de ser rico le volvía peor de lo que era. Sabía que era muy difícil que sus vidas transcurriesen en aquella divina paz, divina alegría y generosidad que les daba la pobreza. Lo sabía o lo temía. Por eso no podía dormir.

—Ya puede agradecer tu tía[13] lo que haces por ella; te estás quedando en los huesos con ese ir y venir a su casa...

Ésta era la protesta de Rafael delante de sus ojeras y su palidez. Pero ella sabía que si no le decía "No vayas tanto" era sólo porque, secretamente, esperaba...

Y esta espera la llenaba de angustia.

Por eso fué como una respuesta a estas tensiones, a estas inquietudes, aquella risa que le entró al enterarse de la broma de doña Micaela. Aquella risa que enfadaba a Rafael, y que ella no podía contener, allí, en el estrecho comedorcito de su casa.

Rafael acabó yéndose a su despachillo, cerrando con violencia la puerta de comunicación, y ella se quedó quieta, junto a la cuna del niño, que entonces era muy pequeño, secándose las lágrimas de aquella risa incontenible.

Luego había suspirado, ésta era la verdad. A pesar de todos sus temores, también ella había hecho proyectos luminosos con aquel dinero que se les escapaba de las manos. Pero le consolaba pensar que no había cuidado a la vieja señora por ningún interés que no fuese el de corresponder a su hospitalidad de años.

Cuando pensaba estas cosas, junto a la ventana, al lado de Pablito dormido, se volvió a abrir la puerta de comunicación y apareció, de nuevo, la rubia y rizosa cabeza de Rafael.

—Además, no tenemos sitio en esta casa para ese armatoste... ¡Si no sabe uno qué hacer con él!... Lo venderemos inmediatamente por lo que nos den...

—Se lo podemos regalar a Jacinto, el pianista... Ya encontraría él la manera de agrandar su casa para recibirlo... Incluso,

13. **Ya ... tía** *It's about time your aunt should appreciate*

si quieres, nos lo podría ir pagando a plazos...[14] Para él sería como un regalo y para nosotros una pequeña renta...

Rafael se calmó.

—No... ¿Sabes lo que estoy pensando?... Que la casa quedaría desconocida si tirásemos el tabique entre este comedor y mi despacho. Podíamos vender estos muebles, que son tan feos, y como la obra es barata, con eso habría[15] para pagarla... Yo no necesito despacho. Con una mesa habría bastante para comer y para escribir yo... Quedaría una habitación bonita de verdad, con dos ventanales, uno a la calle y otro a la terraza... Y sólo con poner el piano en ella ya tendría un empaque[16]..., ¿eh? ¿Qué te parece?

A Rosa le parecía bien. Le parecía maravilloso. Miró a Rafael, y fué como si después de mucho tiempo volviese a recuperarlo... Hicieron proyectos, juntos, para el arreglo de aquella habitación, y días más tarde los realizaron.

La habitación quedó bonita. Fué bautizada pomposamente con el nombre de salón. Un pintor amigo regaló cuadros para las paredes. El pianista dió un concierto para inaugurar la entrada del gran piano. Y quedó acordado que todas las semanas se daría allí el concierto de Jacinto. Todas las semanas se celebraron reuniones alrededor de la música. Y el salón era un sitio amplio, agradable y bello también, gracias, en gran parte, al piano... Sí; el piano, que había sido tan mal recibido, llegó a hacerse algo así como un símbolo en la casa.

Cuando Rosa volvía de la oficina, le gustaba tocarlo, ante la admiración de su hijo y el agrado de Rafael. Era curioso: le parecía que lo hacía mejor, con más sentido que antes; disfrutaba... También cuidaba más de su casa. Le parecía una casa más de verdad desde que tenía aquella bonita habitación, con el lujoso mueble en ella. Algunas veces, hasta hizo el sacrificio de privarse de cigarrillos para poder poner flores en el salón. Le daba gusto verlo desde la puerta, disfrutarlo, con Rafael. Sabía que a él también le gustaba.

En aquellos años la vida había sido muy feliz. No podía quejarse. Se sentía colmada.

14. **nos ... plazos** *he could pay us for it gradually in installments*
15. **habría = habría [lo suficiente]**
16. **un empaque** *an appearance (of elegance)*

Sufrieron vaivenes, dificultades económicas, al parecer insuperables. Hubo alguna vez que,[17] sin decirse nada, miraron hacia la puerta del salón donde se guardaba lo único valioso que poseían en el mundo... Pero todo se fué arreglando; y jamás, jamás, hasta un mes antes de este día en que Rosa se permitía el lujo de vagabundear por un parque público a las horas de oficina... Jamás hasta entonces se les ocurrió la idea de hablar en serio de la venta del piano.

VI

Al llegar aquí, Rosa no quiere pensar más.

Tiene derecho a no pensar, le parece, en esta mañana de oro. El cielo, por encima de los árboles, presenta un velillo gris de calor que da sed.

Es una mujercita delgada, vestida con[1] un traje de hilo verde, que ya tiene tres veranos, la que sale del parque y empieza a caminar por las aceras, llenas de gentes sudorosas, de la gran ciudad.

Cuando anda, Rosa parece que lleva un ritmo íntimo y fresco en el gran calor del día.

Unos obreros levantan los adoquines de la calle, y ella los mira, envueltos en polvo, quemados por el sol. Mira el trabajo de sus brazos y sus caras oscuras, sin darse cuenta de que también a ella el sol la quema, que las puntas rizosas de sus cabellos castaños llamean rojizas.[2]

Se va. Cruza una calle. El aliento frío de los portales le encanta, al pasar junto a ellos.

En medio de un cruce, un guardia urbano, uniformado, solemne, aguanta, impertérrito, el fuego solar; a su lado, una sombrillita de nada[3] es como una mariposilla que quisiera darle alivio sin poder hacerlo. Y también esta visión entretiene a la mujer vagabunda y parece que le da fuerza.

A poco, la alegría, la misma alegría inconsciente que le hacía bajar como una loca las escaleras de su casa aquella mañana,

17. **Hubo ... que** *There were times when*
1. **vestida con** *dressed in;* **con** used because of the specific piece of clothing named, e.g., **vestida de blanco,** but **vestida con un traje blanco**
2. **llamean rojizas** *shine with a reddish glow*
3. **de nada:** used to emphasize the smallness of the umbrella

vuelve a apoderarse de ella y la llena toda. Tiene sed, y bebe un refresco en un puesto callejero, y siente como si una nieve derretida y gozosa le aliviara la sangre.

Empieza a fijarse en los escaparates de los comercios y una 5 locura dichosa la llena toda; comienza a hacer compras. Hace que anoten [4] la dirección para los envíos. Compra atuendos de verano para Rafael y Pablito; juguetes. Luego, libros. Hacía mucho tiempo que no podía comprar libros. Delante de las estanterías cargadas de tomos pasa mucho rato.

10 El olor le recuerda al de sus tiempos juveniles, a principios de curso, cuando los textos aun sin abrir parecían prometerle mundos maravillosos de interés, de trabajo dichoso. No sabe Rosa por qué después de aquellos primeros arrebatos de entusiasmo no fué ella capaz de amar a los libros como debía. No sabe 15 por qué desperdició tantas horas que debía dedicar al trabajo en paseos sin rumbo fijo, como el de esta mañana; por qué la vida la llamaba tan poderosamente siempre. Por qué en primavera, cuando son amargas y excitantes las velas de los estudiantes, a ella le distraía el olor a hierba nueva, que venía por sobre 20 toda la gasolina y el asfalto de la ciudad a cosquillear, deliciosamente, su nariz... Pasó noches en blanco,[5] ésta es la verdad, frente a una mesa donde se abría un libro y un terrible programa que habría que contestar al día siguiente. Pero en estas noches mismas, cuántos ratos gastados en la ventana, donde el 25 cielo se volcaba, suave y luminoso, como un jardín de luces. A cada momento le parecía ver nacer una estrella nueva. A cada instante, muchas morían, cayéndose en los espacios en una vertiginosa, instantánea caída de luz.

Cuando empezaba a amanecer, en aquellas noches, Rosa 30 envidiaba a los primeros trabajadores, a los que conducen los primeros carros misteriosos en el alba. A los que vienen o van hacia las anchas carreteras entre los campos... Aterrada, se volvía, de pronto, hacia los libros, y así, muchas veces se durmió sobre ellos a la hora del amanecer.

35 Ahora, comprar un libro es un lujo tan grande que le tiemblan las manos. No quiere que se los envíen, quiere llevarlos ella misma, en seguida, ver la cara de Rafael al desempaquetarlos.

4. **Hace que anoten** *She has them write down*
5. **Pasó ... blanco** *She spent sleepless nights*

Tiene derecho a este goce, porque últimamente ha sufrido tanto que es ahora, cuando ha pasado todo, cuando se da cuenta de lo que ha sufrido. Ahora, cuando nota que las rodillas le tiemblan a veces con una debilidad extraña; ahora, cuando, al mirarse al espejo, descubre, finísimas, unas arruguillas que estos meses le han ido trazando, en la frente y junto a la boca, como con un deseo cruel de que no los pueda olvidar jamás.[6]

Rosa, sin embargo, quiere olvidarlos, puesto que están pasados y fueron tan duros; pero mientras compra los libros, aquellos meses le vienen a la imaginación, aunque no enteros, ya que ella los ahuyenta; vienen en imágenes rápidas... Sólo cuando Rosa asimila estas imágenes de tal manera que, al pensarlas, le sirve de alegría mayor, para darse cuenta de que la misma criatura hundida que aparece en ellas es esta Rosa de los ojos brillantes que pregunta al vendedor por las últimas novedades, sólo cuando al pensarlas siente una dicha de resucitada, las imágenes desaparecen.

Después de todo, ¿ha habido tanto sufrimiento? ¿Es real el sufrimiento que ya ha pasado?

Si Rosa quisiera explicar lo que han sido estos meses pasados sólo diría: "Hemos tenido enfermedades graves en casa..."

En realidad, ya lo ha dicho alguna vez; lo ha dicho en la oficina, por ejemplo, y se han quedado mirándola con cierto rencor.

—Hija, por poco te apuras tú; [7] bien está lo que bien acaba... O ¿es que te creías que vosotros no podíais enfermar nunca?

Sin embargo, aquella Rosa que se inclinaba sobre la camita de su niño a principios de año no se parece a la de esta mañana. Aquélla tenía las espaldas encorvadas de cansancio y ojeras grandes, terrosas, bajo los ojos sin brillo.

—Lo que tiene ese niño es mimo.

Esto había dictaminado la criada Luisa, recién ingresada en la casa. Recién venida de un pueblo, que la había dejado en las mejillas todo el buen color que dan los aires campesinos. Luisa desaprobaba terminantemente la educación de Pablito.

Lo que tenía el niño era muy grave. Tan grave, que Rafael y

6. **como ... jamás** *as if with a cruel desire that she should never forget them* (i.e., the preceding months)

7. **Hija ... tú** *Woman, you're making a mountain out of a molehill*

ella, con los ojos llenos de espanto, se negaban a admitirlo. Les parecía imposible que aquel niño, derecho como una palma y alegre, y, sobre todo, de ellos, de su sangre joven, tuviese meningitis. Aquella era una sentencia de muerte que les ennegrecía 5 el corazón y los volvía locos de angustia.

Era una lucha con la muerte, y era la desesperación de buscar dinero, de pedir adelantos y préstamos para aquella lucha.

Un día de nieve, salió Rosa de su casa, corriendo. No había nadie para verla en la calle silenciosa, donde el hielo y el fango 10 se revolvían bajo sus pies; pero quien la hubiese tropezado hubiera creído encontrar una aparición o una demente.[8] Iba sin abrigo, con la misma chaquetilla que tenía en su casa, sin sentir el frío, sin fijarse en nada. Al menos, entonces, ella tenía una sensación de pesadilla y de ceguera, pero más tarde recordó, 15 con asombro, el color plomizo de la tarde, y cómo le deslumbró la nieve de un tejadillo, a la que alcanzaba un perdido rayo de sol poniente y que se convertía en un incendio.

Llevaba el nombre de una calle cercana a su casa y el número de un edificio prendido en la memoria. Se los repetía obsesiva-20 mente. Era una casa casi tan modesta como la suya. Golpeó la puerta de aquel piso que buscaba... Al pronto no respondió nadie. Por primera vez desde que emprendió su carrera loca, Rosa sintió desfallecerle el corazón. No había ni soñado que los habitantes de aquel piso pudieran estar fuera. Golpeó otra 25 vez, y otra. En aquella especie de demencia en que estaba metida, estaba dispuesta a golpear hasta que le saltase la sangre de los nudillos.

—¿Está loca? ¿Qué quiere?

La puerta se le[9] había abierto de repente y otra mujer estaba 30 delante de ella. Una mujer vestida de negro, en la sombra.

—Se me[10] está muriendo mi niño...

Rosa dijo esto con suavidad, ya rendida.

La mujer de la sombra se echó a llorar.

—Y ¡a mí!... ¿A mí viene a decírmelo...?

8. **pero ... demente** *but whoever ran into her might have believed that they had met an apparition or a demented woman*

9. **le** *for her*

10. **me**: omit: common construction in Spanish to relate the action more intimately to the speaker

Las dos estaban rendidas. Las dos en la puerta. Rosa sabía que a aquella mujer se le había muerto un niño, pocos días antes, de la misma enfermedad que tenía el suyo. Lo sabía por el mismo médico. Y sabía que le había quedado intacta una cantidad de estreptomicina que bastaba para intentar un tratamiento a 5 Pablito. En aquellos tiempos esta medicina no sólo era costosa, sino difícil de encontrar.

—No tenemos dinero ahora, pero es cuestión de intentarlo en seguida, ¿sabe? . . . Ya la pagaremos. Le juro . . .

La mujer bajó la cabeza. 10

—Pase.

Así fué todo; tan sencillo. Estar unos minutos en una salita triste, bajo la luz de una bombilla amarillenta y pobre, y ver venir otra vez a la mujer de ojos enrojecidos, que, de pronto, se echó en sus brazos, llorando. 15

—No se trata de pagar . . . No me tiene que pagar nada, por Dios; llévesela en seguida . . . Pero le digo, pobrecilla, que es inútil . . . Todo es inútil, no se haga la ilusión de que se le va a curar, porque no curan; se le mueren a una [11] sin remedio . . . , haga caso a quien lo sabe. 20

Rosa lloraba también, aterrada. Pero un egoísmo duro, ardiente, le hacía rechazar los brazos de aquella mujer. Casi le pegaba en el afán de irse junto a [12] su niño. La otra lo entendió en seguida y la empujó, con suavidad, a la puerta.

—No venga más, ¿me oye? No quiero que me pague . . . Si se 25 cura su hijo, no quiero saberlo, y si se muere, tampoco.

Rosa comprendía. No sabía qué decir ni cómo irse corriendo, como deseaba. Empezaba a bajar la escalera y sentía aún la presencia de la otra madre en la puerta. De pronto oyó su voz:

—Oiga . . . , ¿qué edad tiene el niño? 30

Rosa había alzado la cabeza. Contestó ahogadamente:

—Cinco años.

La mujer suspiró. Rosa no se atrevía a continuar bajando los escalones.

—El mío, siete . . . Dos años más que usted lo he disfrutado . . . 35

Rosa, angustiada, quedó unos minutos, parecidos a una pesa-

11. **se le mueren a una** *they die on you*
12. **irse junto a** *to get away to be with*

dilla, queriendo atisbar las sombras de la escalera. No veía ya a aquella mujer vestida de negro entre la oscuridad. De pronto oyó la puerta de su piso, cerrándose.

Sin embargo, el niño curó. Allí estaba ahora en casa, sano, 5 ilusionado con sus vacaciones campesinas. Allí estaba.

De aquella enfermedad salieron todos con caras espectrales. No sólo el niño, sino también sus padres. Solamente Luisa conservaba su voz fuerte, sus ojos duros, sus colores.

Mientras la enfermedad duró, las energías de ellos para buscar 10 dinero fueron inagotables. Ahora estaban rendidos, llenos de deudas. Ahora miraban alguna que otra vez hacia la puerta del salón. Rosa, con mucho trabajo, le dijo a Luisa que en algún tiempo no podrían pagarle; que, naturalmente, podía irse, si lo deseaba.

15 Entonces la mujer se plantó en jarras, despreciativa.

—Oiga usted, ¿por quién me tomó? ¿Es que cree que yo no tengo caridad, o qué?... Eso no lo hace la hija de mi madre por nada del mundo...

Rosa, desconcertada por la actitud feroz, creyó que Luisa se 20 negaba a marchar sin que le hubiesen satisfecho hasta el último céntimo de su deuda. Pero resultaba que lo que no quería era abandonarlos. Desde entonces tuvieron que tolerar sus familiaridades. Pero las toleraban con gusto. La querían. Algunos días llegó a mezclarse en las veladas de ellos, en el salón. No se sentaba. 25 Se quedaba, de pie, contando historias de su pueblo y de casas donde había servido...

—Pues, sí, señora; cuando yo vivía con mis hermanas, las cuatro buenas mozas, aunque esté mal decirlo,[13] tuvimos una pretensión [14] para casarnos, que no la logramos, saben ustedes, 30 porque el pretendiente..., vamos,[15] no era cabal...

A Rafael, a veces, le hacían gracia estos cuentos, y animaba a Luisa:

—Y ¿cómo era eso, mujer? ¿Un pretendiente para las cuatro?

—Y usted, ¿qué se imagina, señorito?... Todo se iba a hacer

13. **aunque ... decirlo** *if I do say so myself*
14. **pretensión:** Luisa misuses the word, giving it the meaning of marriage proposal, probably thinking of **pretender** *to woo;* literally, she is saying: *we had the presumption to marry*
15. **vamos** *how shall I say it;* often interpolated in direct speech when the speaker is groping for the right word

con decencia. Nosotras tenemos una poca [16] de tierra que nosotras mismas cultivamos, y unas ovejas y unos guarros, y pare usted de contar. Y allí un hombre no está de sobra, pero como somos así, tan cortas, y no íbamos a ningún lado . . . ; al menos, mis hermanas, que yo, siempre, por temporadas, anduve sirviendo . . .[17] Pues mire, solteras, y a mucha honra, todas, porque a honradas y decentes, nadie nos gana . . .[18]

—¿Y el pretendiente . . . ?

—Pues mire, el hombre andaba huído, y le dimos trabajo . . . Y nos empezamos a dar cuenta que el hombre servía y que era bueno tenerlo en casa, y era bueno asegurarlo y no tener que darle jornal. Así que un día lo llamamos y le dijimos que lo apreciábamos y que escogiera, y que lo pensara, que todas estaríamos gustosas de que la boda fuera con la que él quisiera, y que nosotras no lo tomábamos a mal ninguna . . . Y si ustedes lo hubieran visto; el hombre parecía que no acababa de creerlo,[19] y allí estaba, con los ojos bajos, delante de mi hermana Timotea, que es la mayor y la más buena moza de las cuatro, que llega a pesar bien sus cien kilos . . .[20] Tanto, que nosotras creímos que sería a ella la que escogiera, porque mejor proposición no se le podía presentar en la vida al mocito aquel, que, como digo, no será cosa de mucho, pero algunos cuartillos sí tenemos, gracias a Dios, y el hombre era un desgraciado que andaba huído, y se lo recordamos muy bien, que mi hermana Timotea no tiene pelos en la lengua para recordar estas cosas . . . Claro que, honrado y trabajador era, que si no, no le hubiésemos hecho la propuesta . . .

—Bueno, y ¿qué pasó? . . . ¿Eligió a alguna? . . .

—¡Qué más hubiera querido el desgraciado! . . . Ya le dije que no era hombre cabal; vamos, que resultó ser de esos hombres que no sirven; no sé si me entenderán . . .

—Sí, sí entendemos. Y ¿cómo lo averiguaron?

16. **una poca:** colloquial for **un poco**
17. **anduve sirviendo:** expresses the idea of going around to serve in different places
18. **Pues . . . gana** *Well, look, all of us spinsters, and proud of it, because when it comes to being honest and respectable, nobody can hold a candle to us*
19. **que . . . creerlo** *as if he did not quite believe it*
20. **que . . . kilos** *and who comes to at least a hundred kilos* (over two hundred pounds)

—Anda . . .[21] Pues no fué nada difícil . . . Resultó que, después de oírnos, que dijo muy manso que iba a pensarlo bien, porque nunca hubiera supuesto que nosotras miráramos para él con tan buenos ojos.[22] Y se fué a dormir, que era de noche. Y nosotras
5 también nos acostamos, muy tranquilas, la que más y la que menos [23] pensando que era hombre macho,[24] como por las vistas parecía . . . Y al día siguiente, venga llamar a Juan,[25] que se llamaba Juan, y que no apareció por ningún lado . . . Total, que el muy gallina se escapó con lo puesto, que ni nos reclamó el
10 jornal, de vergüenza que tenía . . .[26] Y que no dimos más con él, y de esto hace tres años justos y cabales . . .

Sí; a Rafael le hacían gracia estas cosas de Luisa algunos días, y se reía mucho. Pero otras veces Rosa sabía que él no podía ni soportar el olor a cocina que les venía impregnado en el delantal
15 de la mujer, y entonces ella se levantaba y se iba a la cocina con la criada.

Cuando estaban en la cama, único lugar adonde no los perseguía la familiaridad de la muchacha, Rafael se quejaba agriamente a Rosa. Le acusaba de no saber imponer su autoridad
20 con el servicio; de que, de seguir así las cosas,[27] en aquella casa no se iba a poder vivir ya, y de que Rosa tenía que hablarle claro.

—Pero ¿cómo voy a tener autoridad con una persona a la que debemos tres meses de sueldo y que no sé cómo se los vamos
25 a pagar . . . ?

—Eso no importa; ya [28] se los daremos . . . Y ese día se va de aquí esa tarasca; ¡ya no la puedo ni ver! . . .

La irritabilidad de Rafael se hizo tremenda. Rosa lo veía sufrir incomprensiblemente, desmejorarse, tratarla con continua
30 aspereza. Estaba asustada. Un día, tímidamente, le propuso tratar de vender el piano.

21. **Anda** *why*
22. **miráramos . . . ojos** *were looking toward him so favorably*
23. **la que . . . menos** *all of us*
24. **hombre macho** *a "he-man"*
25. **venga llamar a Juan** colloquial *we called John repeatedly*
26. **Total . . . tenía** *In a word, the coward fled with only what he had on, because he didn't even claim his wages, he was so ashamed*
27. **de que . . . cosas** *that, if things continued that way*
28. **ya** *eventually*

—Así no tendrás tantas preocupaciones...

—¿Estás loca?

Esta contestación de Rafael vino tan cargada de rabia, que Rosa no se atrevió a insistir. Por primera vez en la vida no sabía descifrar los pensamientos ni el carácter de su marido... Y es que Rafael era un hombre tan alto y fuerte, daba una impresión de salud tan perfecta, que Rosa podía sospecharlo todo menos que estuviese al borde de una grave enfermedad. Y cuando ésta estalló de pronto, aparatosa, tremenda, Rosa sintió remordimientos amargos por no haberlo comprendido mejor.

Entonces fué cuando Rosa supo que su pequeño y delgado cuerpo era de hierro, que resistía noches en vela y días de trabajo, y supo también que aquella mujer, Luisa, era una especie de tesoro enviado por la Providencia, con toda su rudeza, con todo su mal genio... Rosa sabía que no se separaría nunca de aquella mujer, si esto era posible...

La convalecencia de Rafael fué penosísima, con aquel panorama de desolación económica, negro y sin esperanza, alrededor de ellos.

—¿Qué importa vender el piano, Rafael? Más bien nos estorba que otra cosa.

Jacinto, el pianista, fué encargado de buscar comprador, y se había vendido, al fin, muy bien. Porque el instrumento era lujoso y bueno.

Recibir el dinero fué una bendición. Parecía que en la casa hubiera entrado de nuevo la sonrisa. Se pudieron hacer proyectos realizables, proyectos de aquellas modestas vacaciones, que parecían fabulosas... Y ahora, Rosa estaba comprando juguetes, vestidos, libros, olvidada ya de todas las negruras. Sonriente otra vez, aunque tuviera marcada la sonrisa por aquellas arruguillas, casi invisibles, junto a los labios, cerca de los ojos.

VII

Lo que no sabía era el porqué de este desfallecimiento al subir las escaleras de su casa; el porqué de esta extraña sensación en el estómago, parecida a otras ya experimentadas en tiempos de exámenes o cuando necesitaba ir al dentista, que le acometió delante de la puerta del piso.

Llamó. Allí estaban la cara seria, los ojos escrutadores de Luisa.

—Suerte tuvo de venir tan tarde... Ahora mismito se acaban de llevar el piano... No se me [1] quede parada en la puerta... 5 ¿O es que no lo sabía?... ¡Ay, Dios!... Cuando las casas empiezan así... Nosotros, a Dios gracias, nunca tuvimos que vender lo nuestro...

Rosa se repuso.

—No diga tonterías, mujer... Mire, cójame [2] los paquetes; 10 mire, aquí viene algo para usted... ¿No me dijo que lo que más deseaba eran unos guantes?...

Luisa quedó como aplacada, y Rosa sintió placer ante el enrojecimiento de aquella cara y el brillo de aquellos ojos.

—Le servirán para el invierno, porque ahora, digo yo,[3] que 15 no querrá usted ponérselos...

—Nunca pensé ponérmelos... ¿Qué se ha pensado? [4] Yo sé apreciar muy bien las cosas buenas... Unos guantes como éstos lo mismo en invierno que en verano visten más [5] llevándolos en la mano, que apretándose con ellos los dedos... Aunque una 20 no haya salido nunca del pueblo, también entiende de elegancias, no se crea...[6] ¡Pablito! ¡Ven a saludar a tu madre!

La puerta del fondo del pasillo, la puerta del salón, se abrió al empuje del niño...

—¿Paquetes? ¿Qué me traes? Nos vamos al campo ya, ¿ver- 25 dad?... Ya se han llevado el piano... Ahora ¿se llevarán todo? ¿Es que se lo llevan al campo?...

—Dame un beso...

Desde la cocina —tan cercana que impregnaba el pasillito oscuro con el aroma de los guisos— vino la voz de Luisa.

30 —Menos mimos... Que éste se ha portado muy mal hoy...

Rosa, sin embargo, lo besó largamente. Hasta que le llegó desde el salón la voz de Rafael llamándola, y entonces se soltó

1. **me:** omit; see note 10, Chapter VI
2. **cójame** *take from me*
3. **digo yo:** a common Spanish expression used to emphasize the fact that what has been said is a personal opinion; implies, *at least this is what I think*
4. **¿Qué ... pensado?** *What do you think I am?* (*what have you thought within yourself about me?*)
5. **visten más** *are dressier* or *are more elegant*
6. **no se crea** *what do you think!*

de aquellos brazos agarrados a su cuello. Recogió el paquete de libros y advirtió, suavemente, al niño:

—No vengas...

Rafael estaba en el salón.

—Recojo las cuartillas —dijo, con una voz alegre—, para que esa buena bruja doméstica pueda poner la mesa... He trabajado bastante... Luego te leeré. En este mes del campo[7] te aseguro que termino el libro... Y no es por orgullo ni por nada, pero yo creo que está bien, muy bien... Yo creo, Rosa, que me vas a tener que felicitar, y que va a ser un éxito.

Rosa también cree estas palabras animadoras. Rosa creyó siempre en el talento de Rafael... Pero no le alegra nada esta charla, en este momento. Casi no la escucha. Tiene los ojos fijos en sus paquetes, como si tampoco se atreviera a mirar alrededor.

—¡Ah! Paquetes y todo... ¿A ver? Poesía... ¿A ver? Novela... Ensayo... Hija,[8] todos los géneros literarios.

Rafael, olvidado de su propósito de despejar la mesa, extendió los libros sobre ella. Entonces, Rosa, que no podía levantar la cabeza, como si la tuviese sujeta por un invisible y doloroso tornillo, vió las morenas, largas manos de su marido, moviéndose, acariciando sus regalos. Luego, los ojos empezaron a dolerle, y aquellas manos queridas empezaron a perder, al mismo tiempo, sus precisos contornos, su cálida vida, su fortaleza, la llamada que siempre proferían para Rosa.

Al mismo tiempo, también, empezaban a dolerle los oídos, como si estuviera atacada de un extraño mal. No le llegaba la voz de Rafael, aquella voz que venía envuelta en el más cariñoso acento, en el acento entusiasmado y jovial de los mejores momentos de ellos.

De pronto sintió que, fuerte y suavemente, Rafael la cogía por la barbilla, obligándole a levantar la cara hacia él.

—Por Dios, Rosa... ¡Niña! ¿Estás llorando?

Estaba llorando. Esto era lo que la oprimía, lo que le dolía en todo el cuerpo, en todos los sentidos, las duras e implacables agujas de aquel llanto.

Rafael veía caer despacio las lágrimas, desde los grandes y

7. **este mes del campo:** refers to their projected vacation in the country
8. **Hija:** used in the same sense as **niña, mujer, hombre;** it has no definite translation

bonitos ojos de ella, por las escurridas mejillas hasta la boca.

El llanto afeaba aquella carita de nada.[9] Hacía resaltar las pecas de la clara piel; enrojecía la naricilla imperfecta, algo torcida; envejecía la ancha boca. La boca de Rosa, que estaba acostumbrada al gesto amable de la sonrisa.

Pero Rafael la miraba conmovido, como si en vez de fealdad, aquella crispación dotara al rostro de ella de una extraña luz.

—Nunca te he visto llorar así, sin motivo, cariño mío... Di, ¿qué te pasa?... ¿Has tenido algún disgusto en la oficina? Anda, dímelo.

Entonces Rosa se echó sobre el pecho del hombre y lloró más, inconteniblemente.

Entre sollozos, le fué diciendo[10] que ella era muy cobarde, ahora se daba cuenta. Que siempre le había creído a él más débil, y ahora se daba cuenta de que no...

—No he ido a la oficina, no he hecho nada. He gastado dinero como una loca... He estado huyendo de mí misma sin darme cuenta. He estado retrasando, retrasando esta llegada... Y al fin, ahora mismo, he alcanzado a ver cómo se llevaban el piano... Entonces comprendí, ¿sabes?, que era de eso de lo que he estado huyendo toda la mañana. De verlo sacar de casa.

Rafael le secaba los ojos. A veces, la estrechaba un poco. Pero, por fortuna, no estaba contagiado de su emoción. Más bien se reía. Se reía tiernamente.

—¡Quién iba a pensar que tú quisieses tanto a ese armatoste! A veces se lleva uno sorpresas tremendas. Creí que te sentías feliz esta mañana...

—Y lo estaba... Soy ridícula... Pero ¿no entiendes? Alrededor de él,[11] nuestra vida parecía haberse asentado... No sé, hemos pasado tantos ratos nuestros, con la música... No me explico, pero la vida empezó a adquirir una especie de solidez...

—Bueno; pues mira; ahora tendrás más aún. ¿Qué importa el piano ni nada de lo que podamos tener? Importamos nosotros y nuestra alegría y lo que podamos hacer nosotros. Lo que yo pueda escribir, lo que tú me puedas querer. Comparado con eso, no hay nada, pero nada...

9. **de nada** *insignificant*
10. **le fué diciendo** *slowly told him*
11. **él = el piano**

Los ojos de Rosa estaban secos. No sentía ya aquella curiosa opresión que —ahora se daba cuenta— la venía persiguiendo en toda su alegría de la mañana. Se encontraba completamente ajena a la que un segundo antes lloraba. La encontraba a esa mujer llorona tonta y sentimental. Sonrió al fin. 5

—¡Quién me iba a decir a mí que tú tuvieses algún día que decirme esas palabras! ...

Rafael se reía también.

—Hace seis años que vivo con una mujer divinamente loca. Y la locura acaba por pegarse ... 10

Entonces Rosa se atrevió a mirar al salón vacío. Y no lo encontró desolado, sino alegre y lleno de luz. Y volvió a pensar, como siempre, que tenía en su vida de la tierra un poco del reino de los cielos.

CAMILO JOSÉ CELA

Camilo José Cela was born in Iria-Flavia (La Coruña) in Galicia, in 1916. He studied medicine, philosophy, and law in various Spanish universities, leading always an active and picturesque life, changing from one occupation to another—professional soldier, poet, bull fighter, office clerk, painter, movie actor, vagabond, newspaperman, lecturer, novelist—with a ceaseless picaresque zest. He is the only contemporary Spanish writer who has known at an early age the most contrasting forms of glory—membership in the Spanish Academy of Letters and the most virulent attacks.

An untiring traveler, he has walked across half of Spain, writing later beautiful accounts of his peregrinations; the best among them is the now classic *Viaje a la Alcarria.* He has also traveled through South America, producing from this experience several essays and one novel about Venezuelan life.

Today at 42 he is considered abroad the most influential and representative Spanish novelist of the postwar period, and his works have been translated into several languages. Not least among his accomplishments is the foundation and editorship of an excellent literary magazine—*Papeles de Son Armadans*—which he publishes from his home in Mallorca.

His novels and shorter fictional works are: *La familia de Pascual Duarte;* Novela, 1942. *Pabellón de reposo;* Novela, 1944. *La colmena;* Novela, 1951. *Mrs. Caldwell habla con su hijo;* Novela, 1953. *Baraja de invenciones;* Novelas cortas y cuentos, 1953. *La catira;* Novela, 1955, Premio de la crítica. *El molino de viento;* Novelas cortas, 1956, of which *Timoteo, el incomprendido* is one.

CAMILO JOSÉ CELA

Timoteo, el incomprendido

Timoteo Moragona y Juarrucho era un artista incomprendido. Las vecinas se cachondeaban de él y le decían:

—¿Qué,[1] Timoteo, le han encargado a usted algún San Roque? [2]

A Timoteo, aquellas bromas propias de la incultura le sacaban de quicio.

—¡No señor! ¡No me han encargado ningún San Roque! ¡Yo no soy un artista de encargos!

Una vecina algo más atrevida, le dijo un día:

—Ya se ve, ya . . .[3]

Y entonces, Timoteo le pegó una patada en el vientre y la tiró por encima del puestecillo de una vieja que vendía chufas y cacahuetes.

—¡Tome usted! ¡Para que escarmiente y no se vuelva a meter con los artistas!

La que se armó en el barrio con el punterazo de Timoteo, fué suave.[4] El marido de la agredida —que era mecánico de radios— quería matar a Timoteo.

—¡A ese tío lo rajo yo! ¡Un hombre que se precie no puede permitir que los transeúntes se líen a coces con la señora propia! ¡Estaría bueno! [5]

La dueña del puesto de chufas también se puso hecha un basilisco.

—¡A mí se me indemniza la mercancía o recurro a la autoridad! ¡Usted será muy artista, pero yo soy una mujer decente, que es más! ¿Se entera? [6]

1. **Qué** *How about it*
2. **San Roque:** there are artists in Spain who specialize in making statues of saints for churches and private individuals, whose art has become stereotyped
3. **Ya se ve, ya** *Sure, one can see that*
4. **La que . . . suave** *The brawl that started in the neighborhood with the kick of Timoteo was wild*
5. **¡Estaría bueno!** *That would be a fine thing!*
6. **¿Se entera?** *D'you get me?*

El mecánico de radios, en cuanto se enteró de lo ocurrido, cogió un berbiquí y cruzó a casa de Timoteo. En la acera de allá se encontró con un amigo suyo que vendía mecheros y piedras en la calle de Postas. El vendedor de mecheros era un hombre ecuánime y de buen criterio. 5

—No suba usted ahora, que está la sueca.[7]

—Pero, hombre, es que le han pegado una patada en el vientre a mi señora. ¡Eso siempre ofende!

El vendedor de mecheros se encogió de hombros.

—¡Allá usted! [8] Lo que yo le digo es que no debía subir, que 10 está la sueca.

—Pero, entonces, ¿me voy a quedar así?

—Pues, sí, yo creo que es mejor. Después de todo, el Timoteo tampoco mató a su señora.

—Hombre, matarla, lo que se dice matarla, no, ésa es la verdad. 15 Pero el patadón fué de pronóstico, no me lo negará usted. Si llega a estar en estado interesante la hace abortar.

—Bueno, pero no estaba en estado interesante.

—Sí, eso también es cierto.

El vendedor de mecheros remató sus buenos oficios de pacifi- 20 cador.

—Mire usted, Pío, los hombres tienen que estar por encima de ciertas cosas. Que suba usted ahora, todo acalorado y empuñando un berbiquí, no es correcto. Además, ya le digo, está la sueca. 25

—Bueno, bueno . . .

Los dos hombres se fueron a tomar un blanco.[9] El tasquero, que era un asturiano que se llamaba Manolín, los quiso obsequiar.

—¿Un caracolito, de tapa?

—Bueno. 30

◇ ◇ ◇

La dueña del puesto de chufas, como no le indemnizaba nadie, recurrió a la autoridad. La dueña del puesto de chufas se puso sus mejores trapitos, se recortó un poco el pelo del lunar que tenía en el entrecejo, se peinó con cuidado y se fué a la comisaría.

—Buenas.[10] 35

7. **que . . . sueca** *because the Swede is in*
8. **¡Allá usted!** *Do as you please!*
9. **un blanco** *a glass of white wine*
10. **Buenas:** commonly abbreviated greeting, **"buenas tardes"**

En la puerta había dos guardias que ni le contestaron. Arriba, después de subir cinco o seis escalones, había dos guardias más.

—Buenas.

Uno de los guardias estaba dormido, apoyado en el radiador 5 de la calefacción. La calefacción estaba apagada. El otro guardia, con una mano en la mejilla, parecía un muerto.

—Buenas.

A la dueña del puesto de chufas le contestaron otras tres señoras.

10 —Buenas.

Las señoras estaban sentadas en un largo banco de tabla. Parecían muy listas y muy limpias. La dueña del puesto de chufas fué a sentarse en una punta del banco.

—Con permiso.

15 —Usted lo tiene.

La dueña del puesto de chufas, al principio, estaba como gallina en corral ajeno.[11] Después, cuando al cabo de un par de horas, fué tomando confianza, se puso a pensar: "Entonces yo voy y le digo, digo: mire usted, señor comisario, el artista 20 fué y le dió una patada en la barriga a la señora de Pío. La señora de Pío, ¿sabe usted?, como le habían dado una patada en la barriga, salió reculando,[12] claro, y, ¡zas!, me derribó el cajón y me tiró todo el género por el suelo. Entonces, el señor comisario . . ."

25 Entonces, el señor comisario, desde dentro, gritó:

—¡García!

Y el guardia que parecía un muerto se levantó de un salto y entró en el despacho del señor comisario.

—¡Mande!

30 El señor comisario, sin mirar a García, le dijo:

—Que pasen esas mujeres.

—Sí, señor.

García hizo pasar a las mujeres. La dueña del puesto de chufas entró también. Como el señor comisario mandó cerrar la puerta, 35 no se sabe bien qué es lo que sucedió allí dentro. Seguramente, alguna confusión. La dueña del puesto de chufas, por más que hacía esfuerzos, no recordaba mucho, después, cuando las cosas

11. **estaba . . . ajeno** *was like a chicken with her head cut off*
12. **salió reculando** *backed up*

se arreglaron y ella trataba de explicarlo en la lechería o en la carbonería.

—A mí me decía el señor comisario: "¿Cuántas piezas de tela llegó usted a vender a Pío?", y yo entonces iba y le decía: "Oiga usted, señor comisario, que el Pío es mecánico de radios". Para 5 mí que allí había alguna confusión. Entonces, el señor comisario se quitó los lentes y me dijo: "¿Usted es tonta?" y yo entonces, claro, le dije: "No, señor, yo no".

—¿Y después?

—Pues nada. El señor comisario me dijo: "¿Cómo se llama 10 usted?" Y yo le dije, digo: "María". "¿María, que?" "María de la Encarnación." "¿Y qué más?" "Pues nada más." El señor comisario se puso como rabioso; resulta que lo que quería saber eran los apellidos. "Pues María de la Encarnación Peña Estévez." "Eso."

—¿Y después? 15

—Pues nada. Me metieron en una camioneta, con las otras señoras, y nos llevaron a otro lado, a retratarnos.

—¿Y usted no decía nada?

—No, señor, yo nada. ¿Qué iba a decir? Tampoco tiene nada de malo eso de que la retraten a una. Vamos, ¡digo yo! [13] 20

El vendedor de mecheros, que tenía un amigo con mucha mano,[14] arregló la cosa a la dueña del puesto de chufas. A los pocos días, ya le pudo decir:

—Oiga usted, señora Encarna, que la cosa ya está arreglada.

—¿Cuála? [15] 25

—Lo de la comisaría. Mi amigo ya le arregló a usted la cosa. El señor comisario dice que es usted tonta.

◇ ◇ ◇

Timoteo Moragona y Juarrucho, a los dos o tres días, que ya se habían calmado los ánimos, probó a salir a la calle. Las vecinas lo miraron casi con simpatía. Entonces Timoteo se 30 acercó a la dueña del puesto de chufas, y le dijo:

—Oiga usted, señora. Yo siento la mar todo lo que ha pasado. Tuve un mal momento. Un mal momento lo tiene cualquiera, ¿verdad usted?

—Sí, sí. Un mal momento lo tiene cualquiera, ¡ya lo creo 35

13. **Vamos, ¡digo yo!** *Well, that's what I say!*
14. **con mucha mano** *with a lot of "pull"*
15. **¿Cuála?** colloquial use of a nonexistent feminine form of **¿cuál?**

que lo tiene!

—Pues eso. Yo tuve un mal momento. Yo no quisiera perjudicarla a usted; así que me dice a cuánto ascienden los gastos y yo, a medida que vaya pudiendo, se lo voy pagando y en paz.

5 La dueña del puesto de chufas le contestó:

—No, no; yo tampoco quiero perjudicarle a usted. La verdad es que no fué más que el susto, la mercancía la pude recoger toda, me ayudaron algunas vecinas y pude recoger toda la mercancía.

10 Timoteo, después de hablar con la señora Encarna, se sintió con fuerzas para subir a casa de la ofendida. Le abrió la puerta el marido. Timoteo sintió un escalofrío por el lomo.

—Pase usted.

—Con permiso.

15 El marido le alcanzó una silla.

—Siéntese usted.

—Con permiso.

Timoteo hizo un esfuerzo y se arrancó.

—Mire usted, ¿sabe a lo que vengo?

20 La señora de la patada asomó por la puerta. El marido le dijo:

—Quédate en la cocina. Aquí el señor y yo vamos a hablar, de hombre a hombre.

La Matilde [16] pegó un portazo y se puso a cantar flamenco. El marido miró a Timoteo.

25 —¡Las hay bestias! [17]

—Sí, señor; hay algunas muy bestias.

El mecánico de radios sacó la petaca.

—¿Quiere liar un pito?

—Bueno, por no despreciar . . .

30 Los dos hombres liaron sus pitillos en silencio. Después los encendieron. Después dieron algunas chupadas. El marido echaba el humo por la nariz, pero Timoteo no se atrevió y lo echaba por la boca y con poca fuerza. Después Timoteo, ya más confiado, habló:

35 —Pues, como le decía, ¿sabe usted a lo que vengo?

—Pues, hombre, no, usted dirá.

16. **La Matilde:** the article is used in Spain with the given name among the lower classes

17. **¡Las hay bestias!** *There are some stupid ones!*

Timoteo sintió otro escalofrío por el lomo.

—Pues vengo a pedir perdón, porque yo, ¿sabe usted?, creo que lo cortés no quita a lo valiente.[18]

Timoteo había hecho un gran esfuerzo y se sintió algo cansado. El mecánico de radios repuso, muy contento, de golpe: 5

—Sí señor, eso es de caballeros, esa es una actitud que le honra a usted; en seguida se echa de ver que es usted un artista.

—Muchas gracias.

—No hay que darlas.[19] Oiga usted, Moragona, le advierto a usted que esto de arreglar radios también tiene su arte... 10

—¡Hombre, ya lo creo que la tiene! ¡Y mucha!

◇ ◇ ◇

Timoteo Moragona y Juarrucho, hijo de Leoncio, sacristán, y de Julia, sus labores, era natural de Purgapecados, Ayuntamiento de Alarcón, provincia de Cuenca.* Timoteo Moragona y Juarrucho tenía cuarenta años de edad y estaba casado, aunque 15 sin hijos; había tenido dos, pero se le murieron, uno del tifus y otro ahogado en el Canalillo. Timoteo Moragona y Juarrucho había sido barbero, viajante de comercio, empleado de banca, capador de puercos, trompeta del "Quinteto Caribe" y cómico. Timoteo Moragona y Juarrucho, en la actualidad, era escultor 20 abstracto, de esos que hacen dos bolitas de barro y lo mismo lo titulan "Atlético-Aviación" que "Panorámica del Huerto de los Olivos".* A Timoteo Moragona y Juarrucho, quien lo había metido en eso de la escultura abstracta había sido su señora, doña Ragnhild Braviken de Moragona, una sueca flaca, larguirucha 25 y albina, que había conocido en Cebreros (Ávila),* de una vez que fué con su *troupe* a representar un drama que se titulaba "Pobre y ciego: dos desgracias", y que arrancaba con un parlamento muy aplaudido que empezaba así:

Soy Aniceto Carrasclás,
el hombre que se come los residuos
que abandonan los demás.

18. **lo cortés ... valiente:** Spanish saying: *"One can be both polite and brave";* implies that to apologize doesn't mean to eat crow
19. **darlas [gracias]** *don't mention it*
* For information concerning items asterisked, see the Vocabulary-Dictionary.

Doña Ragnhild Braviken de Moragona había caído por Cebreros vendiendo un producto para conservar el vino, que se llamaba "Conservol". Doña Ragnhild Braviken de Moragona, que entonces aún no era de Moragona, había cogido el gusto al vino de Cebreros y llevaba quince días, o más, metida en la fonda y enganchando unas merluzas como pianos.

Cuando doña Ragnhild Braviken de Moragona vió recitar a Timoteo, que lo hacía con muy buena escuela, se dijo: "¡Éste es mi hombre!", y aquella misma noche, en el comedor de la fonda, se le declaró.

—¡Oh, Timoteo! —le dijo—. ¡Me encuentro muy sola! Las suecas, en cuanto que nos sacan de Suecia, ¡nos encontramos tan solas!

Timoteo estaba muy en su papel.

—Ya me hago cargo —le respondió—; a los de mi pueblo nos pasa igual.

Entre doña Ragnhild y Timoteo pronto se estableció una corriente de efluvios amorosos. Los efluvios amorosos son así como las ondas hertzianas, que no son visibles al ojo humano ni aún con la ayuda de lentes de aumento.

—¡Oh, Timoteo! Cuatro brazos reman mejor que dos en la barca de la vida . . .

A Timoteo, aunque le gustó la frase, como era del interior[20] no la entendió mucho.

—Sí, sí, lo más seguro.

—¡Oh, Timoteo, claro que sí! Un alma gemela . . .

—¿Eh?

—Un alma gemela . . .

—¡Ah!

—Sí, un alma gemela. Encontrar un alma gemela en la que mirarse reflejada como en un espejo.

—Ya.[21]

—Y un corazón hermano en el que una se sienta latir.

—Ya.

—Y un hombro amigo en el que apoyarse en el camino de la existencia.

20. **era del interior** *he was from the inland;* that is, he doesn't know about rowing on boats

21. **Ya:** commonly used in Spanish to assent: *yes, of course*

—Ya.

Timoteo Moragona y Juarrucho notó que doña Ragnhild no le era nada, pero que nada indiferente. Timoteo Moragona y Juarrucho se puso sentimental, como era su deber.

—Pero yo, doña Ragnhild, un pobre cómico sin fortuna . . . 5

Timoteo Moragona y Juarrucho, a doña Ragnhild, la llamaba doña Ranil.

—No se preocupe por eso, Timo —respondió mimosa, doña Ragnhild.

Timoteo Moragona y Juarrucho la atajó, rápido. 10

—No me llame Timo,[22] por favor, no me agrada. Si se siente cariñosa llámeme Teo, lo prefiero.

Doña Ragnhild puso la voz melosa y persuasiva.

—Como gustes, Teo. ¿Me permites que te tutee?

A doña Ragnhild le corría una chinche por el borde del escote. 15

—Cuidado, esa chinche, doña Ragnhild, que no se le meta dentro.

Doña Ragnhild Braviken cogió la chinche y la espachurró entre los dedos. Después la pegó debajo del asiento.

—¡Pobre hemíptero! 20

—¿Cómo?

—Que pobrecito hemíptero.

—¡Ah, ya! Sí, ese ya pasó a mejor vida.

Doña Ragnhild volvió a poner la voz melosa y persuasiva.

—Decía, amigo Teo, si me permitirías tutearte. 25

Timoteo estaba un poco confuso. Él, la verdad sea dicha, tenía poca experiencia con extranjeras, y con suecas, aún menos.

—Como usted guste, doña Ragnhild, para mí es un honor.

—¡Oh, Teo! Pero tú no has de llamarme doña Ragnhild, tú has de llamarme Ragnhild, simplemente. Es más familiar, más 30 íntimo . . .

—Como usted guste. No sé si me acostumbraré. ¡Como es usted sueca!

—¡Oh, Teo! ¿Qué importa eso? Yo, antes que sueca, soy mujer; una mujer cuyo seco corazón ha latido al verte . . . 35

—Ya.

Timoteo y doña Ragnhild se encontraron, de repente, cogidos de la mano.

22. Timo means *swindle*

—Y tú has de tutearme también.

Timoteo Moragona y Juarrucho respondió con un hilo de voz:

—Sí.

—A ver, prueba.

5 Timoteo Moragona y Juarrucho hizo un esfuerzo supremo.

—Oye.

—Qué.

—Nada, era para tutearte.

Doña Ragnhild y Timoteo empezaron a reírse a grandes carca-
10 jadas. Después pidieron una botella de sidra y se la bebieron. Los dos eran felices, muy felices, infinitamente felices.

Al día siguiente, Timoteo dió la noticia a la compañía. Estaba muy inspirado y rebosante de dicha y habló durante media hora y además muy bien.

15 —Pues eso es todo, amigos míos: me caso y quiero que conozcáis a mi novia, a mi prometida ya. Nuestros caminos, de ahora en adelante, serán distintos; pero en mi corazón siempre habrá, en lugar preferente, un cariñoso recuerdo para todos vosotros, los compañeros que sois testigos de mi amor.

20 La compañía estaba algo emocionada.

—Y ahora os voy a presentar a mi novia; pero antes quiero que sepáis su nombre: mi novia, alguno de vosotros quizá lo sospechéis, se llama Ragnhild; yo lo pronuncio mal, pero se llama así.

La característica de la compañía le preguntó:

25 —Pero, oye, Timoteo ¿esa no es la sueca de la fonda?

Timoteo Moragona y Juarrucho hinchó el pecho con orgullo, parecía un atleta sueco antes de lanzar la jabalina a la mar de metros de distancia.

—La misma que viste y calza.[23]

30 —Pero, hijo, ¿tú ya sabes que se da al vino?

Timoteo se puso serio. Ahora ya no parecía un atleta sueco, ahora parecía un sacerdote indio.

—Lo que yo sé, señora, es que no hago caso de habladurías. Lo que yo sé es que mi espíritu ha superado multitud de peque-
35 ñeces y cominerías. Lo que yo sé es que estamos hechos el uno para el otro. Lo que yo sé es que somos dos almas gemelas. Lo que yo sé es que tenemos dos corazones hermanos. Lo que yo sé es que mi hombro será un apoyo en su existir. Lo que yo sé...

23. **La ... calza** *The very same one*

—Bueno, bueno.

Timoteo Moragona y Juarrucho se calló. Timoteo Moragona y Juarrucho tenía la boca seca. Timoteo Moragona y Juarrucho se casó con doña Ragnhild Braviken en quince días.

—A la ocasión la pintan calva —se decía Timoteo—, y cuando pasan rábanos, comprarlos. ¡Anda y que iba a dejar yo que se escapase esta sueca, con lo culta que es! [24]

◇ ◇ ◇

En los primeros tiempos de su matrimonio, Timoteo ayudaba a su señora a vender "Conservol".

—¿Quiere usted que su vino no se pique, ni se avinagre, ni se eche a perder? —decía a los bodegueros Timoteo—. ¿Quiere usted que los caldos conserven todas sus esencias? ¿Sí? ¡Pues use usted, "Conservol", el producto que yo corro, que es talmente un seguro de vida para el vino!

Con el negocio de doña Ragnhild no se ganaba mucho, esa es la verdad; pero se iba comiendo y bebiendo, que es lo principal.

Doña Ragnhild tenía, cierto es, unas costumbres algo extrañas; pero Timoteo pronto se acostumbró. Timoteo era bastante adaptable.

Un día, doña Ragnhild le dijo a Timoteo, sin más ni más:

—Teo, tú eres un artista; tú no puedes perderte vendiendo "Conservol". Tú no te perteneces, los artistas no os pertenecéis. Tú perteneces a la humanidad, a la cultura, a la historia del arte...

—¡Hombre, no sé!

—¡Yo sí lo sé! Tú eres un artista, un artista que no ha encontrado aún su camino. Pero yo consagraré mi vida a mostrártelo y dedicaré mis mejores horas a lanzarte. ¡Desde hoy ya no venderemos más "Conservol"! ¡Que lo vendan otros! ¡Tú eres un artista y yo, Teo mío, la compañera de ese artista!

Doña Ragnhild dejó caer dos lágrimas por la mejilla abajo. Una se le paró en la boca, pero la otra llegó allá, hasta el sitio por donde anduvo la chinche el día de la declaración.

—¡El sueño dorado de mi adolescencia!

Timoteo estaba como preocupado. A veces llegaba a pensar si

24. **A la ocasión ... culta que es!** *A chance like this comes once in a lifetime ..., and when it comes, grab it. I wasn't going to let that Swede get away from me, with all the culture she has!*

su señora no estaría loca como una cabra.

—Pero mira una cosa, Ragnhild, el caso es que yo...

—Nada, Teo mío, nada. Tú eres un artista y nada más que un artista. Los artistas pasan por momentos de crisis en los que no se dan cuenta de que lo son. Son baches propios de su manera de ser.

—Ya, ya...

—Eso. Un artista que necesita encontrar su camino.

Timoteo Moragona y Juarrucho procuró meter baza.

—A eso iba, a lo del camino.

Doña Ragnhild sonrió benévolamente. En feo, consiguió una expresión algo parecida a la de la Gioconda.*

—Pero eso también está pensado. Teo mío, eso ya está previsto; tu camino será el de la escultura. ¡Tú serás escultor!

—¿Escultor?

—Sí, escultor, ¿es que no te gusta? ¡El del escultor es el más bello oficio! ¡El del escultor es casi un oficio divino!

—Sí, sí, ya me hago cargo; lo malo es que no sé si sabré. La verdad es que yo no lo había pensado nunca. ¿Tú crees que sabré?

—¿Que si sabrás? ¡Pobre Teo mío! ¡No has de saber! [25]

Timoteo no veía muy claro eso de que supiese hacer esculturas.

—Pues no, Ragnhild, queridita, no te incomodes, pero a mí me parece que de eso no sé ni palabra.

Doña Ragnhild procuró tranquilizarlo.

—No te preocupes, Teo, tú no te preocupes por nada, procura conservar la cabeza fresca para tu arte. Mañana compraremos algo de barro y tú empezarás a modelar. ¡Ya verás cómo te ilusiona ver brotar la vida entre tus manos!

—Ya, ya...

Al día siguiente, doña Ragnhild compró algo de barro y Timoteo Moragona y Juarrucho empezó a modelar esculturas. Lo primero que hizo fué una cosa que se parecía a una libreta de pan. Doña Ragnhild le puso el título "Muchacha en traje de calle". Doña Ragnhild fué, ya desde el principio, la encargada de buscar títulos para las obras de Timoteo. Timoteo hacía lo que podía y después doña Ragnhild lo bautizaba.

◇ ◇ ◇

25. **¡No has de saber!** *Of course you're going to know how!*

Doña Ragnhild y Timoteo vivían en un ático de la calle del Marqués de Zafra, por detrás del Paseo de Ronda. Timoteo, a fuerza de hacer esculturas, llegó a cobrarle afición al oficio y, al final, ya le iban gustando sus obras. En eso, como en todo, influye mucho la costumbre. 5

Doña Ragnhild, al poco tiempo de casada, empezó a sacar un genio de mil diablos y, cuando Timoteo no trabajaba con aplicación, le daba con la mano.[26] Un día que Timoteo no estaba en vena, doña Ragnhild, que tenía el vino atravesado, le tiró a la cabeza un bidet portátil y le hizo una marca en la frente y otra 10 en una patilla. El bidet quedó hecho puré,[27] y Timoteo lo sintió mucho porque era un bidet muy bueno, marca "Sanitas", modelo 1929, que había comprado en el Rastro,* bastante barato, y que usaba para mojar los paños con los que cubría el barro para que no se secase ni se cuartease. 15

El número del bidet pronto trascendió a la vecindad y la gente empezó a tratar con respeto y con miramiento a la sueca.

—¡Caray, qué tía! ¡Cualquiera le gasta una broma! [28]

Doña Ragnhild y Timoteo, como no conseguían vender ninguna escultura, tomaron unos realquilados, con derecho a cocina, 20 para ver de ayudarse un poco, y sembraron setas en la terraza, en unos tiestos muy bien dispuestos y preparados *ad hoc,* como se dice. Lo de los realquilados había sido idea de Timoteo, y lo de las setas, de doña Ragnhild. Cien tiestos de setas, según los cálculos de doña Ragnhild Braviken de Moragona, podían dejar 25 libres cuatro mil duros al año. Timoteo, por indicación de su señora, se pasó varias semanas haciendo tiestos. Los tiestos de Timoteo eran unos tiestos de artesanía, unos tiestos todos distintos, cada uno con su peculiaridad, con su sello especial. Al principio no le salían muy derechos; pero los últimos ya iban 30 saliendo bordados, parecían de tienda.

El negocio de las setas, aunque estaba muy bien pensado y se habían tomado todas las precauciones, falló porque uno de los realquilados, que era un envidioso y un haragán, empezó a decir por la vecindad que las setas eran venenosas y que lo que 35 querían Timoteo y doña Ragnhild era matarlos a todos. Doña

26. **le ... mano** *would give him one* (hit him)
27. **quedó hecho puré** *ended up all smashed*
28. **¡Cualquiera ... broma!** *Anyone who would play a joke on her ...!*

Ragnhild, cuando localizó al realquilado que les había hecho la pascua, lo puso en la escalera a empujones[29] y, además, no le dió su maleta.

—Si no me da usted mi maleta, la denuncio a usted en la comisaría.

—Bueno, y si me denuncia usted en la comisaría yo, donde le vea, le saco los ojos.

El realquilado se fué y no debió decir ni palabra en la comisaría porque allí, a casa de Timoteo, no fué nadie a reclamar nada.

Con lo que le dieron por la maleta y algunas cosas que había dentro, doña Ragnhild se compró unos zapatos para ella y una corbata, muy lucida, para Timoteo.

Después, como aún le habían sobrado seis reales, se tomó un helado de tres gustos: vainilla, chocolate y coco.

◇ ◇ ◇

Doña Ragnhild y Timoteo, el verano después del incidente, se encontraron una tarde con la Matilde y con Pío en la Casa de Campo. Se saludaron muy finos y dieron muestras de buena educación y compostura.

—¿Qué, cómo están ustedes?

Pues ya lo ven, muy bien, ¿y ustedes?

—Pues vamos tirandillo . . .

Algunos matrimonios, con sus niños, andaban contemplando la Naturaleza. Por allí había niños de muchas clases: niños que parecían saltamontes, niños que semejaban ranas, niños con cara de pájaro, niños con mirada de burro, niños pelones, niños cejijuntos, niños cabezotas, niños viciosos con las orejas transparentes . . .

Doña Ragnhild y su marido y la Matilde y el suyo, se pusieron a pasear juntos como si nada hubiera sucedido.

—Aquí se respira, ¿eh?

—¡Ya lo creo! Aquí sí que se respira.

Algunos matrimonios, en vez de niños, sacaban niñas a tomar el aire. Las niñas eran también de especies muy variadas: niñas que eran igual que aves zancudas, niñas de color de sardina,

29. **que . . . empujones** *who had played the dirty trick on them, placed him out on the stairway by violent shoves*

niñas con nariz de loro, niñas que olían mal, niñas algo calvas, niñas estrábicas, niñas que crecían sólo de un lado, niñas ruines con las orejas despegadas...

A veces se veía una niña algo mona, rubita y con el delantal limpio, que caminaba azarada, avergonzada, tímida, sin despegarse de la mano del padre. 5

Cuando salieron de la Casa de Campo, Pío dijo:

—Si ustedes me lo aceptan, yo les invito a una horchata ahí fuera, en el camino de la estación.

—Bueno, muy complacidos —dijo doña Ragnhild—, ¡si mi marido no tiene inconveniente! 10

A Timoteo Moragona y Juarrucho, le causó mucha extrañeza la amabilidad de su señora.

—No, no, yo no. ¿Qué inconveniente voy a tener, si se trata de dos buenos amigos? 15

—¡Claro! —dijo el mecánico de radios.

A la Matilde, otra le quedaba dentro.[30]

◇ ◇ ◇

Los realquilados de doña Ragnhild y Timoteo eran cinco; mejor dicho, eran más: los que eran cinco eran los pucheros que se ponían a hervir en la cocina. 20

Los realquilados de doña Ragnhild y Timoteo formaban cinco grupos, cinco tribus, algunas monoplaza.

Los realquilados de doña Ragnhild y Timoteo eran los siguientes:

Felipe Oviedo de la Hoz, sargento de Oficinas Militares, con su señora, Esperancita Martínez Toledano, que era muy joven, y tres nenes: Felipín, treinta meses; Agustinín, dieciséis meses, y Ricardín, cuatro meses. Este matrimonio tenía un canario que se llamaba "Carlitos", una tortuga sin nombre propio y una olla exprés que silbaba igualito que el tren. 25 30

Madame Ginette Dupont de la Brunetière de la Falaise-Royal, linajuda señora francesa venida a menos y orgullosa, legitimista y patriótica. Esta señora tenía un bisoñé, un sombrero, y retratos, muchos retratos de mejores tiempos. Los retratos estaban todos dedicados, algunos con dedicatorias muy largas, pero, claro, como lo habían puesto en francés, no se entendía casi nada. 35

30. **A ... dentro** *Matilde had other thoughts on the matter*

La señora Aureliana Hernández Expósito, que se pasaba el día, dale que dale,[31] haciendo encaje de bolillos que después vendía por varas en las mercerías. Esta señora no tenía nada más que lo puesto,[32] que tampoco era mucho. La desdichada era más pobre que las ratas. Por no tener,[33] no tenía ni habitación y dormía en el pasillo, en una colchoneta medio hueca que recogía cuidadosamente cada mañana, antes de que los demás se levantasen. La señora Aureliana pagaba por su trocito de pasillo un pan de munición, que nadie pudo saber nunca de dónde lo sacaba, pero que estaba siempre tierno y recién hecho.

Pili Martín, suripanta teñida de rubio platino, y su mamá, doña Pili Martín, exsuripanta teñida de rubio natural. Pili y doña Pili tenían algo de ropa y dos capitas de piel. En realidad, estos bienes eran restos de pasadas grandezas de doña Pili, pero ella solía prestárselos a Pili para que fuera siempre bien arregladita. Pili no tenía joyas, pero ya le habían hecho alguna promesa. Por algo se empieza, y además, como decía su mamá, ¡qué caramba, no se tomó Zamora en una hora! [34]

El dueño del último, del más reciente de los pucheros, era Nicanor de Pablos Santafé, empleado del Gas, que vino a suceder a Modesto López López, que fué el realquilado al que doña Ragnhild echó a la calle por lo de las setas. Nicanor de Pablos padecía del vientre y se pasaba el día tomando unos polvos negros para evitar los ruidos y los murmullos intestinales. Nicanor de Pablos tenía un pez en una pecera y un parchís muy lujoso con el tablero de cristal y las fichas y los dados de plexiglás.

Entre los realquilados y aunque el parchís vino a distraer y a calmar un tanto los ánimos, había un odio sordo y mal disimulado, que algunos días estallaba en la cocina. Doña Ragnhild, cuando oía reñir a los realquilados, iba a la cocina y los echaba a todos. Los realquilados salían sin rechistar y se encerraban en sus habitaciones, de donde no se atrevían a asomar la jeta ni para ir al water. Los días en que esto pasaba, los realquilados comían pan y algo de queso, si tenían.

El sargento Felipe, que era muy ocurrente y chistoso, fué

31. **dale que dale** *a never-ending task*
32. **lo puesto** *what she had on*
33. **Por no tener** *speaking about not having*
34. **Por ... empieza, ... ¡qué caramba ... hora!** *You have to start somewhere, ... what the heck, Rome wasn't built in a day!*

poniendo motes a todos sus compañeros de techo y, a medida que iba teniendo ocasión, iba diciendo, a cada cual, los de los demás.

A madame Ginette le puso la *Franchuta;* a la señora Aureliana, la *Paleta;* Pili, *miss Europa;* a la mamá de Pili, la *Reina Madre;* a Nicanor, el *Gaseoso;* a Timoteo, el *Escultor;* y a doña Ragnhild, la *Sueca.* Como se podrá observar, el sargento Felipe era un hombre de ingenio. Madame Ginette, al sargento Felipe, le llamaba *Foch.**

Cuando lo de la patada de Timoteo a la Matilde, los realquilados, aunque lo disimulaban lo mejor que podían por miedo a doña Ragnhild, hubieran deseado que el mecánico de radios le metiera el berbiquí en la barriga al artista.

—Eso es una vergüenza —le decía la Esperancita a la señora Aureliana, que era con quien tenía más confianza—, a eso no hay derecho. Pegarle una patada en el vientre a una señora, que además no es la de él, no es de caballeros, ¿verdad usted?

—Y usted que lo diga,[35] hija —le respondía doña Aureliana, bajando la vista—, y usted que lo diga.

La única persona que tomó el partido de Timoteo fué madame Ginette Dupont de la Brunetière de la Falaise-Royal, que también era amiga de las bellas artes. Madame Ginette Dupont de la Brunetière de la Falaise-Royal fué a ver a doña Ragnhild y le dijo, en francés:

—Vengo a felicitarla a usted, señora. Yo me siento muy dichosa de que su marido le haya pegado con el pie a esa ordinaria vecina.[36]

—Muchas gracias, madame, muchas gracias. ¿Conocía usted a la Matilde?

—¡Oh, no, no, señora! Yo no la conocía. Pero yo me siento muy dichosa de que su marido le haya pegado con el pie a esa ordinaria vecina.

—Muchas gracias, madame, muchas gracias. Yo también me he alegrado bastante.

◇ ◇ ◇

Timoteo Moragona y Juarrucho, cuando ya tuvo algo de obra, preparó una exposición en los salones de los "Amigos del Arte Abstracto" (A.A.A.), que era una sociedad dedicada al fomento de

35. **Y . . . diga** *You can say that again*
36. The sentence is a literal translation from the French

las nuevas corrientes de expresión artística al par que a la vivificación de las más interesantes facetas del preterido y auténtico arte tradicional, portador de los más altos mensajes del espíritu. Esto era, por lo menos, lo que decían unas hojitas de 5 papel verde que fueron repartiendo, casa por casa, como los boletines de suscripción de las mutuas de entierro,[37] algunos artistas jóvenes cuya contribución material a la noble empresa tanto es de agradecer.

El catálogo de Timoteo Moragona y Juarrucho era sobrio y 10 elegante. Estaba impreso en cartulina y tenía cuatro páginas: en la primera, hacia la mitad, un poco más arriba, venía retratada una de sus obras; encima se leía; "Timoteo Moragona y Juarrucho, 15 esculturas", y debajo decía: "A.A.A. XV Exposición, 20 noviembre–15 diciembre".

15 En la segunda página iban unas palabras de presentación de un crítico; como no se entendían mucho, no las copiamos aquí.

En la tercera aparecía el catálogo. Primero se leía "CATÁLOGO", en letras mayúsculas, y después, en fila india, la lista de las obras: "1, Muchacha en traje de calle. 2, Muchacha en 20 traje de noche. 3, Muchacha en traje de baño. 4, Maternidad. 5, Paternidad. 6, Gacelas. 7, Proyecto de monumento. 8, Discóbolo. 9, Toro en la agonía. 10 al 15, Formas".

En la última página no aparecía más que el anagrama A.A.A., pintado de una forma muy original. Así, sobre poco más o 25 menos:

Timoteo Moragona y Juarrucho, antes de inaugurar su exposición, recibía ánimos de doña Ragnhild y de algunos amigos.

—Esto es un paso muy importante en tu carrera artística, Teo mío —le decía doña Ragnhild—, un paso definitivo.

30 —Ya, ya . . .

Los amigos también procuraban levantarle el espíritu.

—Será una lección que demos a los artistas decadentes, ya lo verás. Tu exposición será un gran éxito de crítica.

—Y de público —objetó un jovencito algo suciejo—, y de

37. **como . . . entierro** *like the group insurance subscription forms for burial*

público también.

—De público, no sé; al público hay que irlo educando poco a poco. Pero de crítica, ¡ya lo creo! De crítica va a ser un éxito sonado.

—Y de público, y de público. El público viene detrás de la crítica.

—¡No, señor! ¡El público no lee las críticas! La exposición de Moragona será un éxito de crítica, pero no de público. ¡Y si no, al tiempo![38] Las formas de Moragona no pueden ser apreciadas más que por una minoría.

—Pues yo digo que Moragona también va a tener un gran éxito de público.

—¡No, señor! ¡De crítica, sólo!

—¡Y de público!

—¡De crítica!

—¡De público!

—¡No!

—¡Sí!

Timoteo Moragona y Juarrucho procuró atemperar los pareceres. Timoteo Moragona y Juarrucho no era hombre de grandes habilidades diplomáticas, pero aquel día estuvo afortunado...

—Bueno, no discutir. Ya saldremos de dudas...[39]

Timoteo Moragona y Juarrucho estaba nervioso y pusilánime. Doña Ragnhild le había dado unas píldoras de fósforo, pero se conoce que no le habían hecho mucho efecto.

◇ ◇ ◇

Felipe Oviedo de la Hoz, el sargento de Oficinas Militares, era recitador aficionado y en cierta ocasión, con la ayuda de Pío, el mecánico de radios, que tenía algún conocimiento en las alturas[40] y recomendó al Felipe con interés, consiguió salir en "Fiesta en el aire", una función que se transmitía a todos los hogares de España, según aseguraba el locutor, desde el escenario del Teatro Pardiñas, hoy Cine Alcalá.

Felipe Oviedo de la Hoz, cuando lo avisaron, creyó enloquecer y se estuvo varios días sin fumar y haciendo gárgaras con clara de huevo para aclarar la voz. Lo de no fumar lo llevó bien, aunque

38. **al tiempo** *just give it time*
39. **Ya ... dudas** *We'll soon find out*
40. **en las alturas** *among the higher-ups*

le puso un poco nervioso, pero lo de las gárgaras le daba unas náuseas tremendas y le hacía vomitar.

Su señora, la Esperancita, le decía:

—Mira, Felipe, si sigues arrojando vas a tener que suprimir las gárgaras, porque te vas a debilitar.

Felipe Oviedo de la Hoz ponía un gesto casi heroico para responder:

—¡Nada me importa la debilidad de la carne si mantengo el espíritu fuerte! ¡Lo que yo quiero es tener clara y bien timbrada la voz para poder ofrecerte mi triunfo en "Fiesta en el aire"!

Entonces la Esperancita, toda emocionada, le daba un beso.

—¡Ay, Felipe, qué bueno eres! ¡Ay, Felipe, qué feliz me haces! ¡Ay, Felipe, cuántas gracias tengo que dar a Dios por haberte puesto en mi camino! ¡Ay, Felipe . . . !

Felipe Oviedo de la Hoz se pasaba las noches de claro en claro aprendiéndose de memoria "El embargo", "Cara al cielo" y "Bálsamo casero", de Gabriel y Galán.* Por el día procuraba hablar con acento extremeño al objeto de dar un mayor realismo a su actuación. Tan metido estaba en su papel que una mañana, en la oficina, lo mandó llamar el teniente, y Felipe se le presentó diciendo:

—¡Mándimi-sté, mi tinienti! [41]

El teniente, que era un cincuentón de malas pulgas, se le quedó mirando:

—¿Por qué se le ocurre a usted hablarme así? ¿De dónde cuernos sacó usted ese hablar entre asturiano y extremeño?

Felipe Oviedo de la Hoz volvió a la realidad. Miró los desconchados de las paredes, miró los montones de legajos amontonados en un rincón, miró para los bigotes del teniente . . .

"Sí —se dijo—, estoy en Capitanía."

Felipe Oviedo procuró sonreír para hablar con el teniente.

—Perdone usted, mi teniente, es que un servidor, ¿sabe usted?, va a actuar en "Fiesta en el aire".

El teniente frunció el ceño.

—¿En qué?

—En "Fiesta en el aire", mi teniente.

El teniente se pasó una mano por el bigote. Cuando el teniente se pasaba la mano por el bigote, era señal de que iba a sacar a

41. **¡Mande, usted, mi teniente!**

relucir el grado.

—Oiga usted, sargento, ¿se da usted cuenta de que está hablando con un superior?

A Felipe Oviedo de la Hoz empezaron a zumbarle un poquito los oídos. 5

—Sí, mi teniente, usted perdone, es que un servidor, ¿sabe usted?, va a actuar en "Fiesta en el aire", se lo juro a usted.

El teniente pegó un puñetazo en la mesa. El tintero pegó un saltito, pero no se derramó.

—Sargento, ¡estoy por decirle a usted que es una mula de 10 varas! ¿Qué diablos coronados es eso de "Fiesta en el aire"?

Felipe Oviedo de la Hoz estaba pasadito.

—Perdone, mi teniente, es una emisión cara al público.[42]

El teniente se puso congestionado. El cogote parecía que le iba a saltar igual que un obús. 15

—¿Usted cree que esto es serio, sargento? ¿Usted cree que un sargento de Oficinas Militares, con destino en la Capitanía General, se puede permitir el lujo de andar por ahí adelante como un zascandil? [43] ¡Conteste!

Felipe Oviedo de la Hoz notó que una nube de color malva 20 se le ponía delante de los ojos. Felipe Oviedo de la Hoz empezó a navegar en la nube. La nube era blanda, muy blanda . . . Felipe Oviedo de la Hoz, de haberse muerto en aquel momento, hubiera entrado en el limbo * de cabeza.[44] Felipe Oviedo de la Hoz perdió la memoria. Felipe Oviedo de la Hoz empezó a hablar otra vez 25 con acento extremeño.

—Sigún comi se mire, mi tinienti.[45]

Al teniente le bizqueó la mirada de un modo siniestro.[46] Las paredes del despacho del teniente retumbaron con el alarido que pegó. 30

—¡¡Eh!!

Felipe Oviedo de la Hoz, pálido, demudado, casi agonizante, se arrancó:

42. **una . . . público** *a live radio broadcast*
43. **andar . . . zascandil** *of parading about that way like a silly busybody*
44. **Felipe . . . cabeza** *Had Felipe Oviedo de la Hoz died then, he would have plunged headfirst into the limbo* (implying that he had reached the state of complete innocence of a child)
45. **Según como se mire, mi teniente** *That depends on how you look at it . . .*
46. **Al . . . siniestro** *The lieutenant's eyes squinted in a sinister fashion*

Estamos perdíos,
no hay que dali güeltas.[47]

Felipe Oviedo de la Hoz sintió un extraño y misterioso placer. A lo mejor, el nirvana * es algo parecido.

El teniente empezó a temblar como un lobo. El teniente estaba al borde del coma.

—¡¡Eh!!

Felipe Oviedo de la Hoz con su último aliento, pudo suplicar:

—Usted perdone, mi teniente, un servidor se encuentra mal . . .

—¡Peor se va a encontrar usted a consecuencia de su estúpido comportamiento!

Felipe Oviedo de la Hoz hizo un extraño ruido y se cayó al suelo, redondo. El teniente lo levantó y lo arrastró hasta una silla.

—¡Ordenanza! ¡Atienda usted al sargento! ¡Vacíele un par de botijos por la cabeza, se conoce que le ha dado un mareo! ¡En cuanto vuelva en sí, condúzcalo al botiquín!

—Sí, mi teniente.

Doña Ragnhild y Timoteo, la víspera de la apertura de la exposición, se fueron a Conga, a distraerse un poco. Se sentaron a una mesa cerca de la pista, para ver mejor las atracciones, y esperaron a que llegase el camarero.

—¿Qué va a ser?

Timoteo, galantemente, le preguntó a su señora:

—¿Tú qué quieres tomar?

—Pernod.*

—Bien.

Timoteo se dirigió al camarero.

—La señora va a tomar Pernod, a mí tráigame una copita de . . . , de cualquier cosa.

—¿Málaga? *

—Bueno.

—Muy bien.

En la mesa de al lado estaba la señorita Pili con tres amigas; sobre la mesa no había más que una jarra de agua, mediada, y una copa con cinco o seis pajitas envueltas, cada una, en su

47. **Estamos perdidos, no hay que darle vueltas** *We are lost, there is no doubt about it*

papel.

La señorita Pili, al principio, procuró disimular; después, cuando ya no tuvo más remedio, saludó.

—Buenas noches, ¿y ustedes por aquí?

—Pues ya ve, a echar una canita al aire. 5

—Vaya, vaya . . . No sabía yo que tenía unos amigos tan animados.

—Pues, sí . . . ¡Ya ve!

Doña Ragnhild, por lo bajo, dijo a Timoteo:

—Oye, Teo, invítalas; mañana es un día grande para nosotros. 10

Timoteo se quedó mirando fijo para doña Ragnhild.

—¿Me llegará? [48]

—Sí, yo tengo algo en el bolso.

Timoteo se volvió a la mesa de la señorita Pili.

—Aquí, mi señora y yo, tenemos mucho gusto en invitarlas a 15 algo. ¿Qué quieren ustedes tomar?

La señorita Pili y sus amigas pegaron un salto, cogieron sus sillas y se sentaron a la mesa de doña Ragnhild y de Timoteo. Timoteo, al verlas venir, se asustó un poco.

—Pues, muchas gracias. Nosotros tomaremos lo que ustedes 20 tengan voluntad en invitarnos.

Timoteo, aunque no estaba muy acostumbrado, procuraba recomendarse aplomo.

—No, no, no faltaría más, lo que ustedes deseen, mi señora y yo tenemos mucho gusto en invitarlas a lo que más les apetezca. 25

El camarero llegó con las consumiciones de doña Ragnhild y Timoteo. Las chicas aprovecharon la ocasión.

—Pues yo un Cuba libre.

—Y yo una copita de anís.

—Y yo también. 30

—A mí tráigame un batido.

El camarero no le preguntó de qué [49] quería el batido.

La señorita Pili estaba muy contenta; eso de alternar con doña Ragnhild y con Timoteo le llenaba de orgullo.

—Bueno, les voy a presentar. Aquí un matrimonio amigo. 35

—Mucho gusto.

—El gusto es nuestro.

La señorita Pili continuó:

48. **¿Me llegará?** *Will I have enough?*
49. **de qué** *what flavor*

—La señora es extranjera y el señor es artista.

—¡Ah!

—Y aquí, tres amiguitas: la señorita Maru, la señorita Loli y la señorita Conchi.

—Tanto gusto.

—El gusto es el de nosotras.

La señorita Pili redondeó la presentación.

—La señorita Maru es de Tánger,* Tánger es muy bonito.

—Ya, ya.

—La señorita Loli es gallega.

—¡Ah! ¿Sí?

La señorita Loli intervino:

—Sí, señor, una servidora se llama Loli Cela.

—¡Ah! ¿Es usted prima del escritor?

—Pues, sí, somos algo parientes; primos hermanos no somos, pero algo parientes, sí.

—Ya, ya. ¿Y lo trata usted?

—Pues, no, ya ve. Antes sí, antes solía venir alguna vez por aquí, pero ahora, con eso de que publica en los papeles y de que se casó con una señorita . . .

Timoteo quiso hacer una frase, pero no le salió bien del todo.

—Eso es la vida, hija, ¡el mundo está lleno de desagradecidos!

—Claro, eso es lo que dice una . . .

La señorita Pili volvió a la carga.

—¡Anda, y no hablar de parientes orgullosos! ¿Que escribe en los papeles? ¡Pues con su pan se lo coma! [50] ¿Que se casó con una señorita? ¡Pues anda, y que le den morcilla! [51]

—Muy bien hablado.

—Pues, claro. ¡Qué tanto amolar! [52]

La señorita Pili se había acalorado, pero pronto se le quitó.

—La señorita Conchi es de aquí de la provincia, es de Puebla de la Mujer Muerta.

—Ya.

La señorita Pili llevaba un jersey color burdeos, la señorita Maru llevaba una rebeca *beige,* la señorita Loli llevaba un *sweater* verde manzana, la señorita Conchi llevaba una blusita

50. **¡Pues . . . coma!** *That's his business!*
51. **¡Pues . . . morcilla!** *Well, let him jump in the lake!*
52. **¡Qué tanto amolar!** *So much fussing!*

cruda algo zurcidilla por el sobaco.

La señorita Maru era la que parecía más decidida.

—De modo que usted, ¿es extranjera?

—Sí.

—¿De dónde? 5

—De Suecia.

—Y eso, ¿hacia dónde cae?

Doña Ragnhild estaba contenta, pero no tenía ganas de meterse en explicaciones.

—Muy lejos de aquí. 10

La señorita Maru era infatigable y curiosa; hubiera hecho un buen agente de policía. La señorita Maru, al ver que doña Ragnhild se le cerraba en banda, se volvió a Timoteo.

—Y usted es artista, ¿eh?

—Eso es, sí, señorita; artista, para servirle —le contestó Timoteo con aire jovial. 15

—¿De teatro?

Timoteo recordó, sobre la marcha, sus pasados tiempos de "Pobre y ciego: dos desgracias".

—No, no. 20

—¿De cine, entonces?

Timoteo sonrió con amabilidad. En el fondo, le daba un poco de vergüenza eso de tener que llevarle siempre la contraria a la señorita Maru. La señorita Maru era muy vistosa. La señorita Maru era alta y morena. La señorita Maru tenía unos ojos negros muy bonitos. La señorita Maru llevaba un tatuaje en la barbilla. A Timoteo le dieron ganas de darle con saliva, a ver si salía o era de verdad. 25

—No, tampoco; de cine, tampoco. Ni de circo. Yo, señorita, soy un artista, ¿cómo le diría?, un artista de otra clase. 30

—¡Ah! ¿Y de qué clase?

La señorita Pili volvió a intervenir. La señorita Pili estaba haciendo el difícil papel de director de debates.

—¡No seas preguntona, mujer! El señor es artista serio, es artista de bellas artes. 35

—¡Ah!

—El señor es artista escultor, de los que hacen esculturas.

—¡Ah, ya!

La señorita Pili remachó bien el clavo.

—Y monumentos, y figuras, y todo lo que se tercie.

—¡Ah, ya! Ahora ya comprendo. Vamos, que el señor es un artista serio, un artista de bellas artes.

—¡Pues claro, mujer, pues claro!

◇ ◇ ◇

5 Al día siguiente, doña Ragnhild, con sus zapatos de estreno, unos zapatos azules y sin tacón, y Timoteo, con su corbatita nueva, se fueron a la sala de la A.A.A., a inaugurar su exposición.

Doña Ragnhild, por el camino, se acordó de Modesto López López, el realquilado del lío de las setas y dueño de la maleta 10 que doña Ragnhild vendió para comprar la corbata de Timoteo y sus zapatos y el helado de tres gustos.

¡Qué cosas más raras piensa una! —pensó doña Ragnhild—, ¡mira tú que acordarme ahora de aquel piernas desgraciado! [53]

Timoteo iba todo nervioso.

15 —Oye, Ragnhild, chata: ¿no iremos un poco pronto?

Doña Ragnhild creyó que lo mejor sería mostrarse enérgica para levantar el ánimo a su marido.

—No, no; a estas cosas conviene siempre llegar a tiempo, llegar antes de que llegue la gente.

20 —Bueno, como tú quieras.

Timoteo caminó en silencio un par de cientos de pasos. A Timoteo, en el fondo, le causaba cierta extrañeza el hecho de que no le mirase la gente.

—¡Mira que es burra la gente! —pensaba—. ¡Aquí ya puede 25 inaugurar una exposición Miguel Angel,* que por la calle no le mira ni su padre!

Timoteo quiso desechar los malos pensamientos y volvió a la carga. A lo mejor esta vez tenía más suerte.

—Oye, Ragnhild, chata, ¿te parece que nos tomemos un 30 blanco en cualquier tasca de por aquí?

—No, no, no conviene beber; en estos momentos necesitamos tener plena conciencia de todos nuestros actos.

Timoteo preguntó una tontería.

—¿Hasta de los más insignificantes?

35 —Sí, Teo mío, hasta de los más insignificantes.

—Bueno, bueno.

53. **¡mira ... desgraciado!** *Imagine, to be reminded of that darned good-for-nothing now!*

Doña Ragnhild no se conformó.

—Y además hay que llegar a tiempo, ya te digo, hay que llegar antes de que llegue la gente.

—Bueno, mujer, bueno.

Doña Ragnhild y Timoteo llegaron al local de la A.A.A. Las luces aún no estaban dadas del todo.[54] Timoteo, al entrar, no vió un escalón que había y se fué a dar con la boca contra la pared.[55] Sangró un poco por las encías, pero se le quitó solo, chupando.

En el salón de la A.A.A. estaban ya los amigos que le habían ayudado a colocar las cosas. Eran unos amigos muy leales, muy seguros.

—¡Vamos, tío calmoso, vamos! ¡Creíamos que no llegabas!

Doña Ragnhild intervino.

—Pues aún decía que veníamos demasiado pronto y quería beberse unos blancos para hacer tiempo.

—¡Qué tío! ¡Hace falta aplomo!

Timoteo dió una vuelta al local, rodeado de sus amigos, que le dejaban ir en medio.

—Yo creo que queda bien . . .

—¡Ya lo creo! ¡Yo creo que no puede quedar mejor!

Timoteo suspiró. Timoteo Moragona y Juarrucho estaba blanco como un plato.

—¿Habrán llegado las invitaciones a tiempo?

—Hombre, ¡yo creo que sí!, las mandamos ya antes de ayer.

—Bueno, bueno.

Timoteo se sentó en una silla y lió un cigarro.

—¿Qué hora es ya?

—Las seis y media.

—Bueno, ya falta poco. Yo creo que ya se podían ir dando las luces. Esto, medio a oscuras, parece un velatorio.

La sangre que Timoteo se chupaba de la encía tenía un sabor raro, un sabor como a malta.

—No, no, déjate de velatorios. Vamos a esperar un poco; las luces es mejor no darlas hasta diez minutos antes de la hora.

—Bueno.

54. **no . . . todo** *were not completely on*
55. **y su fué . . . pared** *and stumbled against the wall, hitting himself in the mouth*

Timoteo, como por un raro presentimiento, se conformaba con todo, decía bueno a todo.

A las siete menos diez el encargado del salón dió todas las luces. Fué un momento de intensa emoción. Timoteo Moragona 5 y Juarrucho se puso en pie y tiró la colilla, que se le había apagado. Después se estiró la chaqueta y se arregló la corbatita. Después sonrió.

—Bueno, ¡la suerte está echada! [56]

—Eso es.

10 Timoteo dió una vuelta al salón.

—¿A qué hora se cierra?

—A las nueve, es la costumbre. Nuestras exposiciones pueden ser visitadas durante dos horas al día, de siete a nueve, menos los domingos. Eso es lo que venimos haciendo siempre, es la 15 costumbre.

Los amigos de Timoteo estaban serios y circunspectos, muy en su papel. Timoteo buscó el calor del grupito.

—Y ahora, ¡a esperar!

Doña Ragnhild también estaba algo emocionada.

20 —Eso es, ahora, a esperar.

◇ ◇ ◇

De siete a nueve, como en las exposiciones de la A.A.A., los estudiantes pasean del brazo de las planchadoras y de las pantaloneras; algunas se casan, y después son mujeres de un boticario o de un perito agrónomo.

25 De siete a nueve, como en las exposiciones de la A.A.A., los soldados acompañan a hacer recados a las criadas de servir; algunas se casan, y después son mujeres de un herrero o de un talabartero.

De siete a nueve, como en las exposiciones de la A.A.A., los 30 empleados invitan a café con leche a las mecanógrafas; algunas se casan, y después son mujeres de un funcionario de Sindicatos o de un funcionario de Telégrafos.

De siete a nueve, como en las exposiciones de la A.A.A., los señoritos bailan con sus novias en Casablanca o en Pasapoga 35 y hasta, si son muy finos, en Alazán; algunas se casan, y después son mujeres de un jefe de producción de películas o del director-gerente de una gestoría.[57]

56. **¡la suerte está echada!** *the die is cast!*
57. **director ... gestoría** *the managing director of a manager training school*

De siete a nueve, como en las exposiciones de la A.A.A., los señores mayores se toman sus coñacs con sifón en Chicote, o en Pidoux, o en Cock,[58] al lado de unas mujeres bien vestidas y que huelen bien, pero que muy bien; de estas se casan pocas, por lo común, aunque tampoco falta nunca un roto para un 5 descosido.[59]

De siete a nueve, como en las exposiciones de la A.A.A., salen los periódicos con sus letras grandes y sus malas noticias, sus listas de la lotería y sus avisos sobre el suministro, sus bodas y sus esquelas mortuorias, su sección de sucesos y sus informaciones 10 sobre Corea,* sobre Persia,* sobre Egipto,* sobre Túnez,* sus chistes y sus crucigramas, sus comentarios deportivos y sus reseñas sobre la inauguración de un grupo escolar, o de un puerto, o de una central térmica.

De siete a nueve, como en las exposiciones de la A.A.A., se 15 producen muchas declaraciones de amor; se escuchan anhelados y dulces "sís" y crueles y desesperadores "nos"; se abren las puertas a mil nacientes ilusiones y se hunden en el pozo negro y sin fondo del olvido miles y miles de amargos desengaños.

De siete a nueve, como en las exposiciones de la A.A.A., nacen 20 muchos niños y se mueren muchos hombres y muchas mujeres.

De siete a nueve, como en las exposiciones de la A.A.A., se engendran muchos de los niños que, algún día, nacerán, y muchos de los hombres y de las mujeres que, andando el tiempo, habrán de morir sin remisión. 25

De siete a nueve, como en las exposiciones de la A.A.A., se roban carteras y se pierden bolsos, llaveros, perros de lujo y niños rubitos y con zapatillas de fieltro, que no saben cómo se llaman.

De siete a nueve, como en las exposiciones de la A.A.A., a 30 veces, hay un crimen tremendo.

De siete a nueve, como en las exposiciones de la A.A.A. . . .

De siete a nueve . . .

De siete a nueve, pero no como en las exposiciones de la A.A.A., algún visitante suele entrar en alguna exposición. 35

◇ ◇ ◇

58. All proper names mentioned in this section correspond to cafés and nightclubs in Madrid.

59. **aunque . . . descosido** *there is always a jack for a jill* (implying that even this type of woman may find her mate)

En medio de un silencio sepulcral, Timoteo Moragona y Juarrucho preguntó la hora.

—¿Qué hora es?

—Las nueve.

Timoteo Moragona y Juarrucho, en pequeño, tenía el mismo gesto que Napoleón * en Waterloo.*

—Cerremos.

—Sí.

El encargado apagó casi todas las luces y el salón de la A.A.A., tomó un vago aire de velatorio.

Timoteo Moragona y Juarrucho respiró con cierta entereza.

—Bien. Ya podemos marcharnos.

Doña Ragnhild se le acercó a Timoteo y le dió un beso. Timoteo Moragona y Juarrucho entendió que aquel beso era de los más importantes que le había dado jamás doña Ragnhild.

Doña Ragnhild, a pesar de su temple, tenía los ojos húmedos y velados.

—¿Nos vamos?

—Sí, vámonos.

En la exposición de Timoteo Moragona y Juarrucho, el día de la apertura, no había entrado nadie. Un señor miró desde el escaparate, pero no pasó. Una señora llegó a empujar la puerta, pero venía equivocada.

—¿Tienen culottes de punto?

—No, señora; eso es ahí al lado.

—Perdone, ¿eh?

—Está usted perdonada.

◇ ◇ ◇

Timoteo Moragona y Juarrucho, al llegar a su casa, se metió en la cama sin cenar y apagó la luz. Timoteo Moragona y Juarrucho, al cuarto de hora, estaba profundamente dormido.

◇ ◇ ◇

Mientras Timoteo dormía con el profundo y apacible sueño de los justos, de los fracasados, de los criminales y de los hombres a los que la sesera se les derramó, igual que un cantarillo volcado, sobre el santo suelo, Felipe Oviedo de la Hoz, el sargento de Oficinas Militares, estaba entre los bastidores del Teatro Pardiñas esperando a que le tocase su vez en "Fiesta en el aire".

Felipe Oviedo de la Hoz, a consecuencia de los dos botijos que el ordenanza, por mandato del teniente, le vaciara por la cabeza y por la nuca, cuando lo del desmayo, tuvo la voz tomada tres o cuatro días, pero, a fuerza de cuidados y de los mimos que le dió la Esperancita, pudo reponerse a tiempo de actuar. ¡Hubiera sido una pena desaprovechar la ocasión! Salir en "Fiesta en el aire", aunque parezca fácil, es cosa que tiene su intríngulis y sus más y sus menos. 5

Felipe Oviedo de la Hoz, sentado en un cajón, esperaba impaciente a que le llegase el turno. A su lado estaba dándole ánimos y buenos consejos un amigo suyo, cincuentón ya, con aire de militar de paisano. 10

—¡Ánimo, Felipe!

—Sí, señor.

Como en esta vida, tarde o temprano, todo llega, Felipe Oviedo de la Hoz, casi sin explicárselo, se encontró en el escenario. 15

El locutor era muy simpático y tenía un habla muy campechana. A veces, se repetía algo, no mucho.

—Señoras y señores de la sala y amables radioyentes: ahora va a actuar, en este magno concurso de "Fiesta en el aire", el magno concurso cuyas puertas están abiertas para todos los concursantes que quieran concursar, don . . . , ¿cómo se llama usted? . . . 20

Felipe procuró contestar, con cierto empaque:

—Felipe Oviedo de la Hoz.

—¡Más alto, para que lo oigan todos! 25

—¡Felipe Oviedo de la Hoz!

—Muy bien, simpático Felipe. Ya lo han oído ustedes: Felipe Oviedo de la Hoz, número siete mil trescientos ochenta y uno, del turno de recitadores. Pero antes vamos a hacer unas preguntitas a nuestro simpático recitador. 30

En el gallinero sonaron algunos pitos, porque lo que quería la gente era cante flamenco.

—¡Por favor, señores! ¡Un poco de silencio, señores, por favor! . . . Vamos a ver, simpático Felipe, ¿de dónde es usted?

—De aquí, de Madrid. 35

—¡Muy bien! ¡He aquí, señoras y señores, un simpático "gato", un auténtico y castizo "gato", de los mismísimos Madriles, que no es de Oviedo * más que por su apellido! ¡Muy bien, simpático Felipe, madrileñísimo Felipe!

El locutor, en seguida saltaba a la vista que era muy simpático.

—¿Y de dónde? ¿De qué parte de Madrid?

—De Ventas.

—¡Y olé! ¡De las Ventas del Espíritu Santo,* sí, señor! ¡Muy
5 bien!

Felipe, aunque procuraba mantenerse, estaba un poco azarado.

—Sí, señor, muy bien . . .

—Bien, amigo Felipe, porque Felipe y un servidor de ustedes ya vamos a ser amigos toda la vida, ¿verdad Felipe?

10 —Sí, señor.

—Pues bien, amigo Felipe; ahora nos va a decir usted cuál es su profesión, cuál es su oficio. ¿Estamos?

—Sí, señor; militar.

—Muy bien; nuestro amigo Felipe es militar, un bizarro militar.
15 ¡Muy bien! Pues nada, amigo Felipe, me alegraré mucho, y conmigo toda la sala y todos los amables radioyentes de este magno certamen de "Fiesta en el aire", que llegue usted a lucir los entorchados de general.

—Muchas gracias; un servidor ya se conformaría con llegar a
20 teniente.

—Bueno, amigo Felipe, a lo que usted quiera. Ahora, díganos: ¿qué vamos a tener el gusto de oírle recitar?

—Pues les voy a recitar a ustedes "El embargo", de Gabriel y Galán.

25 La sala estalló en un aplauso frenético.[60]

—Un poco de calma, señores; les ruego un poco de calma. Yo agradezco . . . ¡Silencio, por favor! . . . Muchas gracias . . . Yo agradezco, en nombre de nuestro concursante, estos aplausos que se le tributan; pero ruego un poco de calma, señoras y señores,
30 un poquito de calma . . . Piensen ustedes que son todavía muchos los concursantes de este magno concurso de "Fiesta en el aire" que aún tienen que concursar.

Felipe, por lo bajo, dijo:

—Claro.

35 El locutor siguió:

—Bien, señores. Ante ustedes, y en este momento que puede

60. "El embargo" is one of the most popular poems among the general public. The reaction here is equivalent to that of a radio or television pop singer announcing a song known to everyone.

ser decisivo para su carrera de artista, se encuentra nuestro concursante Felipe Oviedo de la Hoz, número siete mil trescientos ochenta y uno, del turno de recitadores. Fíjense bien en el número, al objeto de poder tomar parte en la votación de este magno concurso de "Fiesta en el aire". 5

El locutor se volvió a Felipe:

—Cuando guste.

Felipe le pregunto:

—¿Lo puedo dedicar?

—Sí, señor, lo puede dedicar usted. 10

Felipe carraspeó un poco y se acercó al micrófono.

—Dedico este verso al simpático público que llena el local . . . (Aplausos). A los amables radioyentes de "Fiesta en el aire" . . . (Silencio). A mi señora, que está en la fila doce, en los impares . . . (Risas, cabezas vueltas y comentarios). A mi teniente don Raúl 15 Campillo, que me ha acompañado para animarme y que está ahí dentro . . . (Choteo entre el respetable).[61] Y a mis amigos don Timoteo Moragona y señora, que me estarán escuchando.

Felipe Oviedo de la Hoz carraspeó otra vez, dió un paso atrás, levantó un poco las manos y se arrancó: 20

—"El embargo",* de Gabriel y Galán:

Señol jués: pasi usté más alanti,
y que entrin tós esos;
no le dé a usté ansia,
no le dé a usté mieo . . .
Si venís antiayel a afligila
sos tumbo a la puerta. Pero ¡ya s'a muerto!
Embargal, embargal los avíos,
que aquí no hay dinero;
lo he gastao en comías pa ella,
y en boticas que no le sirvieron.[62]

Felipe Oviedo de la Hoz, con buen acento extremeño, que su trabajo le costó, y todo de memoria, recitó "El embargo" entero. El éxito que tuvo fué indescriptible. El teatro se venía abajo de los aplausos y algunas señoras hasta lloraron de 25

61. el respetable [público]
62. Señor juez: pase usted más adelante,/ y que entren todos esos;/ no le dé a usted ansia,/ no le dé a usted miedo . . . / Si venís anteayer a afligirla/

emoción.

Fué una pena —o una suerte, ¡quién sabe!— que Timoteo no lo hubiera escuchado. Timoteo estaba dormido.

Quien sí lo escuchó fué doña Ragnhild. Doña Ragnhild se pasó la noche al pie de la radio, que puso muy bajita, en el cuarto de Esperancita y de Felipe, atendiendo al magno concurso de "Fiesta en el aire", mientras echaba un ojo a los niños, no se fueran a despertar.[63]

Doña Ragnhild no estaba triste, estaba atónita.

—¡Qué barbaridad!

Cuando Felipe y su señora volvieron, ya muy tarde, doña Ragnhild lo felicitó.

—Muy bien, Felipe, ha estado usted muy bien.

—Muchas gracias, doña Ragnhild, usted cree que he estado bien, ¿sí?

—Muy bien, ya lo creo.

—Muchas gracias, doña Ragnhild, muchas gracias.

La Esperancita estaba muy contenta.

—Y los nenes, ¿se han despertado?

—No, han dormido muy bien toda la noche.

—¡Angelitos!

La mamá de los nenes fué a besarlos y despertó a dos. Mientras los acunaba para que se callasen, Felipe preguntó a doña Ragnhild.

—¿Y don Timoteo?

—Está echado; cuando usted terminó su actuación, se echó. Vino muy cansado de la exposición.

—¡Ah, es verdad! ¿Qué tal?

Doña Ragnhild miró para una manchita de humedad que había en el techo.

—Bien.

Felipe se le volvió.

—¡Hoy es un día grande en esta casa, doña Ragnhild!

—Sí . . .

Timoteo Moragona y Juarrucho, mientras tanto, soñaba que

os tumbo a la puerta. Pero ¡ya se ha muerto!/ Embargad, embargad los avíos,/ que aquí no hay dinero;/ lo he gastado en comidas para ella,/ y en boticas [medicinas] que no le sirvieron.

63. **no . . . despertar** *in case they should wake up*

iba en un barco pintado de amarillo que navegaba a gran velocidad. Al capitán, con los ojos cerrados y encogido como una momia, lo llevaban en un gran ataúd de cristal lleno de gas desinfectante. Se veía muy bien. Los galones los tenía ya algo descoloridos. El capitán se había muerto hacía ya muchos años, pero la tripulación no quería decir nada a nadie. 5

Cuando doña Ragnhild se acostó, se desnudó a oscuras para no despertar a Timoteo.

◇ ◇ ◇

Al día siguiente, doña Ragnhild trató muy bien a Timoteo y le llevó el desayuno a la cama. 10

—¡Qué bueno está!

—¿Te gusta?

—Sí, está muy bueno. El café es mejor que el de otros días.

Doña Ragnhild sonrió.

—Sí, es algo mejor. Este café te lo he subido del bar de enfrente. 15

Cuando Timoteo se levantó se fué al bar de enfrente y echó en una botellita que llevaba, un café para doña Ragnhild. Después se metió en la pastelería y le compró un bollo suizo.

Por la tarde, a eso de las seis y media, doña Ragnhild y Timoteo se acercaron a la exposición, al local de la A.A.A. 20

—Hay que dar la cara.[64] Que el público no entienda mi arte no es culpa mía.

—¡Muy bien hablado!

—Y si la crítica retrógrada me declara el *boicot,* ¡allá cada cual con su conciencia![65] 25

Doña Ragnhild le apretó fuerte de un brazo.

—Me alegro de oírte hablar así, Teo mío. La fortaleza del espíritu es el escudo, la coraza de los artistas incomprendidos contra la sociedad, que no sabe valorarlos. 30

A Timoteo Moragona y Juarrucho le dió un brinquito el corazón en el pecho, un brinquito de susto, un brinquito pequeño como un cachorrillo.

—Oye, Ragnhild, chata, contéstame seriamente. ¿Tú crees que yo soy un artista incomprendido? 35

Doña Ragnhild se puso seria como un guardia municipal en

64. **Hay ... cara** *One must be willing to face the situation*
65. **¡allá ... conciencia** *each to his own conscience!*

día de niebla.

—Sí, Teo mío, tú eres un artista incomprendido.

—Pero, Ragnhild, chata, ¿tú comprendes mi arte?

—Yo, sí, Teo; pero la gente, no. Tú te has anticipado a tu tiempo. Tú eres un precursor.

—Gracias, Ragnhild, chata. Vamos a meternos aquí, a tomarnos un blanco y unos boquerones en vinagre.

Doña Ragnhild no opuso resistencia.

—Hoy, sí, Teo mío; hoy no importa, hoy incluso nos sentará bien.

Después de tomarse sus boquerones en vinagre y un par de blancos cada uno, doña Ragnhild y Timoteo, se llegaron a la exposición y ordenaron que encendieran las luces.

—Encienda usted la luz, ya van a dar las siete.

—Sí, señor.

En el salón de la A.A.A. estaban los mismos amigos del día anterior.

—Hola, Moragona.

—Hola.

A las siete y cinco llegó un grupo numeroso de hombres y mujeres. Venían muy limpitos y se habían peinado con cierto sosiego. Los hombres y las mujeres saludaron a doña Ragnhild y a Timoteo.

—¿Qué tal, doña Ragnhild, cómo está usted?

—Buenas tardes, don Timoteo, ¿cómo está usted?

—¿Qué hay, don Timoteo, cómo está usted?

Doña Ragnhild y Timoteo contestaban a todos que estaban bien, gracias.

Uno de los hombres cogió un catálogo y les fué leyendo los títulos, en voz alta, a los demás. El hombre tenía una bien timbrada voz de recitador. Fijándose mucho, hubiera podido apreciársele un ligero, un involuntario deje extremeño. Los demás seguían en silencio, serios, circunspectos, incluso un poco espantados.

El grupo dió dos vueltas a la sala y después se despidió.

—Adiós, don Timoteo, mi enhorabuena.

—Gracias, Felipe; yo también tengo que dárselas a usted por su triunfo de "Fiesta en el aire".

—Muchas gracias; eso no tiene importancia.

A Felipe le siguió la Esperancita.

—Adiós, don Timoteo; mi enhorabuena.

—Gracias, señora. ¿Y los nenes?

—Muy ricos.

—¡Vaya, me alegro! 5

—Muchas gracias.

—No hay que darlas.

Detrás de la Esperancita se despidió la señora Aureliana.

—Adiós, don Timoteo; mi enhorabuena.

—Gracias, señora. ¿Y los bolillos, bien? 10

—¡Calle, no me hable! ¡No me dan ni para mal comer! [66]

—¡Vaya!

A continuación de la señora Aureliana entraron en turno doña Pili y Pili.

—Adiós, don Timoteo; nuestra enhorabuena, aquí de la chica 15 y mía.

—Gracias, doña Pili; gracias, señorita Pili. ¡Está usted muy mona!

—¡Ay, don Timoteo, qué cosas tiene usted! Muchas gracias. ¡Usted que me mira con buenos ojos! [67] 20

Cerró la marcha Nicanor de Pablos.

—Adiós, don Timoteo, mi enhorabuena.

—Muchas gracias, Nicanor. ¿Qué, y ese vientre?

—¡Vaya! Parece que se va arreglando un poco, muchas gracias.

—De nada. 25

Al cerrarse la puerta, Timoteo le dijo a doña Ragnhild:

—¡Qué raro que no haya venido madame!

—Sí, en eso mismo estaba yo pensando, a mí también me extraña.

A las ocho menos veinte se abrió otra vez la puerta. Ahora 30 entraron una señora mayor y dos hombres. La señora se dedicaba a vender chufas y cacahuetes en un cajón plantado al borde de la acera. Uno de los caballeros era mecánico de radios. El otro se pasaba el día, calle de Postas arriba, calle de Postas abajo, diciendo: 35

—¡Hay piedras, tengo piedras! ¡Piedras para mechero, vendo!

66. **¡No . . . comer!** *They don't bring in enough even to eat poorly!*

67. **qué . . . usted! . . . ¡Usted . . . ojos!** *what ideas you have! . . . You're just prejudiced!*

¡Mecheros económicos, mecheros de primera calidad! ¡Mecheros, chisqueros y encendedores! ¿Quiere usted un mecherito, caballero?

Los tres visitantes saludaron a doña Ragnhild y a Timoteo.

—¿Qué tal, cómo están ustedes?

—Bien, gracias, ¿y ustedes?

—¡Vaya, vamos tirandillo!

El vendedor de mecheros le informó a Timoteo:

—Ayer no quisimos venir, ¿sabe usted? Los días de inauguración, con el personal que se reúne y todo eso, son siempre los peores. ¿Verdad usted, que sí?

—Sí, sí . . .

—Por eso yo les dije a éstos que era mejor venir hoy, que estaría esto más despejado.

—Claro . . .

El mecánico de radios se creyó en la obligación de explicarse:

—Mi señora no ha podido venir; los chicos la atan mucho. Ya me dijo que la disculpara usted.

—Está disculpada. No faltaría más, ¡por Dios!

A la Matilde, los chicos no la ataban nada, ni poco ni mucho. Los chicos de la Matilde se pasaban el día entero en la calle, cabalgando los topes de los tranvías y pinchando con un palito a los gatos muertos de los solares. Lo que le pasaba a la Matilde es que era rencorosa y, aunque no lo decía, seguía acordándose de la vez que salió por el aire por encima del puesto de chufas.

Los tres visitantes dieron una vuelta al local y se despidieron muy finos.

—Adiós, ¿eh?, hasta más ver, y nuestra enhorabuena.

—Adiós, muchas gracias.

—No se merecen.[68]

A las ocho y diez volvió a abrirse la puerta y entraron tres chicas. Debajo de los abriguillos de algodón, una de las señoritas llevaba una rebeca *beige;* la otra un *sweater* color verde manzana, y la tercera, una blusita cruda algo zurcidilla por el sobaco.

Las tres chicas saludaron:

—¿Cómo están ustedes?

—Bien, gracias.

68. **No se merecen** *Don't mention it*

—¿Se acuerdan de nosotras?

—¡Cómo no nos vamos a acordar! La señorita Maru, la señorita Loli, la señorita Conchi . . .

—Tiene usted buena memoria.

—Sí . . . 5

Las chicas dieron su vueltecita y se largaron.

—Nosotras no entendemos, ¿sabe usted? Nosotras no tenemos mucha cultura.

—No, mujer, ¡a quién se le ocurre! [69]

La señorita Conchi opinó: 10

—A mí hay uno que me gusta mucho.

Timoteo Moragona y Juarrucho tuvo que contenerse para no abrazarla.

—¿Sí? ¿Cuál?

—Aquél. 15

La señorita Conchi señaló el número once, "Forma".

—¡Pues se la va a llevar usted!

—Pero, ¿qué dice usted? Eso tiene que valer mucho . . .

—No, eso, para usted, no vale nada; eso es regalo mío. ¡A ver, un periódico para envolverla! 20

—Pero, yo, ¿dónde lo pongo?

Timoteo Moragona y Juarrucho estaba rebosante.

—¡Eso a mí no me importa! Si no tiene usted sitio, lo tira por la ventana.

La señorita Conchi se marchó con su "Forma". A su lado, 25 en silencio y sin entender nada, absolutamente nada, marchaban la señorita Maru y la señorita Loli.

Cuando las chicas se fueron, doña Ragnhild le dijo a Timoteo:

—Has hecho muy bien, Teo; has hecho muy bien.

Los amigos de la A.A.A. pensaban lo mismo que doña 30 Ragnhild.

—Sí, señor, has hecho muy bien, ¡qué caramba! La muchacha ha demostrado más sensibilidad que el pueblo entero, empezando por los críticos.

A las nueve menos veinticinco apareció madame Ginette Du- 35 pont de la Brunetière de la Falaise-Royal. Madame Ginette Dupont de la Brunetière de la Falaise-Royal, como de costumbre, no hablaba más que francés. La única persona que

69. **¡a quién se le ocurre!** *how can you say that!*

podía entenderle era doña Ragnhild.

Madame Ginette Dupont de la Brunetière de la Falaise-Royal le decía a doña Ragnhild.

—¡Oh, yo soy muy dichosa de ver la bella exposición de mi amiguito Timoteó!

—Gracias, madame.

—¡Oh, yo soy muy dichosa si usted felicita a Timoteó en mi nombre!

—Gracias, madame.

—¡Oh, yo soy muy desgraciada de tenerme que marchar a visitas!

—No faltaría más, madame, son deberes sociales.

—¡Oh, yo soy muy desgraciada de no quedarme más tiempo con Timoteó y con usted!

—Gracias, madame.

—¡Oh, Timoteó es gran artista!

—Gracias, madame.

Madame Ginette Dupont de la Brunetière de la Falaise-Royal se marchó a hacer sus visitas.

Desde que ella se fué, hasta las nueve en que se cerró la exposición, como es costumbre en la sala de la A.A.A., nadie más entró.

◇ ◇ ◇

Al otro día, a las siete, no aparecieron ni doña Ragnhild ni Timoteo. Ni a las siete y media. Ni a las ocho. Ni a las ocho y media. Ni a las nueve; hora en que, como de costumbre, se suelen cerrar las exposiciones de la A.A.A.

Los amigos de Timoteo Moragona y Juarrucho, alarmados, se fueron hasta su casa, en la calle del Marqués de Zafra, al otro lado del paseo de Ronda.

Allí tampoco estaba el matrimonio. Los realquilados no sabían nada.

—¡Qué raro! ¿Verdad?

—Sí, algo raro sí es.

En la habitación de doña Ragnhild y de Timoteo estaba todo en orden y nada faltaba. Si doña Ragnhild y Timoteo se habían ido, no podían andar muy lejos; todos sus bártulos, aun sin ser muchos, estaban allí.

Si los realquilados y los amigos de Timoteo hubieran mirado y remirado la habitación con mucho detenimiento, quizás hubieran llegado a descubrir que faltaban sus seis cuadernos de apuntes . . .

De doña Ragnhild y Timoteo nadie volvió a saber nada. Suicidarse, no debieron haberse suicidado, porque los periódicos habrían dicho algo. 5

Al cabo de los meses, y por algunos detalles que salieron en una conversación, sus amigos medio pudieron localizarlos vendiendo "Conservol" por los pueblos de Toledo y de Ciudad Real . . .

Madrid, 4 de febrero de 1952

JUAN ANTONIO DE ZUNZUNEGUI

Juan Antonio de Zunzunegui was born in Portugalete, near the entrance to the Estuary of Bilbao, in 1901. He attended the University of Densto in Bilbao but later transferred to the University of Salamanca where he studied under Miguel de Unamuno. In 1924 he took courses at the *Lycée* in Tours. Son of wealthy parents, his early life reminds one of the son in *La vocación*. He worked for a while in his father's business, but later he was again traveling in France and Italy. In the latter country he attended the University of Perugia.

He started his literary career at 25 when he published, at his own expense, his first book. Five years later he published his first novel. His writing was at first mixed in with his travels in England, Holland, Belgium, Switzerland, and Portugal, his business ventures, and his avid reading. Not until after the Civil War did Zunzunegui settle down to a completely literary life. Today, a bachelor, he lives in a small apartment in Madrid and, like a good Spaniard, spends his summers in some seashore retreat.

His most important novels are: *¡Ay—estos hijos!;* Novela, Premio Fastenrath, 1943. *La úlcera;* Novela, Premio Nacional de Literatura de España, 1949. *El barco de la muerte;* Novela, 1945. *Cuentos y patrañas de mi ría,* three series of short novels and short stories under the following titles: *Tres en una, o la dichosa honra; El hombre que iba para estatua; Dos hombres y dos mujeres en medio,* which includes *La vocación. La quiebra;* Novela, 1947. *Las ratas del barco;* Novela, 1950. *El supremo bien;* Novela, 1950. *Esa oscura desbandada;* Novela, 1951. *La vida como es;* Novela, 1954. *El hijo hecho a contrata;* Novela, 1956. *El camión justiciero;* Novela, 1957.

JUAN ANTONIO DE ZUNZUNEGUI

La vocación

Unos van por el ancho campo de la ambición soberbia; otros, por el de la adulación servil y baja; otros, por el de la hipocresía engañosa; y algunos, por el de la verdadera Religión; pero yo, ayudado de mi estrella, voy por la angosta senda de la caballería andante, por cuyo ejercicio desprecio la hacienda, pero no la honra. (Palabras de nuestro señor D. Quijote. Parte segunda, cap. XXXI.)

—Pedro, mira qué monigotes ha pintado el chico. El padre tomó el papel que le extendía la esposa.

—¿Verdad que no parecen hechos por un crío de siete años?

—Son muy graciosos —y quiso sonreír.

5 —Ya sabes, quiere que le traigan los "Reyes" una *taja* de pinturas.[1]

—Mejor si os preocupáseis de que aprenda a leer y escribir bien —aconsejó con cierta sequedad.

—Déjale, que está hecho un sol [2] —alegó la madre.

10 Permaneció pensativo.

—A los chicos no se les debe consentir que hagan lo que quieran; hay que enderezarlos desde que son arbolitos.

—¡Hijo de Dios! . . . Ya le quedará tiempo de hacer cosas serias . . . ; pero es que tienen mucho salero los monigotes que 15 dibuja —añadió la mujer, gozosa.

—Sois demasiado condescendientes las madres . . . ; después de todo, este hijo nuestro ya tiene determinado lo que ha de ser.[3]

—¡Dichosa fábrica!

20 Quedaron en silencio, un silencio arisco.

1. In Spain the Three Kings, not Santa Claus, bring toys to the children on Epiphany (Jan. 6). **"Taja de pinturas"** is childish talk for **caja de pinturas** *paint box*
2. **Déjale . . . sol** *Leave him alone, he's so cute!*
3. **Sois . . . ser** *You mothers are . . . ; after all, our son has his future already laid out for him*

En la pared estallaba un calendario: ¡Abril!, ¡Abril!, obligando a cerrar las llaves de la calefacción.

—Le voy a decir a *ésa* [4] que no encienda más —dijo la señora con desgana.

—Bien.

—¿Te vas?

—Sí.

—Espera que te cepille.

Le acicaló la chaqueta y el sombrero. Mientras le centra con mimo la corbata:

—No dejes de volver a las siete; tengo verdadero interés en que oigas al Padre Laburu * . . . Hoy habla del divorcio; verás cómo te gusta.

Le despidió con un beso, un beso de matrimonio aún no gastado.

Don Pedro Achalandabaso, presidente del Consejo de Administración de la Siderúrgica Ibaizábal, ganó la calle.

El manguero celeste regaba de azul el asfalto y en el parque cercano les florecían a los niños las yemas de los dedos.

Tomó a pie [5] a lo largo de la Gran Vía.* Iba preocupado. "Mi hijo, pintor, y a lo mejor buen pintor", pensó con melancolía.

Ya en el "Náutico" * se chapuzó en su clima de ocio.

Los amigos tenían las caras largas.

—¿Cómo sigue Enrique?

—Acaba de morir.

—¡Pobre hombre!

La luz fina goloseaba las medias rojas de los camareros.

—Oye, Perico —dijo al fin uno de la tertulia rompiendo el silencio—, ¿sabías tú que Enrique estuviera casado?

—No.

—Pues ha dejado mujer y tres hijos; el mayor, una chica de once años.

—Con Adelita, ¿no?

—La misma. Parece que casaron el año pasado, al hacer la chica la primera comunión.

4. **ésa:** way of referring disparagingly to the maid
5. **Tomó a pie** *He started to walk*
* For information concerning items asterisked, see the Vocabulary-Dictionary.

—Sabía que seguía con ella . . . , nada más.

—La continuidad de la especie —apuntaló Pepe Zumelzu con cierta sorna.

—Sí, sí.

◇ ◇ ◇

5 Perico, como llamaban al presidente del Consejo da la Siderúrgica Ibaizábal sus amigotes del "Náutico", no durmió bien aquella noche.

Le subían del fondo de su juventud burbujas de desasosiego. Todo un pasado de anhelos, matizados, íntimos, que él diera ya 10 por no oídos,[6] habían cobrado voz y sentido a la sola presencia de los monigotes del hijo.

Se vió en su pomposo puesto de presidente del Consejo de Administración de la Siderúrgica Ibaizábal, y un desconsuelo inmenso le atenazó.

15 —¿Estás intranquilo? —acudió la voz de la esposa.

—Nada.

—Me lo figuro; alguna preocupación de la fábrica.

—Claro.

—¿Quieres que encienda?

20 —No.

Volvió a reintegrarse al silencio la alcoba.

Quedó con sus fantasmas.

Su vida, aquella vida que había echado cobardemente a su espalda, volvió a plantársele delante, firme y tozuda.

25 Se sintió atollado en su pueblo y en su negocio como en una glera fangosa. Pensó en lo poco que había forcejeado antes de someterse.

De padres a hijos venía transmitiéndose en la familia el negocio siderúrgico. Un Achalandabaso había construído un horno de 30 maceaje y unos reverberos para moldería y para afino. Aquí tomó su derivo el esplendor de la casa. Esto fué en 1843. Dos años antes los señores Ibarra y Compañía habían levantado un alto horno en Guriezo,* y ocho años antes se encendieron dos altos hornos en Bolueta.* Bilbao * empezaba a sentirse empollada por cielos 35 metalúrgicos. De Matamoros * y Triano * al mar bajaban saltando sobre los frenos los primeros galgueros.[7]

6. **que . . . oídos** *whose voices he had hoped were extinguished*
7. **De . . . galgueros:** refers to a system of towers and cables which transport the ore from the mountains to the coast

La dirección de la fábrica fué pasando de padres a hijos hasta Perico. Era biznieto del Achalandabaso fundador, y de uno en otro hasta él la competencia y el fervor habían hinchado la casa con el viento del mejor rumbo.[8]

Bruñeron su infancia como a quien le aguarda un destino sagrado.

—Piensa que el día de mañana la dirección de la fábrica ha de venir a ti —le decía su padre.

Perico mostraba por toda respuesta[9] una desgana elegante.

Cursó la carrera de ingeniero industrial sin lucimiento.

Una indecisión de hombre bien avenido con la vida paralizaba todos sus actos.

—Yo creo que este chico no tiene ninguna afición a su carrera —se lamentaba la madre.

—Déjale; ya le vendrá cuando se ponga al frente del negocio; verás cómo le va tomando gusto —respondía el padre.

Era dúctil, y desde la cara olivácea sus ojos grandes acariciaban las cosas con reiterada morosidad.

Hablaba pausadamente. Una aparente indiferencia se apretaba bajo sus palabras. Empezó a despender el tiempo y fué cuando acordaron enviarlo a Lieja * para que se especializase en "hornos altos"[10] en aquel centro siderúrgico.

Tenía una sensibilidad fina. Le gustaba la música, la pintura y el paseo lento acompañado de un libro.

La tradición de hombres de presa, duros y enérgicos, esos que llaman al pan pan y al vino vino,[11] se rompía en él.

—Yo no sé lo que quiere este hijo —dolíase su padre desconsolado.

—A mí me recuerda mucho —opinaba su madre— a mi hermano José María. Era pintor, y cuando no estaba pintando, estaba en su cuarto hablando en voz alta. Alguna vez le preguntaba papá:

—Pero tú ¿qué quieres?

—Que me dejéis en paz.

Por aquella época hizo en Bilbao una exposición de sus cuadros el pintor Guinea. Traía de París los primeros brotes de una nueva

8. Notice the nautical image, characteristic of Zunzunegui.
9. **por toda respuesta** *as his only reply*
10. The correct Spanish expression is **altos hornos.**
11. **esos ... vino** *those who call a spade a spade*

manera: era una pintura impresionista,* entonces en boga. Perico vió los lienzos y, como Correchio * ante los cuadros de Rafael,* pensó:

Anch'io sono pictore.[12]

Y pocos días antes de salir para Lieja a especializarse en 5 "hornos altos", decidió ser pintor.

Volvió de Lieja tres años después con unos cuantos cuadros pintados por él y muy escasos conocimientos industriales.

Acababa de estallar la guerra,[13] y Bilbao empezaba a dar sus mejores cosechas. Todo tenía un ritmo alcista.

10 Iba tan requetebién la Siderúrgica Ibaizábal convertida por entonces en Sociedad Anónima, que su padre no tenía tiempo de preocuparse de otra cosa que de ver los enteros que ganaban todos los días sus acciones en Bolsa.

Mientras tanto, Perico jugaba a pintor con la satisfacción del 15 hombre que vive de balde en la vida.

Se reúne con otros amigos, escritores y pintores, en una tertulia del café Arriaga. El rencor de todo artista hacia su pueblo al considerarse incomprendido se adulciguaba en aquellos años de bilbaína abundancia.

20 Sobraba dinero hasta para comprar los cuadros de los pintores. Años felices, ya que si el dinero no da la felicidad, como ha dicho un ingenio, es lo único que consuela de no ser feliz.

Perico hizo una exposición con los cuadros que se trajera de Lieja, más unos cuantos que había pintado a su vuelta en Bilbao. 25 Era una pintura sin personalidad, ligera, ágil y graciosa. Dominaban las naturalezas muertas: ese libro yacente y medio abierto, al lado de una pipa, y esas manzanas en blanca servilleta con las que han hecho sus primeras armas en estos últimos años todos los presuntos genios pictóricos que han pasado por París.

30 Era *el chico* de Achalandabaso, y vendió todo.

Los periódicos afilaron en su honor los mejores piropos.

Los compañeros pintores, pobres en su mayoría, que hasta entonces le habían tolerado y... elogiado, comenzaron a amoscarse.

35 —No está mal eso que has *colgao;* ahora que ¿a ti qué te

12. *I too am a painter* (Italian)
13. **la guerra:** World War I, 1914–1918

importa? Tú eres rico y no tienes necesidad de pintar —le dijo displicente un compañero.

—¿Y el nombre? ¿Y la gloria?

—Vamos a hablar de cosas serias. ¿Tú sabes lo que vale una libra de garbanzos? ¿Y la carne de rabadilla? ¿Y los huevos? ¿Y el azúcar? 5

—¡No!

—Pues yo sí.

—Pero tú, ¿para qué pintas?

—Para ver si algún día consigo todo lo que tú tienes sin necesidad de pintar. 10

—Haberte dedicado a[14] otra profesión.

—Es que no sé más que pintar, y no creas que a veces tengo mis dudas sobre si sé hacerlo.

Quedaron en silencio, un silencio desabrido. 15

—Mira, Perico: en mi casa, mi mujer, mis tres hijos y yo nos hemos empeñado en comer caliente[15] todos los días . . . ; yo ya comprendo que exigirle esto a la pintura es una cosa tremenda; pero qué quieres . . . ; mi mujer y yo hemos pasado mucha hambre para que nos quedara tiempo de pensar en la gloria —confesó con melancolía. 20

Avanzaban por el Campo de Volantín.

Por las tapias de la tarde se descolgaba el golfillo de la noche.[16]

—Algo razón ya tienes —replicó Perico, queriendo suavizar la irritabilidad del amigo—; en la gloria sólo se puede pensar con el estómago bien lleno. 25

Aquel primer éxito envaneció a nuestro hombre. Soñó el arte como una sucesión de exposiciones voceadas por la Prensa y con tarjeta de *vendido* al pie de cada tela; cuadros que él había de pintar fácilmente y a ratos perdidos, sin la tozudez y el esfuerzo del que busca su propio temperamento. 30

En la tertulia, él, de suyo apacible, se le atizó la boca de agresividades.[17]

Había venido de su paso por París con el deslumbramiento de

14. **Haberte dedicado a** *You should have chosen*
15. **nos . . . caliente** *have insisted on eating a decent meal*
16. **Por . . . noche** *Night descended unnoticed upon the afternoon;* literally, *the ragamuffin of night slipped stealthily down the walls of the afternoon*
17. **se le . . . agresividades** *expressed his opinions aggressively*

la pintura de Manet.* Era su Dios tutelar. De haber leído[18] *La Comedia,** hubiera podido festejarle con el verso de Dante * a Virgilio: *

Tu duca, tu segnore e tu maestro.[19]

Pero no había bajado aún al infierno dantesco y no pudo saludarle
5 así.

Una tarde se enzarzó en la tertulia la discusión. Perico hacía el ditirambo de la *Olympia,** de Manet.

—Tanto Manet y tanta pintura francesa. Te convendría mucho una vuelta por el Museo del Prado * a ver a Goya * —terció su
10 más fervoroso enemigo.

—Lo conozco bien —replicó agresivo Perico.

—Pues si lo conocieras mejor, te darías cuenta de que la *Olympia* es un *pastiche* de *La maja desnuda.**

Perico razonó un botellazo sobre la cabeza de su contradictor.
15 El alboroto no pasó de un poco de sangre, líquido preparado para dramatizar los hechos más banales, y unas cuantas copas y tazas rotas.

Sin embargo, el acaecimiento en sí tenía una gran fuerza civilizadora.

20 Señores, era nada menos que el primer botellazo que daba en Bilbao "La Cultura".[20] El hecho cayó sobre la incomprensión de los bilbaínos como una piedra en la calmosidad de un charco de ranas. Hasta entonces la gente en Bilbao acudía al botellazo por 10 pesetas, por 100 pesetas, por 1.000 pesetas. El botellazo
25 de Perico fué el primer botellazo intelectual. Más adelante, la historia culta de Bilbao habrá de contar en sus anales algunos botellazos, patadas y mordiscos... Pero el de Perico fué el primero. La agresión de nuestro amigo tuvo este alto valor inicial.

30 Desde el botellazo se cotizó en alza su pintura.[21] El vidrio grueso golpeado sobre una cabeza es siempre mucho más con-

18. **De haber leído** *Had he read*
19. *Thou art my guide, lord, and master* (Dante, *The Divine Comedy,* "Inferno," Canto II, line 140)
20. **"La Cultura"**: capitalized and in quotes for emphatic and satirical reasons
21. **se cotizó ... pintura** *the price of his paintings went up*

vincente que una buena exposición. Le temieron.

Siguió pintando en [22] hijo de rico, sin apretar las clavijas de su *oficio,* sin pensar que el arte por sí solo requiere una vida de esfuerzo, de morosa lentitud, ciñéndose a los lomos, como aconseja "La Escritura",* la correa del trabajo. 5

Colgó varias exposiciones. Eran los mismos cuadritos graciosos de Salón de Otoño * francés, delicados, finos.

Seguía siendo *el chico* de Achalandabaso.

Tomó un profesor de dibujo, pues se dió cuenta de que él, que presumía de tener una retina delicada para el color, no sabía 10 dibujar.

Pero se cansó en seguida y abandonó la clase.

Pintó un retrato de su madre, que acabó con grandes esfuerzos.

Su hermana mayor le aconsejó pusiese al pie: Retrato de 15 mamá.

Perico se enojó.

Le verdad es que no tenía ningún parecido con el original.

La primera sorprendida fué la retratada:

—¡Ay, hijo! Pero ¿ésa soy yo? 20

Perico trató de disculpar su fracaso enjaretándoles un discurso sobre la pintura de museo, la pintura de academia y la pintura de caballete.

El padre, escéptico, pensaba: "Un retrato se debe parecer al original; si no será cualquier cosa menos retrato . . ."; pero 25 no se atrevió a exteriorizar su opinión por miedo a desilusionar *al chico.*

De aquella incomprensión familiar su personalidad no salió muy bien parada.[23]

Su arte ligero y gracioso no supo, o no quiso, ganar nuevos 30 territorios.

El edificio de su ambición hacíale ya por todas partes sentimiento.[24]

Empezó a anudar ociosidades. Luego se inventó disculpas. ¡Había tan pocos días en Bilbao con buena luz para pintar! 35

22. **en** *like*
23. **no . . . parada** *did not fare very well*
24. **El . . . sentimiento** *His ambition was now causing him concern in every respect*

Consintió que el espíritu le criara molleja y así se le fué desmoronando su pobre arte.

Un jueves pensaba: "El lunes próximo volveré a trabajar." Y un día 17 soñaba con el primero de mes para meterse en faena.
5 Pero las semanas y los meses pasaban por su alma, dejándole ese poso de melancolía del hombre que no ha sabido entregar a las horas su esfuerzo.

—Dejadle —decía su padre—; todos hemos tenido de jóvenes algunas manías de éstas; en cuanto se canse vendrá por la fábrica.
10 Será lo que hemos sido los demás.

Durante una temporada luchaba por no ser *lo que habían sido los demás,* para volver en seguida a sus desganas cobardes.

La vida facilona terminó clavándole su imperioso arpón.

Es entonces cuando la voz rota del descontento levanta en él
15 supremos desgarros.

Volviósele el carácter agrio y despectivo.

Empezó a sorprender la falla de las cosas sin querer jamás ver su vena dulce.

Encontró a su alrededor defectuosa la obra de Dios y todo en
20 el mundo le devolvía zurda acritud.

—No parece el mismo este hijo nuestro —se dolía su madre.

—Dejadle —replicaba el padre—, ya cambiará.

—Estas ideas, estas ideas que tiene y que no son las de él —se quejaba la pobre madre compungida.

25 Fueron unos años de tremenda excitación. Años en que la voluntad de ser acabó disolviéndosele, estéril.

Su boca fué un puro revolverse contra el orden de las cosas creadas.[25]

Pero un día su conciencia no pudo más y se irritó:
30 "No, Perico, no; el mundo no está tan mal como tú crees, ni tan sin sentido como tú desearías estuviese; es dentro de ti donde está la pequeñez y la maldad. ¿Acaso con remover la creación vas a justificar tu fracaso?"

Hizo saltar todas sus boyas, y quedó así, a la deriva, como un
35 témpano.

Un día, ya definitivamente, decidió que en Bilbao no se podía

25. **Su ... creadas** *Everything he said was in pure revulsion toward the order of creation*

pintar.

Pasó el tiempo, que es la cosa que más pasa, y nos pasa[26] según el jesuíta Gracián,* y un atardecer, de malhumor, en la delicuescencia del crepúsculo, pensó en casarse.

—Ya era hora de que sentaras la cabeza —le dijo su padre. 5

—¿Has pensado en alguna chica? —aventuró tímidamente la madre.

—No; lo que sobran son mujeres —contestó petulante.

El presidente del Consejo de la Siderúrgica Ibaizábal abrió los batientes y consintió le golpease los ojos la realidad gloriosa 10 del día.

—Será una lección para mí el hijo —pensó.

En la cancha del cielo, la pelota del sol ensayaba sus primeros frioleros botes.[27]

—Me parece muy bien que pintes; pero antes termina tu 15 carrera de ingeniero —adujo el padre secamente.

—A mí no me interesa nada más que pintar —replicó el hijo desabrido.

Estaban en las oficinas de la Siderúrgica Ibaizábal.

—Si el día de mañana crees vas a poder vivir de la pintura... 20

—Eso ya veremos.

—Y ¿qué va a ser de la fábrica? Piensa que eres el único hijo, y si más adelante tú no te pusieras al frente de ella, tendría que dirigirla un extraño.

—Que la dirija. 25

—Yo no soy un obstáculo para que en los ratos que te dejen libre los estudios hagas lo que quieras.

—A la pintura hay que dedicarle todo el día..., y aun así... No pierdas el tiempo; malo o bueno, yo seré pintor.

Se mantuvieron terca la mirada. 30

—Eres un bruto que no atiendes a razones.

—Muy bien.

—Mira, vete por ahí —mandó malhumorado el padre.

26. **y nos pasa** *and passes us by*

27. **En ... botes:** The author is using an image based on the popular Basque game *jai alai,* similar to handball; the players use a wicker *cesta* to propel the ball.

El presidente del Consejo de la Siderúrgica Ibaizábal permaneció solo. Cuando le pasaron lo que había a la firma,[28] el pulso le temblaba.

—Con este barbarote no hay nada que hacer —y le cosquilleó
5 el alma una secreta envidia.

Desde este momento sintió que la vida del hijo se plantaba ante él ejemplar y tozuda, y su espectáculo empezó a llenarle de vergüenza.

—Así es como hay que querer las cosas . . . Buena lección la que
10 me da . . . —y salió a la calle.

Aquella noche, a las diez y media, como Alfonso no hubiera llegado aún ni mandado aviso, su madre, asustada, llamaba a las casas de todos sus amigotes.

Ninguno le supo dar noticia.

15 —¿Le habrá ocurrido alguna desgracia? ¿Tal vez un atropello? —se preguntó la pobre madre compungida.

Tomó el listín de teléfonos para llamar a las Casas de Socorro.

—No te molestes; me figuro lo que ha pasado.

—¿Qué?

20 —Que se ha largado.

—Pero ¿sin decir nada . . . ? Y tú ¿por qué te lo figuras? . . . Dímelo, dímelo en seguida.

—Cálmate, mujer.

Se sentó a la mesa y, hundiendo el rostro en las palmas de las
25 manos, dió rienda suelta al llanto.

—Vamos, tranquilízate . . . , si no es nada, cosas de chicos . . .

Un desamparo inmenso la atenazaba.

—Si te lo tengo dicho de siempre . . . , que no es manera de tratar la que tú empleas con el hijo.[29]

30 Procuró consolarla.

—Pero ¿tú qué sabes de cierto?

—Hemos tenido esta mañana en la oficina una discusión un poco violenta, y le dije que se fuera de allí.

—Pero estará en Bilbao; aún no habrá escapado.

35 —Lo dudo.

—Y avisando al gobernador, ¿tú no crees . . . ?

28. **a la firma** *for his signature*
29. **Si . . . hijo** *I have been telling you all along . . . , that is no way to treat your son*

—¿Para qué?

Permaneció en silencio, un silencio agonioso.

La pobre madre se abandonó a la desesperanza.

—¿Y qué medida vamos a tomar?

—Ninguna. 5

—Eso, no.

—Si quiere, ya resollará.

—¡No y no! Avíate ahora mismo para irnos.

—Vamos a cenar . . . luego ya veremos.

Humeaba la verdura sobre la mesa. 10

—Qué cachaza tenéis los hombres . . .[30]

Se alzó; salió del comedor, pero volvió en seguida para tumbarse, abatida, en una butaca.

Era una angustia inmensa que ponía en trepidación su pobre sistema nervioso. 15

—Ya no adelantas nada con llorar . . .[31]

—¡Este hijo! ¡Este hijo mío! ¡Dios sabe si le ha pasado alguna desgracia!

—No te apures.

—Irse por ahí sin dinero . . . ¿Tú sabes si llevaba dinero? 20

—Ya se arreglará.

—Y sin dejar una carta, sin decir nada.

—Años ya tiene[32] para saber lo que hace.

—Dime la verdad de todo . . . ¿Tú le has reñido mucho?

Había en la voz de la madre un temblor de súplica. 25

—. . . Se puso muy terco.

—Lo de siempre: ¿que no quiere estudiar y que quiere ser pintor?

—Sí.

—¡Qué hijos éstos, Dios mío! 30

Sentía que toda su vida se escapaba tras el fugitivo.

—Alfonso no es malo; haciéndole ver las cosas, es razonable; tú le tratas con demasiada dureza.

—No lo creas.

Respiraba ya sin sobresaltos, sin sollozos. 35

—Los hombres sois muy torpes.

30. **los hombres** *you men*
31. **Ya . . . llorar** *You'll accomplish nothing with your crying*
32. **Años ya tiene** *He is old enough*

Tenía los ojos rojos, y en los rinconcillos de la boca una humedad salobre.

—Anda, tranquilízate; mañana, cuando sea de día, pensaremos en todo esto con más calma.

5 —No gana una para disgustos.[33]

Intentó sonreír, pero la amargura la traicionaba.

Se sentaron a la mesa.

Mientras cenaban se la sentía royendo el pensamiento del hijo.

10 A veces hundía la cara entre las manos para represar el dolor.

El padre asistía enérgico:

—Ya tiene edad para saber lo que ha hecho.

—Sólo las madres sabemos lo que es que un hijo se nos vaya de casa sin decir nada.

15 Se hizo insostenible la situación y se retiraron a descansar.

Aún sin esclarecer la mañana la madre clavó en el silencio dormilón nerviosas llamadas telefónicas.

—Tío Luis me aconseja que lo mejor será que vayas tú a dar parte al gobernador.

20 —¿Para qué?

—Alfonso es menor de edad y lo pueden detener y traer.

—No se consigue nada con eso; volverá a escaparse de nuevo.

—Entonces, ¿qué crees tú que debemos hacer? —inquirió la mujer destrozada.

25 —Dejarlo.

Unos sollozos hondos, convulsivos, la[34] cavaron el pecho. El marido tuvo que acorrerla en sus amortecimientos.

—¿De modo que no se te ocurre otra cosa mejor que dejar al hijo por ahí expuesto Dios sabe a qué . . . ?

30 Se le partía la voz, y su trabajado corazón le golpeaba su anhelo.

Por unos días fué ella misma alimento de su dolor.

El marido, silencioso, la tomaba el pulso a la mirada, mirada en la que navegaba siempre el pensamiento del hijo huído.

35 Una noche la vió sentarse a la mesa el rostro asistido por una luz de epifanía.

33. **No . . . disgustos** *There isn't enough compensation for all the worries one gets*

34. **la:** used as an indirect object pronoun

—¿En dónde está?

—En París.

No hablaron más.

Desde entonces la vida cobró una dimensión nueva para la madre, y todo su mundo afectivo volvió a calentarse con la sola 5 seguridad geográfica del hijo.

El padre, seco y firme, la veía ir y venir en su cotidianidad alumbrada por la ausencia presente del fugitivo.

◇ ◇ ◇

El telegrama decía escuetamente:

"Alfonso, muy mal. Vengan.—*Irisarre.*" 10

Cursado desde Florencia,* en donde estaba hacía unos meses, y aquel Irisarre que firmaba el parte era el amigo, un pintor navarro de quien le hablaba en alguna carta.

El papelito azul entre los dedos, la pobre madre creyó morir. No tenía suelo su dolor. 15

Eran las once y media. Llamó a las oficinas de la Siderúrgica Ibaizábal. Le dijeron que no estaba su esposo.

Llamó a tío Luis, que vino en seguida.

—Mira —y le extendió la noticia.

—¿Y tu marido? 20

—No he dado aún con él.

En aquel momento llegó don Pedro.

—Ten.

Se le agrietó el ímpetu y hubo que atenderle, pues se puso a llorar como un niño. 25

—Lo que debéis de pensar es en el viaje. El medio más rápido —continuó tío Luis— es que salgáis ahora mismo en coche para Barcelona * y allí toméis el avión de Génova.*

—No, no; en avión, no —cortó la madre, sacando del pañuelo el rostro plateado de lágrimas. 30

—Haciendo este itinerario podéis estar mañana al atardecer con vuestro hijo.

—Desde luego, por tren; yo quiero tener la seguridad de verlo . . . , aunque sea muerto —confesó la atribulada mujer.

—Entonces lo más rápido es coger en la frontera el expreso 35 de Francia, y una vez en París, tomáis el rápido de Roma.

Así se hizo.

Florencia les recibió goteando lluvia por las bayonetas vegetales de sus cipreses.

La alcoba de Alfonso daba sobre la orilla izquierda del Arno,* en el Borgo de San Jacopo,* entre *Ponte Vecchio* * y *Ponte di S. Trinitá.**

5 Una cama modesta sostenía lo que unas fiebres tifoideas habían tenido a bien dejar de un mocetón vascongado.

La pobre madre se arrojó sobre el cuerpo descarnado del hijo, apretándole contra su pecho.

—¡Alfonso! ¡Hijo!

10 Fué un momento de angustia.

El padre lloraba junto a la ventana mirando, sin mirar, a unos hombres descalzos que desde una embarcación sacaban arena del fondo del río para luego aecharla lentamente en un cedazo.

—Anteanoche yo creí que se moría; por eso les avisé; hoy el 15 médico le ha encontrado mejor —apuntó tímidamente el navarro.

El enfermo se esforzó por dibujar una sonrisa.

La madre contempló el cuarto. Era una habitación mezquina.

En un rincón, un palanganero goteante. Al costado del lecho, un armario desvencijado, y a los pies, una tosca silla.

20 Un aire sórdido andaba en las cosas.

El padre se acercó al lecho y tomó febril las manos del hijo.

—¿Por qué habéis venido? —protestó con una voz que le venía de muy lejos.

En aquel instante entró el médico. Saludó muy ceremonioso 25 y pasó a observar al paciente.

Se apuntaba una ligera mejoría y un descanso en la fiebre.

—Dígale si podemos sacarlo de aquí y llevarlo al hotel —le advirtió la madre al navarro.

Aconsejó lo dejasen quieto hasta que la mejoría fuese franca.

30 Entonces cambió de sitio la silla. Retiró la ropa de un colgador. Metió bajo el colchón los bordes sobrantes de las sábanas. Intentó mover el armario y mandó a Irisarre llamase a la dueña de la pensión.

—Dígale que necesito un cuarto cerca del de Alfonso.

35 Mandó al marido al hotel y quedó junto al enfermo.

—¿Tan mal estoy? ¿Por qué habéis venido? —inquirió el hijo con un hilito de voz.

—No, mi vida, si estás muy bien. Te vas a poner en seguida muy fuerte para poder pintar cuadros bonitos.

Le puso su mano en la frente.

Su infancia mimosa de hijo único le afloró por la hendidura de la enfermedad.

—¡Madre!

—¿Qué?, mi rey. 5

—Dame un beso.

Le dió el alma en él.

—Pero ¿tan mal estoy?

—No, mi bien.

—Entonces, ¿por qué habéis venido? 10

—Para hacerte compañía y que no estés solo.

—No me engañes; es que estoy muy mal... Sí, ya lo sé...; ¿crees que no lo noto?

—Anda, guapo mío; estate sin hablar y descansa.

—Dame otro beso. 15

Fué el Alfonso de los cinco años quien se lo pidió.

Le acercó los labios a la frente.

—No te vayas; quiero que estés junto a mí.

—Aquí estoy, no te apures.

Abrió los ojos desmesuradamente y los ancló en su madre. 20

Le atusó el embozo de la cama. Luego se sentó junto a la cabecera y le tomó una mano.

—Desde que te fuiste de Bilbao, ¿ya te has acordado todas las noches de rezar?

—Algunas, sí. 25

—¿Y ya has sido bueno y has oído misa todos los domingos?

—Casi todos.

Una dulzura infantil entrecortaba la voz del enfermo.

—¿Tienes sueño, hijo?

—Sí. 30

Se acercó a la puerta.

—Madre, no te vayas.

—No, mi vida.

—Ahora encomienda tu alma a Dios, y a dormir.

Entornó los ojos y movió oracionero los labios. 35

—Madre, ¿verdad que no estoy tan mal como para morirme?

—No, rico mío.

—Entonces, ¿por qué me mandas rezar?

—Para que estés más tranquilo.

Aflojó la mano de su madre y fué quedando como traspuesto.

Permaneció mirándole un buen espacio, percibiendo el soplo tenue de su aliento. Más tarde le pareció que no respiraba, y acercó el oído junto a su pecho. Contemplóle un instante. Pasó 5 por ella un mal pensamiento. Le tomó por los hombros y le sacudió enloquecida:

—¡¡¡Alfonso!!! ¡¡¡Alfonso, hijo!!!

Abrió los ojos el enfermo. Se abrazó a él con furia, temblando de estupor.

10 —¡Madre!

—¿Qué, mi amor?

—Que me haces daño.

A la mañana siguiente su padre le hizo un rato compañía. La madre salió a unas compras. Volvió con una alfombra, que ex- 15 tendió a un lado de la cama del enfermo, y ordenó que retirasen el armario, colocando en su lugar una mesita para las medicinas. Luego hizo desaparecer todos los trapos, libros y papeles, dejando la alcoba desahogada.

—Hijo, ¿por qué sois tan *gochos* los artistas?

20 Alfonso se sonrió.

Un sol dulce entraba por la ventana y, llegando hasta el enfermo, le ponía un babero de luz.

Salió el padre a dar una vuelta por la ciudad.

La emoción del hijo enfermo poníale en carne viva la sensi- 25 bilidad. Así Florencia pudo más fácilmente golpearle, con mármoles, bronces y telas, sus pobres nervios.

En la *Piazza della Signoria,** ante la *lóggia dei Lanzi,** vió el Perseo * de Benvenuto Cellini * con la sangrante y colgante cabeza de Medusa,* y sintió en el paladar del alma un áspero 30 deleite. Luego, en la Galería de Los Oficios * paseó su retina de la coronación de la Virgen de Fray Angélico,* a la Adoración de los Reyes de Ghirlandajo; * de las vírgenes paganas de Rafael,* a la viril Sagrada Familia de Miguel Angel.*

Empezó a excitarle la ciudad con el acoso enlabiador de sus 35 bellezas. Todo, paisaje y templos, cuadros y estatuas, cantáronle al oído el verso acompasado de su rara armonía. Florencia se le ofrecía como la realización de un orden perfecto. Un encanto mesurado y clásico andaba en las cosas.

Aquel afán de realizar su vida en un sentido de belleza, que tuviera[35] en su mocedad, se erguía ahora en él despertado por el acicate florentino.

"Mi misión en la vida era andar entre estas cosas —pensó— y no supe defenderlas, Indias opulentas perdidas para mi goce."

La ciudad elegante y exacta, clara y señera le habló su lenguaje eterno, desde lo alto de los campaniles y de las cúpulas, desde el somo de sus colinas que ya marzo apuñalaba de luces bayas en los crepúsculos.

Se fué haciendo todo tentación para sus sentidos.

Cada cuadro, cada estatua, cada palacio le mostraba su lucha terca con la dificultad, riéndole la cara alegre de las cosas logradas.

Leyó en el "Vasari"*: "El 13 de agosto de 1418 fué abierto un concurso para el modelo de la cúpula de S. María del Fiore,* y el genio de Filippo Brunelleschi * triunfó de los concurrentes. La construcción duró de 1420 a 1434."

Al día siguiente, mirando la fábrica perfecta del *Duomo*,* pensó que aquellos catorce años eran breves minutos, pues botaron una belleza sempiterna.

Ante la puerta de bronce de Lor Ghiberti,* en el Baptisterio de S. Giovanni Battista,* *"Mio bel S. Giovanni"*,[36] que había cantado Dante * en su infierno, el alma se le abrió en un estupor de milagro.

"En los hombres geniales del Renacimiento,* todo es aspereza, disciplina, esfuerzo, y yo, pobre de mí, que creía en la facilidad, en el darse las cosas hechas y logradas . . ."[37]

Así, Florencia, un día y otro, le fué dando su varia lección; lección de pudor y denuedo, lección de equilibrio elegante.

Frente a la rara armonía florentina, su vocación, estrangulada, le levantaba en el alma agrias protestas.

Ya no pensó en la mejoría del hijo, y en que uno de aquellos días, ante la insistencia de la madre, el médico les iba a autorizar transportarlo al hotel. Únicamente pensaba en el malogro de su vida que Florencia hacía más patente.

Erraba por ella en los anocheceres, meditabundo:

35. **tuviera** *had had*
36. **"Mio bel S. Giovanni"** *"My sweet St. John"* **(Dante's "Inferno," Canto XIX, line 17)**
37. **en el . . . logradas** *in things coming ready made and easily achieved*

"Hay hombres, muchos hombres, que se deslizan por la vida sin haber jamás conocido su ser íntimo y verdadero, sin saber más que de la sobrehaz de su alma. Pobres diablos sobre los cuales la conciencia pasa moviendo únicamente lo somero de su
5 espíritu. ¡Y es tan difícil que la mayor parte de ellos sepan de sí mismos lo que no saben! ¡Y pensar que esto que ignoran los libertaría de su mezquindad y chatez!

"¡Cuántos, cuántos, Señor, en el mundo hubiéramos podido dar más de lo que nuestra pobre conciencia percibe y cuánto,
10 cuánto más de lo que nuestra pobre voluntad convierte en obra!

"¡Cuánta, cuánta energía sin empleo; cuánta inteligencia sin aprovechamiento; cuánto noble germen sin fruto se lleva una vida que acaba, que no supo o no quiso dar con su vena escondida!

15 "¡Cuánto espíritu disipado, Señor, en estéril vivir, y cuánto farsante [38] desempeñando un papel que ilusoriamente piensa ser cosa de su naturaleza, todo por ignorar la *diritta via* [39] de su vocación!

"¿Por qué has dejado que el ruido del mundo apagara mi
20 íntima voz, ahogando lo más noble de mi destino, lo que en mí había de más puro, el grito auténtico de mi llamada interior . . . ?

"¿Por qué, Señor? ¡¡Por qué!!"

Esta lastimera queja iba dando don Pedro a Florencia, cuando los comercios reparten entre las aceras su baraja de luceros y la
25 ciudad tenía en sus piedras reverberaciones de custodia.

Luego, en la noche del hotel, le visitaba el fantasma de Peer Gynt * y sentía como el pobre héroe ibseniano * sus horrorosos remordimientos.

Se despertó con un apesgante ahogo. Un frío inmenso le
30 paralizaba.

Entró el criado con una carta. Rogábanle en ella su presencia en Bilbao para la próxima *reunión de accionistas.*

Hizo un burujo con el pliego y lo tiró asqueado.

Salió a la calle.

35 Le pareció que todas las puertas de la ciudad le siseaban y todas las ventanas le guiñaban un ojo.

Se metió en S. Croce,* como otras mañanas, a ver los frescos

38. **farsante:** should be understood as plural
39. **diritta via** *the straight road* (It.)

de Giotto.*

Unos cuantos *americanos* atraillados por un guía contemplaban en la capilla Peruzzi * la historia de los Santos Juanes.

En aquel instante el guía mostraba a su estupor la danza de la hija de Herodiades.* Don Pedro se situó en la capilla Bardi,* 5 regalándose los ojos con *La muerte y funerales de San Francisco de Asís.*

Era su visita preferida de Florencia.

Su ambición malograda se abría a la delicia de aquel fresco como ante una flor de maravilla. 10

La dulzura yacente del *poverello* y la actitud de sorpresa de sus hijos, que se inclinan a contemplarle con los brazos abiertos, como si aún no hubiesen salido del asombro de que el padre Francisco pudiera morir, es de tal delicadeza en la composición y en el color, que hace anclarse absorto al más profano. 15

"¡Dulce Giotto, pastor, chato y feo, que te sacaste un mundo de tu cabeza! ¡Qué necesidad tenías tú de la tradición si eras genial! ¡A ti nadie te entregó nada!

"¡Tu maestro Cimabue * te dejó la rigidez de sus cristos en un fondo de oros bizantinos! La tradición yacía bajo siete llaves 20 de lava encerrada en las ruinas de Pompeya; * pero tú, dulce Giotto, pensaste que el arte comenzaba en ti [40] y cargaste sobre tus hombros duros de pastor la ingrata empresa de alumbrar un orbe, y surgieron por fondo de tus frescos, montes y caminos y árboles, y por sobre las cosas bogó un cielo de azul terso que 25 nadie había visto ni sentido hasta ti, y diste a tus personajes una vida que antes no tenían y un movimiento y un color, y los distribuiste con graciosa armonía, y bajó la alegría y la decisión, y el lloro a sus rostros, y por las figuras antes secas e inexpresivas pasaron por vez primera todos los estados de conciencia. 30

"¡Dulce Giotto!"

Esto pensaba don Pedro ante *La muerte y funerales de San*

40. **La tradición ... en ti:** this passage refers to Giotto as a painter who started a new type of painting, disregarding all traditions. During the Medieval period the Italian painters followed the stiff, abstractly conceived Byzantine painting. Cimabue was, however, the first to try to break with this tradition and Giotto was a continuer of the naturalist trends begun by his teacher. The authentic Italian tradition of painting went back to the Roman paintings found in Pompeii, which in Giotto's time were, of course, unknown.

Francisco. El alma —pobre pintor fracasado— se le desleía por los ojos como ante un auténtico milagro.

◇ ◇ ◇

A la hora de la comida se dirigíó al hotel.

—¿Qué te pasa? Estás muy nervioso estos días —le dijo la
5 esposa.

—Sin duda, Florencia; tanta belleza a la vuelta de cada esquina acaba por desencadenar una tempestad en el alma menos sensible —apuntó el hijo con ironía.

Estaban en el cuarto del hotel. El médico había dado ya de
10 alta al paciente.

—¿Qué es lo que más te ha gustado? —preguntó el pintor.

—Los frescos de Giotto.

—Es el padre de la pintura italiana.

Callaron.

15 Al atardecer, la madre quiso saber:

—¿Vais a salir?

—Sí.

—Ponte el abrigo, hijo..., y ten cuidado, que las recaídas *es* [41] lo peor.

20 Los despidió en la puerta.

Atravesaron Ponte Vecchio, remoloneando en las tiendecillas.

El Arno bajaba turbio y abundante.

La tarde era de rosa y de miel.

Por el palacio Pitti * subieron a los jardines de Boboli.*

25 Desde lo alto, sentados, contemplaron la ciudad.

—¡Qué hermosa es Florencia en primavera! —confesó el hijo con la voluptuosidad del que acaba de vencer a la muerte.

—Es una delicia —glosó el padre.

Las colinas cabeceaban el faralae bronco de sus cipreses y la
30 lucerna del sol maceraba en ternuras la torre del *palazzo Vecchio.**

Una serenidad dulcísima bajaba de lo alto a abrazarse con los mármoles blancos y negros del Campanile * y del Duomo.

Aplaudían pausadamente unas palomas, y en un horizonte de
35 cinabrios sonó la flauta de una estrella.

—¿De modo que tú no quieres volver a Bilbao con nosotros?

—¿Para qué? Lo mismo puedo reponerme aquí.

—Eso, tú verás.

41. **es:** italicized to indicate the wrong use of the singular verb

—¿Os vais el sábado?

—Sí.

Volvieron a quedar en silencio.

—Esta enfermedad que has tenido ha podido ser un aviso; ¿por qué no dejas todo esto de la pintura y te vienes con nosotros? . . . Comprende que esta vida un poco bohemia no es para tenernos tranquilos a tu madre y a mí.

Observó a su padre con una sequedad dolorosa.

—No pierdas el tiempo— y se levantó.

Caminaron un rato.

—No te reconozco autoridad para hacerme estas reconvenciones.

—¿Por qué?

—Tú lo sabrás.

Quedaron en alto las miradas como aceros desnudos.

—Entendámonos, yo no te exijo que dejes de pintar . . . pero esta vida así . . . lejos de casa y a tus pocos años . . .

—Los bastantes [42] para saber lo que quiero y quererlo con fuerza.

—Eres muy soberbio.

—Y qué remedio.[43]

—Después de esto, no te falta más que fracasar.

—Alguno se alegraría.

—No lo dirás por mí.

—Qué ocurrencia.

Fué creciendo la tensión bélica del diálogo.

—Te advierto que no basta el querer con fuerza.

—Lo sé; pero en el arte, más que en la vida, sirven los gestos vanos de los que nos precedieron: siempre que tomo los pinceles pienso en los intentos estériles de tío Luis y en tu gran ambición frustrada. Siento que me dan hecha la mitad de la labor; sin ellos nos sería yo el que seré.

—Muy seguro estás de ti.

—Cómo no; todas las mañanas, antes del café con leche, me desayuno con el *Tú serás rey* [44] macbethiano.

—Pues, buen provecho.

42. **a tus pocos años . . . Los bastantes** *at your early age . . . Old enough*
43. **Y qué remedio** *It can't be helped*
44. **Tú serás rey:** refers to the "thou shalt be King," which inspires the ambition of Macbeth and which is here used as the symbol of determination to carry on in his vocation

—Eso espero.

Abandonaron los jardines.

La noche tenía una magra y sucinta belleza. En el tapete oscuro del cielo, la luna era el monóculo caído de Dios.

5 Se fueron. El pintor los despidió en la estación. La madre, creyendo que seguía siendo un niño, le hacía ingenuas advertencias:

—Por Dios, hijo, no me pintes mujeres en cueros; acuérdate de que una vez en el Museo del Prado me dijiste que era mejor 10 la *Maja vestida* que la *Maja desnuda*. Sé bueno y no olvides la misa de los domingos.

Se alejó el tren y quedó solo. "Ahora, a pintar", se dijo, y echó a andar con paso firme.

◇ ◇ ◇

Los periódicos locales dieron la noticia: "En París triunfaba 15 ruidosamente, con una exposición, el pintor español Alfonso Achalandabaso." Algunos reproducían trozos laudatorios de la crítica francesa. A la hora de las influencias[45] mezclaban su nombre con el de los maestros españoles y venecianos.

Camile Mauclair resaltaba entre las bellezas de las telas col- 20 gadas el valor extraordinario de una de ellas. Se inspiraba en el siguiente versículo del Evangelio: "Ninguno que pone su mano en el arado y mira atrás es apto para el reino de Dios." (San Lucas, IX, 62.)

Un labriego, la mano en la mancera, guía tercamente sus 25 mulas por una tierra holgazana. El surco exhala una dificultad sedienta. Pero el labriego avanza firme el puño en el arado y los ojos en el horizonte; dulce horizonte lejano, en el que cantan los tonos plata una promesa de victoria.

Don Pedro fué felicitado por el Consejo de la Siderúrgica 30 Ibaizábal en pleno.

Gozó de cierta alegría paternal, sobre todo al ver a la esposa tan ufana del triunfo.

En la calle, las gentes le paraban preguntonas:

—Ese chico pintor, ¿es hijo suyo?

35 —Sí.

—Vaya, enhorabuena.

45. **A . . . influencias** *when the time came to mention those who had influenced him*

La Diputación Provincial acordó ofrecer al muchacho los salones del Museo de Arte Moderno para que viniese a colgar los cuadros a Bilbao bajo su patrocinio.

Fueron momentos de entusiasmo.

Deshechas las primeras olas de enhorabuenas, don Pedro se puso a rumiar la frase rencorosa del hijo: 5

—En arte, más que en la vida, sirven los gestos vanos de los que nos precedieron.

"Es decir, que mi fracaso ha sido mantillo para su triunfo", pensó, y experimentó una gran tristeza. 10

Sus mustios anhelos cobraron de repente feroz lozanía. Vió realizada su ambición en el hijo y una envidia seca le mordió el alma. "¿Por qué no fuí yo duro como él? ¿Tenaz como él? ¿Por qué dejé que la vida aflojara mis resortes y disolviera mi voluntad? ¿Por qué? ¿Acaso fuí menos dotado que él para el triunfo?" Y lo que hasta entonces fuera alegría legítima trocóse en desaliento del propio fracaso. 15

"¿Por qué no fuí yo tesonero como él? ¿Por qué dejé que los años me ganasen estúpidamente la partida?"

Una congoja inmensa le destrozaba. 20

No quiso oír hablar ya de la próxima Exposición del hijo, que Bilbao perfilaba con trazos de acontecimiento.[46]

Así las cosas, una tarde lo vió entrar por la puerta de casa seguro, sonriente.

La madre repicó sus mejores ternuras. 25

—Vengo a exponer —dijo, dirigiéndose al padre.

—Está bien.

La Prensa local le recibió sobre puntas dulces de adjetivos.

—El grueso de los cuadros llegará dentro de unos días —insinuó—. Unicamente he traído conmigo, para más precaución, éste. 30

Desclavó el bastidor y lo sacó a la vista. Era su *capolavoro*.

—Es muy bonito —comentó el padre.

—Yo no entiendo de estas cosas; pero, como hecho por ti, tiene que estar muy bien —completó la madre, invadida de un gran entusiasmo. 35

—Está inspirado en el Evangelio de San Lucas: "Ninguno que

46. **que . . . acontecimiento:** an image expressed in art terms to suggest that the city was looking forward to this exhibition as a great event

pone su mano en el arado y mira atrás es apto para el reino de Dios" —enunció mirando a su padre.

"Tu pusiste la mano en el arado y miraste atrás; ni el reino de Dios ni el reino del Arte serán ya nunca para ti", tradujo el 5 padre.

—Hasta el día de la Exposición lo colocaremos en el vestíbulo —propuso el pintor.

—Eso es, frente a la puerta de la calle —deseó la madre, alborozada.

10 Lo colgaron; y todos los días, al entrar en casa, el labriego levantaba en el alma de don Pedro sarpullidos de remordimiento. Fueron aquellas noches cuando padeció sus embates más duros, noches en que el "Fundidor Supremo" [47] le exigía sus más exactas cuentas. ¿Por qué todo lo que estaba hundido y muerto con el 15 matrimonio se lo volvía el hijo a reanimar?

Frente al goce sano del muchacho sintió su vida sin sustancia y sin norte.

"Una vez puesta la mano en el arado, ¿por qué volviste la cabeza atrás? ¿Desconocías que el Arte fué siempre una gran 20 paciencia? Dime, ¿por qué volviste la cabeza atrás?"

Estas preguntas le bajaban del cuadro apenas trasponía la puerta.

Quebraban negocios, cerrábanse las fábricas. Una crisis honda paraliza la vida industrial y comercial de Bilbao.

25 "Hombre sin fe. Las acciones de tu Siderúrgica se deprecian. Dentro de poco correrás el riesgo de tener que cerrar tu fábrica, y el Arte de tu hijo será eterno y tendrá las máximas cotizaciones en todas las Bolsas del mundo."

No pudo más: [48]

30 —Este cuadro es demasiado grande para "la entrada". Debisteis colocarlo en la sala, allí hubiera estado mejor.

El hijo le leyó en los ojos.

—Ya, ¿para qué? Dentro de poco me lo llevo.

—Como queráis.

35 Permanecieron en silencio.

Llegó la mañana del acontecimiento. Días antes, susurros de

47. **"Fundidor Supremo":** refers to God
48. **No pudo más** *He could stand it no longer*

finos vaticinios se encendían y apagaban [49] en criticadoras bocas. Don Pedro se echó a la calle con una fiebre de pesadilla. Faltaban dos horas para la apertura y erró cosiéndose a su hombro todos los cantones de la ciudad.

Un desplacer hondísimo le desazonaba. Iba a asistir en su hijo a 5 la realización de lo que para sí soñó.

Frente a los valores materiales, caedizos y mudables, el mozo oponía la eternidad de los valores del espíritu.

"Bilbao, con su espantosa crisis económica, viene a darle la razón", pensó. 10

Vió la cabeza aldeana del alcalde y los brazos elocuentes del presidente de la Diputación entre el concurso.

Observó a la gente, apelotonada frente a uno de los lienzos. Divisó las espaldas cuadradas del labriego, su mano firme en la mancera. 15

Número 9 . . . *La vocación.*

Así rezaba el catálogo. Pero él leyó dos palabras desolantes: "¡¡Cobarde, desertor!!"

No supo qué fiebre demoníaca puso en sus puños verdores de huracán. Apartó las gentes del grupo y se fué contra el cuadro 20 enarbolando el bastón.

Quedó hecha trizas la tela.

Cuando el pintor pudo rescatar de entre la furia de los asistentes al agresor, vió que era su padre.

—¿Qué has hecho? —le preguntó. 25

—¡Romper mi obra! . . . , ¿me entiendes? ¡Mi propia obra! ¿No eres tú, pues, mi grito?

Sólo el hijo le entendió.

Se abrazaron llorando. Luego salieron juntos, entre el silencio de la sala.

49. **se encendían y apagaban** *went on and off*

RAMÓN GÓMEZ DE LA SERNA

Ramón Gómez de la Serna, born in Madrid in 1888, published his first book at sixteen and has continued to write with an unfailing devotion. Up to mid-1958 he has published more than 115 books and literally thousands of articles for newspapers and magazines in all parts of the world.

Until 1936 he spent his life in his beloved Madrid, taking occasional trips to other European cities, always leaving this city "forever" because of some disappointment, but always coming back to it to dig up new material from its seemingly infinite resources.

After two trips to South America, where he met his future wife, RAMÓN, finding it impossible to write in Spain after the beginning of the Civil War, decided to leave, this time truly forever, his native city.

Today RAMÓN, who during the late 1920's and early 1930's was the most translated and best known Spanish author abroad, famous as a humorist both in his life and in his writings, lives almost in seclusion in his flat in Buenos Aires, accompanied by his talented and charming wife—Luisa Sofovich, also a writer—and still writing untiringly, as alert and imaginative at 70 as he was in his teens.

The following is a partial list of his most important novels: *El cólera azul;* Novelas, 1937. *El dueño del átomo;* Novelas, 1948. *El hombre perdido;* Novela, 1947. *El incongruente;* Novela, 1958. *La mujer de ámbar;* Novela, 1948. *La Nardo;* Novela, 1950. *La quinta de Palmyra;* Novela, 1944. *¡Rebeca!;* Novela, 1947. *El torero Caracho;* Novela, 1950. *La viuda blanca y negra;* Novela, 1943. (Dates correspond to latest editions.) *El turco de los nardos* appears in various collections such as *Obras selectas* and *Obras completas* (Vol. 1).

RAMÓN GÓMEZ DE LA SERNA

El turco de los nardos

I

Era un pedazo de barrio en las afueras tan semejante a otros pedazos de barrio del Norte, Sur, el Este y el Oeste, que parecía que sus habitantes se iban a confundir sobre todo si iban a su casa al atardecer.

5 Como a la entrada del caserío, después de ir a campo traviesa unos minutos, lo primero que se encontraba era un gran charco en que estaba naufragando [1] una mecedora, siendo posible que esa señal les hiciese identificar los andurriales a los habitantes de aquel rincón de la ciudad.

10 Ese baldío que le separaba de la urbe quería decir como que así se alejaba de la capital y hacía el gesto de no tener que ver con ella, de que allí no llegaba su responsabilidad.[2]

Lo malo es que la calle que pasaba por en medio llevaba el nombre de la gran calle cuya numeración comenzaba en el centro 15 de la ciudad.

Paseando por las veredas de esa calle llegaban los turistas desviados a aquella rinconada y se quedaban admirados de ver casas tan chicas, como si sólo tuvieran *hall* y nada más.

Parecía que la ciudad había disminuído hasta no tener más 20 que casas en miniatura, primeras semillas de las casas que después toman mayores proporciones.

No sorprendía demasiado aquel pedazo de minucias arquitectónicas porque por todos lados se solían encontrar a lo largo de extensos sectores que acababan en los pueblecitos circundantes,

1. **estaba naufragando** *was floating around as if shipwrecked*
2. RAMÓN is personifying here the subject **baldío** and the unexpressed subject of **se alejaba,** which is the small group of houses; thus, **quería decir** has these two subjects, and two meanings: *meant,* the idiomatic, and the literal, *wanted to express.* Therefore, *it* [the group of houses] *made the gesture of having nothing to do with it* [the capital], *that its responsibility did not reach there.* This use of animism is quite common in Gómez de la Serna and the student should watch for it.

ordenándose entonces por lo menos en torno de una plaza, de una iglesia y de dos o tres grandes caserones erigidos por los fundadores de esos pueblos.

Lo que sorprendía en aquel paraje al transeúnte era que en dos estaciones, primavera y otoño —porque los nardos tienen 5 esa gracia—, se desparramaba ese olor oriental de los nardos y se veía que en los pequeños jardines crecía la planta como por milagro.

Si alguien se extraviaba por aquel lado del mundo era porque buscaba ese perfume y porque cruzaban de acera a acera, co- 10 rriendo como torcaces extraviadas, muchachas bellísimas con el pelo suelto.

Allí vivían unos turcos que daban carácter al barrio y cuyas casillas, más blancas que las de los demás, eran envueltas y tapadas por el número de otras en que vivía la más diversa gente 15 de las más distintas razas. Había también algunos criollos, aunque éstos buscaban barriadas más definidas en Avellaneda,* en Mataderos,* porque para estar allí [3] preferían vivir en pueblecitos con porvenir que ellos conocían bien.

Allí se producía un revuelo, un desiderátum, un enrevesa- 20 miento de corralizas, alambrados y respaldos laberínticos hechos con tablas y pedazos de lata.

Sólo el instinto de la casa propia, sólo la memoria de signos y números de tranvías y colectivos podían hacer que aquella gente diese con sus casas construídas fuera de línea, unas detrás 25 de otras, como escondiéndose para no ser vistas, para no ser encontradas.

El estrecho de nuestros descubrimientos va a estar entre el macizo de veinte portales, en un plano ceñido e indescriptible que se guarece entre dos calles, la una llamada de Absalón y la 30 otra llamada pintorescamente del Gato Negro.

Ni apuntándolo en un largo papel del censo se podrían registrar los que allí viven. Hay voces interiores que gritan y que después no corresponden a ninguno de los que salen a la calle. A veces es de las terrazas de donde parten los gritos, pero como 35 tienen la almena alta no se ve quién pueda ser.

3. **para estar allí** *rather than living there* [the barrio where the Turks lived]

* For information concerning items asterisked, see the Vocabulary-Dictionary.

Para aislar y desconectar más a los vecinos hay tres o cuatro hotelitos con sus dueños ausentes.

América, la plácida América, la del sol no usado, la de los paisajes más grandes de silencio, se empozaba y se adunaba allí 5 y todos gozaban de esa calma chica, de esa mañana inmensa, de ese cupón inmenso de porvenir que sin dar derecho a nada sino a esperar, flameaba al viento en el aire claro del gran pedazo de cielo que les correspondía.

Las familias destacadas eran las de los turcos y después la 10 del polaco Wlamik, la del español Gutiérrez y la de unos lituanos, los Bander, que se creían de raza superior.

Como los turcos estaban en mayoría se llamaba a la manzana "La Nueva Turquía" y al angelito que remataba una de las terrazas le habían puesto un tiesto por sombrero como si fuese 15 un fez.

El resto de los que vivían eran italianos, españoles y dos o tres criollos perdidos en la carambola del caserío [4] y, sin embargo, no descontentos de aquel anonimato, que les hacía estar al margen de las principales discusiones y trifulcas.

20 Una casa hecha de ladrillos recochos y obscuros, señalada con una cartela en que sólo decía "B. bis", era tan incógnita dentro del grupo que apenas se sabía quiénes la habitaban. Caía a la espalda de todas las casas y en el ángulo de dos de los hoteles abandonados, con las persianas desgajadas en abanico.

25 Las olas del mundo de donde habían venido muchas de aquellas gentes morían al pie de sus paredes y les traían espumillas de impotencia, como si allí muriesen confesándoles que eran ya inalcanzables.[5]

El principal personaje de la colonia era Muley Yrak y no por 30 su riqueza ni ostentación, ni tampoco por la belleza de su mujer Adhara, sino por la lindura de su hija Xenia.

Todo el conjunto aquel de ventanas, puertas y bastidores, se apeñuscaba alrededor de la prometedora hermosura de Xenia.

Era entre las morenas que cruzaban la calle con sus largas 35 melenas sueltas la más airosa y la que llevaba prendida en la

4. **en la carambola ... caserío** *in the group of houses gathered there by chance*

5. This passage connotes that in this out-of-the-way place die out the last traces of the Old World, now inaccessible to these people.

cometa de su pelo negro toda la ansiedad del hombre por la mujer, como cola de barrilete.

La madre, preocupada, estaba gritando siempre para saber en qué patio o en qué esquina estaba la adolescente:

—¡Xenia! ¡Xenia! 5

Todos en la comadrería estaban interesados por saber qué dirección tomaría aquella muchacha que venía del colegio con su delantal blanco y que cuando se lo quitaba se transformaba en opulenta mujer del jardín del profeta.

—¡Xenia! ¡Xenia! 10

Cortando la ancha calle con nombre principal —allí llegaba al número seis mil— pasaba un camino que se podría llamar de herradura si las pezuñas que lo marcaban con sus ces no estuviesen desherradas muchas veces, era una cañada para la tropilla con suficiente polvo para llenar de nubes el más ancho cielo. 15

A veces pasaban caminando hacia los mataderos o los trenes, recuas, vacadas o majadas.

Las madres las señalaban a los hijos, indicando a los hombres a caballo o a pie que las conducían:

—En la vida se es tropilla o tropero... Procurad ser troperos. 20

Todo era un episodio porque en seguida se quedaba solitario el camino tendido, rejoneado, con rieles de barro y remiendos de hierba.[6]

Era como un camino visto por el revés de unos gemelos, remoto, sin confines, verdadera calzada del destino, transversal 25 entre la vida y la muerte. Por aquel camino llegaría la Parca sobre un caballo retardado y rengo y toda sorpresa la traería un caballista siempre retrasado.[7]

Tenía aquel camino algo de cauce del mundo primitivo, por donde no hacía mucho pasaron arcas de Noé con ruedas y 30 dinosaurios arrastrando las barrigas, reumáticos y maltrechos.

Era la muestra del rico mundo increado en que vivían y para

6. **Todo ... hierba.** *It was all an episode, because immediately the expanse of road would be left deserted, pierced by rails of mud and patches of grass.*

7. **Por aquel camino ... retrasado.** *By that road Fate would come riding slowly on a lame horse and any surprise would be brought by a horseman always delayed.* RAMÓN here gives a transcendental meaning to something as unimportant as a country road. The passage, which implies that Fate arrives unexpectedly, forewarns us of events yet to come.

el que gestaban proyectos sentados al atardecer en los sillones de madera y lona que eran aún los que compraron allá lejos para venir mirando las estrellas en los barcos de cubierta sucia.

Ese blando serpenteo del camino, como una enorme oruga 5 joven les traía la exultante y germinadora noticia de la América ubérrima, más que tierra, diosa de la tierra, de una tierra extensa y sin historia.

II

En las noches de viento, el viento jugaba a los dados con aquellas casillas y parecía cambiarlas de sitio. Sólo al amanecer 10 se veía que conservaban el mismo orden y todos se ponían muy contentos.

Se veía a los turcos preparar sus comidas en cuclillas sobre el suelo, pues no querían perder la antigua costumbre de estar genuflexos todo el día. Por eso los jarrones de los nardos estaban 15 en el entarimado y los espejos estaban clavados muy abajo como si se hubiesen equivocado los martillos y los clavos.

Y había quienes perdían la cabeza y la orientación mirando a aquellos seres que se atracaban de berenjenas rellenas y que todo lo hacían un poco al revés de los demás. Como eran mayoría 20 temían [1] que les impusiesen sus costumbres y maneras.

El grito inquietante era como el banderín de la mañana:

—¡Xenia! ¡Xenia!

No había campana, ni son de reloj, ni pájaro que marcase las horas, pero ese grito significaba que había pasado el medio día 25 y que Xenia había vuelto del colegio y correteaba de portal en portal, de terraza en terraza.

Gutiérrez, Mateo Gutiérrez, se sobresaltaba. Estaba huído, tenía sobre su alma un crimen cometido en un pueblo de España cuando se llamaba Aveneros y no Gutiérrez, pero los años pasa-30 ban y no llegaba ni el menor hilo de pesquisa a su casa construída entre casas desquiciadas y vueltas de espalda al mundo.[2]

Su mujer suspiradora e insignificante, que parecía mucho más vieja que él, sólo se dedicaba a cuidar a su único hijo Jorge, muy

1. **Como ... temían** *Since they [the Turks] were in the majority, the others feared ...*
2. **vueltas ... mundo** *with their backs turned to the world*

moreno, con aire de gitano, silencioso y reconcentrado como un buho.

A Gutiérrez sólo le consolaba en su tribulación de escondido que el vecino de al lado no salía jamás a la calle —menos que él— porque estaba imposibilitado y siendo un hombre joven se le veía en una butaca cuando se abría aquella puerta hermética por demás,[3] tanto que habían hecho un agujero en su madera, mayor que un buzón, y por ahí metían los proveedores las cosas que le traían.

Sólo Xenia fijaba en la esquina al que iba a pasar distraído[4] y a veces tuvieron guardia inquietante de varios días porque a alguno se la ocurrió pretender a la bella turca.

—¿Qué quiere ése? —preguntaba tembloroso Gutiérrez.

—Debe estar ahí por Xenia.

Sin embargo, un detective se parece tanto a un enamorado en su pesquisadora testarudez, que Gutiérrez se metía en el patio de su casa y se dedicaba a partir leña.

De las otras casas de los turcos salían también bellas chicas, amigas de Xenia, Anuar, Stella y Zaira las principales, también adolescentes que echaban a volar las melenas negras[5] en los juegos de calle a calle.

A Gutiérrez le parecían arcángeles peligrosos, arcángeles que alguna vez traerían detrás la justicia humana, imitando el jugar de siempre y, sin embargo, guiando al castigo hasta su casa.

Un día el hijo de los Bander, un rubio de ojos azules que salía a las seis de la mañana y volvía a la noche, se puso a reparar la fachada de Muley Yrak porque presumía de arquitecto cuando no era más que maestro de obras y al estar dedicado a su tarea vió venir del colegio a Xenia y al observar cómo quedaba después de quitarse el guardapolvo, se quedó maravillado de amor.[6]

Como era un joven que prosperaba a cartas vistas, propuso al padre de Xenia levantarle otro piso y él le adelantaría para

3. **cuando ... demás** *when that impenetrable door was opened a little too much*
4. **Sólo ... distraído** *Only Xenia was able to fix to the corner the one who otherwise was going to pass absent-mindedly;* a reference to a Hispanic custom in which the would-be suitor stands guard at the corner or in front of the house of the girl he admires
5. **que ... negras** *who made their long black hair fly*
6. **se quedó ... amor** *he was left dumbfounded with love*

el material y traería sus obreros.

Aquel segundo piso propuesto por el arquitecto Cristián les escamó a todos, que veían en aquel levantamiento de la casa de los Yrak algo así como una humillación para su caserío.

5 En seguida sospecharon de qué se trataba. El joven pretendía a Xenia y se preparaba aquel segundo piso en casa de sus padres, con el egoísmo de tener su nido independiente. Como Yrak era un ambicioso, aquélla era una tentación por la que iba a dar su hija.

10 Xenia, que siempre se mostraba adusta con sus pretendientes, tuvo que prestarse a recibir bien las trovas de aquel rubio larguirucho como con pico de cigüeña y que sus padres le recomendaron porque iba a hacerles aquel segundo piso.

—¿Qué harían si fuese un millonario? —comentaban las con-
15 ventilleras.

La muchacha, en medio de su docilidad tenía arranques torvos, y en la discusión de una de aquellas noches primeras de la pretensión bailó la danza de la rebeldía sobre la mesa puesta en el suelo.

20 —¿Pero no ves —le decía Adhara maternalmente— que están ya preparados los arranques de los balcones y que va a ser para ti esa casa que prepara tu novio?

Lo único que la atraía a Xenia en aquel rubianco era que por ella iba a hacer aquel milagro de dar más estatura a su casa.
25 Si le hubiera regalado una joya que hubiera valido más que aquella remontación de las paredes y el tejado, no le habría hecho ningún caso.

La obra prosperaba y en sus berrinches nocturnos gritaba desesperada:

30 —¡Está haciendo mi jaula! ¡Es mi jaula!

Poco hablador, el joven lituano le regalaba firuletes arquitectónicos, azulejos, ventanas de hierro, máscaras de cariátides románticas. Su idilio estaba hecho de apliqués, de argamasa moldeada, de cenefas y de escocias.

35 Xenia, como soñando atauriques orientales, esos poemas del yeso grabado de letras, de filigranas animadas por los colores y por el oro en polvo, recibía [7] medio sumisa el homenaje del maestro de obras.

7. **Xenia ... recibía** *As if dreaming of Oriental ornaments, those poems*

—¿Cómo quiere el papel del gabinete? —y traía en sus manos blanqueadas en el fondo de todas sus huellas digitales, muestrarios de papeles mordorés, nacarados, con flores de marfil.

A Xenia la tentaba lo que tenía aquello de elegir un traje y un sueño real, pero a la noche, cuando estaba reunida con su 5 padre y su madre de cuclillas frente a la cafetera, prorrumpía en histerias:

—No, no quiero a un rubio... Es un rubio... No me acostumbraré nunca... No estará acabado mi destino nunca. ¡A mí qué me importa la casa! 10

Todos sabían de aquella agria disputa diaria y hasta el paralítico se incorporaba un poco en su sillón para protestar.

Las mujeres de aquel biombo de casas veían empinarse la del turco Muley como una ostentación que no venía a qué,[8] resultando más evidente que nunca la indiferencia del descampado 15 que no paraba mientes en ella.

Gutiérrez era el de miradas más hurañas porque veía que aquella disimulada piña de casas quedaba más señalada al azar que él temía tanto.

Su hijo, que no sabía, ni sospechaba por qué odiaba su padre 20 aquel añadido a la casa del turco Yrak, se dejaba contagiar por la iracunda salmodia de su padre:

—Vender una hija por un añadido a la casa propia, es una villanía.

—Yo les insultaría —dijo Jorge soliviantado como no le habían 25 visto nunca.

El padre se volvió a él sorprendido y con mayor miedo.

—No, hijo, no... Eso de ninguna manera... Ya sabes que no quiero cuestiones con los vecinos.

—Es que como te vi así —dijo Jorge—. Es que Xenia no se 30 merece eso... Es que era el ideal de todos los muchachos del barrio, y no es cosa que[9] se la lleve el más desgarbado, el que menos sabe lo que vale esa mujer...

Gutiérrez padre, que tenía todas las aprensiones despiertas, miró a su hijo con espanto, pues había visto de pronto que el 35 amor podía ser el delator de su vida y que en su propio hijo

made of plaster engraved with letters, with filigree animated by colors and by the gold dust, Xenia received

8. **que no venía a qué** *for which there was no reason*

9. **y ... que** *it isn't fair that*

aparecía la indiscreción que podía perderle.

—Para ti no iba a ser, así que déjala —dijo el padre para acabar la cuestión.

Entonces sucedió lo insólito, lo revelador, lo que no se podía
5 olvidar. Jorge se descompuso, se puso en pie y respondió airado y contumaz:

—¿Y por qué no ha de ser para mí? Puede ser para mí como para cualquiera . . . Tan despreciable me encuentras . . . Pues te voy a decir una cosa: que ella me mira más que a nadie y que
10 el nardo que llevo en la solapa me lo ha dado ella . . .

Nunca había tenido que interponerse la madre entre el padre y el hijo, en ese eclipse del castigo [10] que hace hombre al hijo, pero aquel día sucedió el hecho grave y Don Mateo salió esa noche de primavera como reñido con su hijo para siempre.

15 ¡Cómo olían los nardos!

Sentía en ellos el padre la fatalidad seductora de la vida, el frenesí inevitable de su hijo, la mala coincidencia de la primavera y el conflicto aquel que tenía suspensa la vida de los vecinos pacíficos y escondidos de aquellas madrigueras.[11]

20 Se imaginó joven y ofendido por aquel alarde de creador de prisiones que había tenido el acaparador rubio.[12]

Mirando la silueta de la casa orgullosa del turco Yrak pensó en algo que no había pensado durante todo el teje maneje de los albañiles, que su hijo era moreno y que el otro, el de la estra-
25 tagema del piso más, era rubio.

—¡Malo, malo! —se decía como impotente para parar el golpe de la suerte.

Sospechaba que la Providencia caza con trampas al que huye y que allí, entre yuyos y caminos cruzados, había una trampa
30 para él.

—Mira por dónde —monologaba— en esta confusión de casas que estaba tan bien y en la que yo pasaba completamente inadvertido, surge [13] el primer enamoramiento de mi hijo y los nardos lo atizan . . . Si estos malditos turcos tuviesen sembrados de

10. **eclipse del castigo:** the image refers to the momentary darkening of the horizon in the father-son relationship
11. **de madrigueras:** refers to **vecinos**
12. **por . . . rubio:** refers to the display made by the Bander boy in building Xenia's "prison"
13. **Mira por dónde . . . surge** *see from where . . . appears*

rosas sus jardines quizás no pasase nada, pero como saben cuidar varas de nardo, esto va a acabar mal.

—¡Mateo! ¡Mateo! —gritó la mujer llamándole a la casa.

Volvió con la cabeza baja, comprendiendo que su hijo era él mismo, sin aquella cortapisa que él ocultaba a todos, pero que 5 era la pesadilla de su vida.

"Después de todo —se dijo al abrir la puerta— él, como no sabe nada, va derecho al asunto, como yo hubiera ido . . ."

Se encontró a Jorge llorando —aún lágrimas de niño— y se arrepintió de verle llorar. 10

—Eres un hombre, ¿por qué tienes que llorar?

—Por ella . . . Por ella vendida por sus padres . . .

—No seas novelero . . . No hay tal venta . . . El novio prepara sus habitaciones, en vez de poner[14] la alcoba y los muebles del comedor . . . Levanta las paredes de su piso . . . Ella le deja 15 hacer . . . Los padres ponen el pedestal y los cimientos . . . Realmente estamos exagerando todo . . . Los padres sólo ceden para que ella esté en su misma casa, para que no se vaya lejos de ellos . . .

—En cuanto has visto que estoy interesado por ella has 20 variado toda tu idea . . . No era eso lo que decías antes . . .

—Bueno, bueno, a la cama todos —dijo la madre, conciliadora.

El padre hubiese cuestionado más, pero vió que todo era inútil . . .

Su hijo había sucumbido a la mezcla de belleza de mujer, 25 nardos y grandes lunas de la primavera.

No tenía remedio . . . Sólo le quedaba esperar lo que el azar quisiera hacer.

III

Xenia dejó definitivamente el guardapolvo escolar y corría en bata por las inmediaciones como si se le hubiese prendido fuego la 30 cabellera y buscase alguien que apagara aquel fuego llameante en crenchas negras.

Las casillas mezcladas sufrían oprobio de lo que iba a suceder mal cuando allí se había preparado un modesto rincón para que

14. **poner** *contributing;* same meaning below

sucediesen bien, según el amor y el desinterés.[1]

Los polacos Wlamik que tenían una hija rubia, daban la razón al turco como si esperasen que en ellos se repitiese la historia, sino que al revés, rubia con moreno.

5 Ellos habían esperado que por haber nacido en América su hija hubiese salido morena, pero les salió rubia y desmelenada, una valquiria que iba a perturbar la tranquilidad morena de la Pampa, su lógica morena y fiel, su severa honradez de pelo negro.

La rubia, vestida siempre con camisetas deportivas, hacía 10 caso a todos, corría como a caballo de sus novios convertidos en poneys de sus caprichos y tendía a un moreno para hacerle imposible la vida, para vengarse de su morenez.

Nelia miraba también a Jorge, pero Jorge tenía tan instintivamente fijos sus principios que no la hacía caso y la odiaba 15 como si fuese su enemiga, la que le quería escarmentar, la que nunca comprendería su sed de infinito, su trágica ansiedad de confianza suprema tan incomprensible a las rubias.

En las noches desconcertadas de aquella obra de albañilería que suponía el sobreponerse a todos de la usura que crea segundos 20 pisos,[2] Jorge, para disculpar sus paseos por la calle principal frente al hotel creciente del turco, aceptaba la compañía de la rubia huidiza y frívola.

Dejaba él que ella hablara con escándalo para los balcones abiertos.

25 —¿A ver cuándo levantas tú un piso más a mi casa? —le decía poniendo anzuelos a sus palabras para alcanzar los oídos de Xenia.

—Te haré tres pisos y entonces me tendré que casar contigo y tus hermanas . . .

30 —Pero si no tengo hermanas . . .

—Entonces con tus primas segundas y terceras . . .

—Eso parece una charada.

—Y lo es . . . La solución mañana . . .

Xenia oía aquellas conversaciones y como en señal de protesta 35 apagaba la luz de entrada de su casa que era la única luz del

1. **sufrían . . . desinterés** *suffered the disgrace of the misfortune that was bound to happen, when a modest corner had been prepared there so that things would turn out well, according to the rules of love and unselfishness*

2. **que suponía . . . pisos** *that signified a triumph over everyone by means of the usury that creates second stories*

camino. ¡Que hablasen a obscuras! ¡En el campo!

En la obscuridad las conversaciones eran más medrosas y por lo menos ella no las iluminaba y parecía no oírlas oficialmente, aunque la verdad era que se quedaba detrás de la persiana oyendo las alusiones envenenadas. 5

Una noche de aquellas, cuando Jorge encerró a la rubia en casa de los Wlamik, oyó que le llamaba Xenia, Xenia y sus nardos vivientes.

—¿Qué desea? —preguntó Jorge envalentonado.

—Decirle que no sé cómo le gusta esa rubia. 10

—También es rubio su arquitecto.

—¿Y quién le ha dicho que me gusta?

—Le está poniendo torre a su casa.

—¡Mientras no le ponga campanil!

Los nardos exigían, por lo muy vivos y arraigados que estaban 15 en la mata, la verdad sincera y entrañable.

Jorge se atragantaba de deseos de decir lo que había que decir, pero la veía tan hermosa con el cielo negro de su pelo sobre la frente blanca, que no se atrevía a mirarla a los ojos.

¿Qué había hecho en la vieja Constantinopla? Llegaba a sos- 20 pechar que había sido una niña complaciente que jugaba con los viejos.

Le atraía y desconfiaba de ella.

—¿Me da un nardo? —dijo por no decir "¿Me deja besarla la mano?" 25

Xenia salió al jardín y cortó el más abierto de todos, buscando bien en los canteros llenos.

"Un nardo es más que un beso", pensó él, colocándoselo en la solapa.

—No avanza —dijo sin poderse distraer del piso cimero que 30 hacía de menos a sus casillas de traperos.[3]

—No . . . Aun falta mucho —dijo ella como alargando la consecución del piso más—. ¡Figúrese que hay cosas que tienen que llegar de Europa ahora que no viene nada!

El hubiera dicho que "todos los submarinos y los naufragios lo 35 retarden",[4] pero no se atrevió a pronunciarse tan hostil.

—¿Es que se ve el mundo mejor desde ahí arriba? —preguntó

3. **sin poderse . . . traperos** *without being able to take his mind off that top story which slighted and belittled their little ragpicker's houses*

4. Refers to the blockade of World War II.

con ingenuidad.

—Lo mismo... Yo no quería... Estaba más cerca de mis nardos aquí abajo...

—Sobre todo estaba sola.

5 —Y sola continúo...

Se veía que sólo quería que Jorge desahuciase a la rubia modernista, ciclista y con cuerpo de trapecista de circo.

—¿Sabe que viene de allá [5] un hermano de Anuar?

La amenaza de aquel moreno, que si era tan negrito como su 10 hermana parecería un circasiano, le complicó más la vida.

—Pero no sabe hablar más que turco... No podremos hablar con él.

Se veía que quería despejarle el camino de rivales, pero ya veía Jorge un compatriota cejijunto, cejijunto en victoriosa com- 15 petencia con él, que aunque privaba a su adolescencia del gusto de arrancarse los pelos del entrecejo no lograba aquella espesura turca que hacía de los dos paréntesis la clave cerrada del entrecejo.[6]

—Parece que quieren poner un mástil en la plaza.

20 —Sólo me parecería bien si representase su esbeltez y llevase su nombre...

—¡Qué espigadura! Ni que fuese una giganta.

Jorge sintió el rubor súbito de la edad del pudor, cuando una exageración parece una monstruosidad imperdonable.

25 Se despidió de Xenia y huyó de aquel mástil que había querido dedicarle, lleno de buena intención, pero con una sombra de ridiculez que rayaba la noche.

El biombo de casas estaba revuelto en la noche primaveral, y las cuatro casas se envolvían como amparándose aún frente a la 30 noche inmensa de América que intenta borrarlo todo.

Los nardos eran del oriente y trastornaban la noche como trayéndola conflictos de otros climas, amores que podían ser un crimen en este sitio de perfumes más lánguidos.

Los jazmines del Cabo, las mismas azucenas dulcificaban la

5. **de allá** *from the "old country"*

6. **que aunque ... cerrada del entrecejo** *who, although having had the pleasure, characteristic of his adolescence, of shaving off the hairs between his eyebrows, had not succeeded in growing that thickness so typical of the Turks, which made the two parentheses of their eyebrows come together as if forming a brace*

noche, pero no la ponían enferma de delirio como los nardos.

La polaca, Nelia, no viajaba con las flores de su país y vivía en la tierra de todos[7] prestándose mejor a sus costumbres y sus vientos. No traía drama, tenía trato humano con todos los viajeros, otra sociabilidad. 5

Jorge se daba razones para no entrar en la obsesión de la mujer comprometida que había tenido la impudicia de elevar su casa para ponerse a vivir su idilio.

Nelia le atraía como una mujer emparentada con los verdaderos emigrantes, sabia en adaptarse y al mismo tiempo gozadora 10 de lo que tiene de recepción perenne la tierra que pisaban.

Sabía lo que era la miseria, el olvido y el frío. No venía del fondo blando, voluptuoso y ambicioso de la turca. Tenía personalidad de aguantadora, de ciclista, de mujer que en medio de la fiesta sabe dar el grito de independencia sin celos y sin amor. 15

Él se había libertado de la dura asechanza de las mujeres de España y no era cosa que entrase de nuevo en la morisca.[8]

Pero los nardos calentaban la noche, eran como velas encendidas en el panteón de la vida, le recordaban a la mocita que corría con su negro pelo largo como ansioso pez del aire. 20

No había nada que hacer, era la carambola de los destinos cuando se vive en casas medio del campo, medio de la ciudad, como si todo viento hiciese rizo de vorágine alrededor de sus tapias y sus portales.[9]

No había defensa, luchaban cuerpo a cuerpo, había venas, 25 enredaderas, raíces que atravesaban el subsuelo y pasaban de pared a pared.

Una vena suya desde debajo de su cama buscaba el cuarto de Xenia y estaba como sin sangre muchos días, pendiente de verla para recobrarse. 30

En las casas de vecinos de la ciudad se podían defender unos de otros, olvidarse, portarse con indiferencia. Hasta en un pueblo, las categorías se bifurcaban, los destinos obedecían a un

7. **tierra de todos:** refers to America
8. **y . . . morisca** *and he was not going to enter the Moorish atmosphere again* (implies that in Spain, because of its past history, there is an Oriental environment)
9. **era la carambola . . . portales** *it was the chance rebounding of fates when one lives in houses half in the country, half in the city, as if all the winds made a whirlwind curl around their walls and portals*

plano. Pero allí, en aquella revuelta de casuchas, los destinos vivían enzarzados y no podía renunciar ni al deseo, ni a la puñalada, ni al cuerpo a cuerpo a que llegaban como en refriega o pelamesa de perros sueltos y vagabundos...

5 Jorge tiró el nardo de la solapa con rabia y entró a recogerse en su casa.

IV

La vida de las quince casas seguía su rumbo tranquilo, como sin almanaque.

Se comenzaba a vivir el tiempo de los siglos, la repoblación del 10 mundo, así que sobraban los almanaques.

Todos meditaban sorbiendo su amargo. Eran las cinco de la tarde, la hora impune.

Ya no podía suceder nada en el día y se alejaba el Oriente y se alejaba el Occidente de las casillas de aquel Telaviv * subur- 15 bano y sin judíos.[1]

Los nardos del jardín señalaban un camino y detenían al ángel que venía de Oriente. El español se escondía detrás de aquel perfume y el imposibilitado recibía el recuerdo de su salud primera.

20 La belleza descansaba de su persecución. Se sentaba en la segura cama de su madre.

La vida era tranquila, pero cuando se paraba el ómnibus allí delante, todo parecía inquietarse.

¡Ah!, era uno de los habitantes de la "madrépora" de casillas 25 cuadradas, cabinas de la espera de mejor fortuna. Todos recobraban su talante.

Allí se vivía la ausencia y la independencia y por eso cantaban los pájaros. Eso era estar en la América verdadera, en el soñado

1. **Ya no podía ... y sin judíos.** *Nothing could happen any longer during that day and the Orient and the Occident moved away from the small houses of that Jewless and suburban Tel Aviv.* The passage refers to that quiet time of day when all hostility between the Eastern and Western cultures would cease to threaten the peace. The reference to Tel Aviv is multiple: the group of white houses suggests a city like this; also this is a city where there is a mixture of Oriental and Occidental cultures, and a city often threatened by violence because of this very condition.

nuevo mundo.

Algunas de aquellas gentes se acordaban del fisgoneo de otros sitios, del merodeo de gentes que venían de lejos pesquisativamente.

Hablaban dos mujeres.

—Se le había desprendido un omóplato y ha ido a casa del médico japonés y se ha curado.

—¿Cómo?

—El japonés le preguntó qué le sucedía y cuando se lo estaba acabando de contar, ¡zas!, le dió un gran susto y le hizo palanca en un brazo . . .[2] El omóplato entró en su sitio . . .

—¡Qué maravilla!

Las casitas blancas como pequeños dados completaban su reservorio de experiencia.

Otras dos mujeres hablaban en la puerta por la que se asomaban los girasoles.

—Le digo a usted que yo conozco a los hombres que no tienen calzoncillos.

—¡No es posible!

—En Génova estuve para casarme con un soldado buen mozo, todo un hombre . . . En seguida me di cuenta que no tenía calzoncillos, que no tenía dónde caerse muerto . . . No me hubiera importado . . . Pero era jugador. Hablé con su lavandera, que era amiga mía, y me dijo: "Que no tiene calzoncillos, eso bien que lo sé, pero que deje el juego, ¡ah!, amiga mía, eso no lo creo" . . .

Era la hora de conventillo de aquel apartado del mundo y por eso tuvo gran importancia la llegada de un camión negro, cuyo conductor, como uniformado de guardia, preguntó algo a unos chiquillos.

Se hizo un revuelo[3] en el interior de los patios y se oyeron caerse cosas —cacerolas y escaleras— con gran estrépito.

—¿Quién? ¿Quién dices que es? —gritaba alguien, colérico.

Se oyó el correr de los presidios y otra voz que preguntaba con una urgencia de pánico.

—¿Un camión negro y sin nombre? Dime en seguida qué buscan.

2. **y le hizo . . . brazo** *and used his arm as a lever*
3. **Se hizo un revuelo** *a confusion ensued*

—¡Jorge! ¡Jorge! —gritaba Don Mateo.

Jorge apareció solícito y asustado porque nunca había visto a su padre tan lívido, tan tembloroso.

—Hijo mío, entérate qué furgón negro es ése... —Pronto se aclaró todo. Era una mueblería que traía muebles para el piso nuevo de los turcos.

—Ese piso nos va a traer a mal traer...

—Muchos sobresaltos nos va a dar.

—Antes no se notaba nuestra colonia, pero ahora se ve de todas partes y vienen aseguradores y vendedores de relojes eléctricos y creen que todos debemos tener alcancía de hierro...

Con una ira sorda vieron entrar los muebles en casa del señor de Yrak y los grifos que habían quedado abiertos metían un gran ruido de aguas descuidadas.

Nelia, con su *jersey* a rayas, gritaba con su voz disparatada:

—Son muebles de un remate... ¡A quién se le ocurre traerlos en un coche fúnebre!

—Peor —dijo alguien—, parece un coche celular...

—¡Es tan bonito recibir muebles con el nombre escrito con letras doradas, de la casa importadora!

—Con ese aire de torre de palacio que tiene el piso, todo debía de venir de Viena.

De los viejos gallineros atrabancados de madera y con redes metálicas negras, salían esos escuerzos que no son perros ni gatos, ni gallos, y que se metían por entre las piernas del corro y observaban lo que pasaba.

Las amigas de Xenia, las otras turquitas de los contornos, Anuar, Stella y Zaira como si hubiesen sido avisadas para ayudar a su amiga, cruzaron el descampado y entraron en la casa.

Se oía que Xenia decía:

—Estas cosas se traen por la mañana temprano...

Pronto quedaron entregados los muebles y el desteñido furgón se alejó como llevándose los ambleos del breve velorio.

Jorge se puso a pasear con Nelia agarrándola del brazo como si hubiesen acabado un baile en la recepción [4] de los muebles.

Aquello parecía formalizarse, pero bordeaban siempre como un recuadro de luz fosforescente el recuadro de los nardos des-

4. **recepción** is used in both its meanings, the "receiving" of the furniture as well as the literal meaning of a party

piertos, cada vez más vivos según avanzaba diciembre.[5]

Había quedado nervioso el contorno de las casas y Adhara, dándose cuenta de esa excitación de las veredas de alrededor, le dijo a su marido:

—Voy a adelantar las invitaciones para la fiesta de Navidad. 5

—Está bien pensado —dijo el señor de Yrak que conocía las complicaciones del vecindario.

Xenia intervino:

—Y así les dices también que esos muebles que han traído, los hemos comprado nosotros... No crean[6] que todo lo envía 10 Cristián.

La madre se vistió, se puso su chal de vía láctea y salió en busca de los Gutiérrez y los Bander.

Se notó un aquietamiento en el aire de ajos fritos, cuchillos afilados unos con otros, sillas arrastradas y puertas mal cerradas 15 que daban golpe en el marco.

Jorge vió encenderse la luz de la sala de recibir y miraba con inquietud al caserío mientras simulaba el amor con Nelia, la rubia fría y calculadora.

Para alejarle de aquella distracción y del olor de los nardos 20 —que era la contradicción de lo que hablaban—, le llevó hacia el planeta subsidiario del distribuidor de gasolina.

El pequeño faro de aquellos andurriales era como el monumento de la explanada, la semilla o el esqueje de las futuras ferias, que se celebrarían allí cuando aquello fuese verdadera 25 ciudad.

Farol gatuno y de largo rabo el distribuidor de nafta[7] les ofrecía una luz de andén al aire libre y la conversación adquirió sentido, sentido de ella, que era después de todo la mujer perfumada de gasolina y no de nardo, la ciclista que él 30 necesitaba para cuando fuese un formal burócrata.

La bicharada del campo había tomado al girasol eléctrico del aparato distribuidor por una flor del campo y había una verdadera batalla de frenético bombardeo de mariposas y mosquitos

5. **Aquello ... diciembre.** *That relationship seemed to be getting serious; but they [Jorge and Nelia] were always going around, as if encircling a square of phosphorescent light, the block of awakened nards, which grew more and more alive as December advanced.*

6. **[Para que] no crean**

7. **Farol ... nafta** *a catlike lantern with a long tail, the gasoline pump...*

contra la lechosa lámpara con luz de camelia.

—Conozco unos pisos con "frigidaire", agua caliente y aparato de lavado eléctrico en el sótano, sólo por setenta pesos...

Le quería llevar al aglomerado de la urbe, porque ella era la 5 muchacha rubia de impermeable claro que se sabe mover por las calles de las oficinas y llevar y traer cuellos al planchado mecánico. No era la muchacha sedentaria y perezosa que busca en las afueras sombra de odalisca.

Al andén de automóviles exhaustos se acercó un coche.

10 Nelia se inmovilizó y dirigió una mirada a los dos jóvenes que lo ocupaban.

Jorge se sintió muy ofendido por eso.

—¿Así que eres de las que miran a los que van en los automóviles?

15 —Hasta llegar tú, yo era de las que miraban a todas partes... Así te podía encontrar... Ciega no te hubiera encontrado nunca.

—Bueno... Pues ya que me has encontrado no tienes por qué mirar a los que van dentro de un coche... No lo podría 20 aguantar...

Siguieron andando y alejándose de aquella luz que le había descubierto a él una cosa que no le había gustado nada y que le hacía pensar que las rubias no cierran sus ojos a una sola pasión.

Otra vez llegó el perfume de los nardos, perseverante, 25 apasionado, abrazado a su amor de vivir.

En el piso añadido había luz. Sin duda colocaban en su sitio los muebles.

Se sentía Jorge como uno de esos elefantes de la India a los que superponen una casilla de damascos con su techo de pagoda con 30 campanillas. Él soportaba sobre sus espaldas aquel piso engatusador, hijo del ocio amoroso de aquel espigado lituano que le hacía ir con la casilla y con la novia a cuestas.

Sólo le quedaba la vergüenza de tirar la novia o de huir con ella.

35 En cuanto los divisaron en las proximidades, dos voces con dos estilos, una muy española y otra con resabios, gritaron:

—¡Jorge!

—¡Nelia!

Se apresuraron, inquietos.

—¿Habrá sucedido algo más? —preguntó él.

—¿La habrán traído la diadema a la sultana? —preguntó a su vez ella con ironía.

—Hasta luego.

—Hasta luego. 5

Las saletas permanecían encendidas. Sólo los noviazgos, las peticiones de mano, las bodas perturban las vecindades del mundo nuevo.

Estaban convidados para el día de Navidad.

—¿Para comunicarnos el compromiso? —preguntó Jorge con 10 toda la sangre en el rostro.

—No, hijo mío . . . No . . . Sólo para festejar la fecha . . . Y eso que [8] ellos no son creyentes.

—Sí aquí sucede algo extraordinario, que celebran la fiesta de su religión y las de las otras. . . Veremos qué sucede esa noche. 15

El padre levantó los ojos como un fatalista cuando su hijo pronunció las últimas palabras. Aquel muchacho ya hablaba como si tuviese facultad para variar no sólo su destino sino el de su padre.

—Jorge, siéntate aquí . . . frente a mí —dijo el padre con una 20 voz confidencial que no le había oído nunca su hijo.

La madre intervino asustada.

—¿Es que se lo vas a decir?

Don Mateo reviró los ojos y dijo solemnemente:

—Sí, se lo voy a decir todo . . . 25

Jorge tomó de pronto facciones de hombre, más afiladas que las había tenido nunca.

—Hijo mío, te confieso que me ha sorprendido tu entrada en la edad de los noviazgos . . . No te critico, no me opongo a lo que sienta tu corazón, pero te tengo que decir un secreto que podrá 30 ser una advertencia . . . Yo vine a América con un niño muy chico que aquí se acaba de hacer hombre, porque huía de un delito cometido allá lejos . . . No te voy a decir qué clase de delito, pues espero que no lo sepas nunca, pero tan grave que me hizo cambiar de nombre y huir . . . Yo no me llamo Mateo 35 Gutiérrez, sino José Aveneros, y tú, si bien posees tu nombre de pila auténtico, Jorge, también te llamas Aveneros . . . Lo único que quiero prevenirte es que obres con prudencia en la vida; no

8. **Y eso que** *And even though*

sé por qué he tenido el presentimiento estos días de que por causas de tu natural derecho a vivir puedes llamar la atención sobre la vida disimulada de tu padre . . .

Jorge se quedó mudo, mirando a su progenitor con más piedad
5 y más amor en los ojos que de costumbre.

La madre lloraba mordiendo su pañuelo.

Jorge se explicaba de un golpe muchas cosas y comprendía ahora por qué vivían como de espaldas al mundo en aquella casa de fachada ladeada.

10 —Te agradezco la advertencia, padre, y siento lo que has tenido que sufrir para decirme la verdad de nuestra vida.

Después, dirigiéndose a su madre, añadió:

—Mamá, no llores . . . Me hago cargo de todo . . . Me doy ya cuenta de lo inevitable.

15 Desde el otro extremo de la mesa extendió las manos y agarró efusivamente las de su padre.

—Todo está arreglado —dijo Don Mateo—. La situación aparente y legal están solventadas, pero por Dios, hijo mío, no te excedas, que no caiga demasiada luz sobre nosotros cualquier
20 día . . .

—Descuida, papá . . . Seguiremos a salvo . . .

La madre puso la mesa, cenaron entre largos silencios y Jorge no quiso salir a la cita de la noche.

V

La noche de la fiesta llegó hacia abajo por peldaños de
25 mañanas, tardes y noches.

Por fin llegaron al sótano de la noche deseada. —¿Por qué sótano si estaba sobre el suelo y nivel de la tierra? —Quizás sótano porque todos debían comer sentados en el suelo y porque el mes fué en descenso hasta llegar a ese día y también porque el
30 año declinaba hacia su final, hacia su Campo Santo.

La casa estaba repleta de gente, no porque fuesen después de todo muchos los comensales, sino porque era muy pequeña y el piso de arriba no se había podido *bajar abajo*.[1]

Jorge y sus padres se acordaban oyendo tan encima el hablar

1. **bajar abajo:** a popular redundant expression, *"to bring down downstairs"*

de los turcos de cuando oían en España decir alcarraza, ajonjolí, azufaifa y alfajor.[2]

Se había podado el jardín para llenar de barras de nardos aquellos búcaros de metal que, colocados sobre el suelo, parecían paragüeros llenos de flores. 5

Pasaban fuentes hondas con carne picada, berenjenas rellenas, pavo, pescado con otros peces dentro...

Todos bebían en los picheles especiales que el señor de Yrak había traído de su país.

Las muchachas orientales estaban radiantes como si se hubiesen 10 hecho los peinados con cielos de noche y les hubieran añadido estrellas de similor.

Las dos rubias, Nelia y la hermana de Cristián, palidecían como velas entre bujías eléctricas.

Cristián quedaba como un prisionero, como el que parecía 15 pagarlo todo y nadie le hacía caso, como si no lo pagase.

Xenia se había vestido a la española y aunque era corto su mantón de Manila y tenía flores de pega, le iban tan bien[3] la peineta y los claveles, que era la reina de la fiesta.

Jorge sonreía al mirarla, porque pensaba en aquella imagen 20 que se le ocurrió al volver del distribuidor de nafta con Nelia, y sentía que en esta noche podía tirar su carga de elefante favorito o huir con ella.

Al contacto con las especias nuevas y al sentir los picantes que hacían beber, aquellos hombres y mujeres del norte se sentían 25 convertidos en otros seres, más habladores, más sinceros, más arrebatados por todo.

El hermano de Anuar, el turquito recién llegado, moreno y cejijunto, no servía para nada porque necesitaba intérprete para hablar con Xenia, que sólo sabía el castellano. 30

—¡Alá es grande! —gritaba de vez en cuando Cristián, que había bebido más de la cuenta para resultar el más victorioso, pero al que eso mismo rebajaba.

Aquel "¡Alá es grande!", dicho con insistencia de calamocano por el lituano, pretenso novio de Xenia que no le miraba ni una 35

2. **alcarraza, ajonjolí, azufaifa, alfajor:** Spanish words of Arabic origin which sound like Turkish

3. **le iban tan bien** *were so becoming to her*

vez, llegó a cansar al hombre que creía en Alá y dijo a su supuesto yerno: "Dejemos esta noche a Alá tranquilo,[4] ya que no es su cumpleaños".

Todos reían un poco de aquel estar en el suelo en postura de 5 pic-nic y se miraban en los espejos que estaban colocados más abajo e inclinados para elevarles sobre el suelo, para levantarles.

De cuclillas y sentado sobre un almohadón, Jorge miraba a Xenia como si le perteneciese. Sentados en sillas hubiera respetado todos los compromisos, pero así, como celebrando un 10 epitalamio sobre el lecho alfombrado del santo suelo, no se la podía ceder a Cristián.

Allí dentro no se sentía la presencia del piso de arriba y bien pudo ser un sueño de la albañilería abusiva.

Allí se preparaba un cráter de amor que no sabía él cuándo iba 15 a estallar, pero que tenía anunciada su erupción fatal.

Miraba a su padre de vez en cuando, con fatigas de muerte y con un aire consternado, como si temiese ver en sus ojos el miedo de lo que iba a suceder, la recomendación de prudencia.

El padre, colocado en aquella postura de mendicante a la 20 puerta de un templo, le miraba como diciéndole: "Todo está escrito . . . Haz lo que quieras".

A su madre no la miraba. No quería ver su cara de súplica.

Nelia, sentada a su lado, tenía con eso bastante [5] y como bebía mucho, no se daba cuenta de que iban adelantando hacia un 25 desenlace inesperado, acampados como una falsa gitanería en cuyo conclave los únicos verdaderos gitanos eran Xenia y él.

—¡Alá es grande! —repetía aún después de las advertencias, Cristián.

—Que se calle el señorito —gritó Jorge.

30 Cristián, desorientado, buscó a su derecha al interruptor, cuando Jorge estaba a su izquierda. Eso hizo abortar la cuestión.

—Yo propongo —dijo Cristián recabando su autoridad— que el champaña lo tomemos de pie . . .

Todos se pusieron difícilmente de pie como si les costase 35 trabajo resucitar. Parecían tullidos buscando su compostura de no tullidos.

El champaña acabó de quitarles el calambre gracias a su agua

4. **"Dejemos . . . tranquilo** *"Let's leave Alá alone tonight*
5. **tenía . . . bastante** *was satisfied with that*

de calambre,[6] y comenzaron los brindis locos, en que se desperezaba en pie el habla caída por los suelos hacía un rato. Todos se atrevían a más y se empinaban sobre las puntas de los pies.

Entonces los lituanos y los polacos comenzaron a estrellar sus copas contra el pavimento. 5

Adhara no contaba con eso y se quedó confusa, pero llena de indignación.

—Es la moda rusa —le dijo Don Mateo.

—Pues hoy podían haber prescindido de la moda rusa . . . Eran de puro "bohemia" . . . 10

—Lo hubieran hecho aunque hubieran sido de oro.

—Pero si hubieran sido de oro, no se hubieran roto —suspiró, elegíaca, Adhara.

Los seres rubios se habían quedado sin copas, indefensos, desairados. 15

Jorge, que les vencía con una copa intacta en la mano, avanzó hacia Xenia y tintineando su copa contra la de ella, dijo:

—Para brindar siempre con usted no romperé nunca mi copa.

Nelia lanzó una mirada delante de sí como buscando la copa que ya no tenía en su mano, que también había roto desprevenida y sin darse cuenta del sitio en que estaba, el sitio de las pasiones nacientes, no como allá lejos, que es el sitio de las pasiones desgarradas. 20

Como en un mundo geográfico y político de naturaleza impresionante y variable, se sintieron en seguida fenómenos de desnivel, de alianzas rotas, de otras guerras en perspectiva. 25

Cambió el color de los trajes de las damas como cambian los colores de los mapas cuando cambian de dominio o situación.

El traje de Xenia tiró a cereza vivo, y los nardos lanzaron su más fervoroso suspiro de amor. 30

La amenaza de la rubia había quedado desvanecida, y lo moreno se unía con lo moreno como los glóbulos de un depósito de mercurio caído al suelo tienden a volver a ser la esferilla de que sale la columna termométrica que marca la pasión o el frío. 35

6. **agua de calambre:** note the play on sensations: when a leg goes to sleep one feels the same sensation as when one drinks champagne or any carbonated drink. In the image of the conversation which follows, observe the change to a purely visual image.

Adhara trajo vasos, pero ya no era lo mismo y quedaron triunfantes las copas litúrgicas del amor y el brindis.

Jorge había ganado la partida, y al lado de Xenia le colocó mejor la peineta como quien rectifica la giralda de la casa.

5 —¿Y el piso de arriba? —le preguntó Jorge.

—Lo pagará mi padre... Hará una hipoteca para saldar la cuenta.

Jorge estaba alegre, ágil como si el elefante se hubiese libertado de la carga del minarete de damasco.

10 Los rubios estaban desesperados, y como cuando se desesperan los rubios el alcohol los calma, bebían y bebían y de nuevo volvieron a tirar los vasos.

Adhara estaba desesperada, pero Muley le decía:

—Repite los vasos, es la moda de sus países.

15 Adhara, que tenía un servicio de vasos de metal para los tés con hierba buena, les entregó aquellos vasos irrompibles.

Los miraron con extrañeza antes de usarlos, y como su raza les pedía lo frágil para romperlo, los tiraron de entrada antes de llenarlos, y sonaron como cencerros al caer.

20 La noche quedó así estropeada y eso originó la marcha de los rubios y sus familias.

Nelia, vengativa, tiró aquel vaso de otra liturgia que le habían dado contra los pies de Jorge, y después se fué con los suyos en idéntica retirada.

25 Al salir se agarró del brazo de Cristián y gritaron la venganza de borrachos:

—¡Alá no es grande!

El señor de Yrak, muy digno:

—Así se va a la guerra... Por eso se matan los pueblos...

30 Los nardos habían quedado blancos, impolutos, con un perfume más limpio, sin distracción de celos ni de incomprensión para su perfume.

Los que quedaron, bebieron la copa de los supervivientes, y como si todos necesitaran pensar lo que había sucedido, se 35 fueron despidiendo, mirándose Jorge y Xenia en la despedida como los que están dentro del amor que quema y está en el túnel primero de ignorarlo todo menos su propio fuego.

—¡Ya no lloraré más, papá! —dijo Xenia abrazándose al cuello de su padre cuando se hubieron ido todas las visitas.

Al padre se le recompusieron las facciones turcas como si un lápiz reparase su pelo, sus cejas, sus pestañas, su bigote rizado como una uña sobre el labio.

VI

Amaneció una mañana neblinosa que iba a reformarlo todo. Allí había acabado una dinastía. Triunfaban los límites y quedaban distanciados los contrarios. 5

América ablanda lo imposible, no se ensaña, da tregua a todo. No es obligatorio ningún compromiso convencional.

Por el camino venía como por un río agua, tierra de otra clase y un olor a humedad con otras posibilidades, sin prejuicios, 10 sin antiguos juramentos, sin viejas maldiciones.

Estaba manso el día, tapado de gris.

Esa paz era América, pero bajo la gran sedancia las dos grandes cosas de la vida, la riqueza y el no saber dónde caerse muerto,[1] vivían su drama perezoso. 15

Un gigantesco e imperioso deseo de vivir se extendía por las ciudades y se desperezaba elevando los brazos al cielo y alargando los pies hacia el horizonte.

Todos estaban metidos en ese cuerpo inmenso y sentían la enervadura de su desperezo, de su intención de ser más de lo 20 que era.

Todo era posible. Todo se podía rehacer. Se asistía a la nueva creación del mundo.

Habían dado la vuelta las cosas en la noche anterior y ya todo estaba concebido de otra manera y tranquilo con su destino. 25

Sólo doña Sura, la madre del lituano, había jurado vengarse, pero el marrajo solterón de su hijo sólo quería que le pagasen el añadido.

Había conciliábulo entre los polacos Wlamik y los Bander, presidida la reunión por aquella vieja esquelética, de cabellos 30 blanquirrubios, que envolvía en la misma maldición como si todos fuesen turcos a los de Yrak y a los de Gutiérrez.

Se sentía dueña de la venganza con una guadaña que abarcaba mucho espacio, pero contra sus deseos de muerte estaba la fertilidad del mundo nuevo y su capacidad de extensión y de cambio 35

1. **el no ... muerto** *not having a cent to one's name* (*poverty*)

de domicilios.

La principal arma que se manejaba en el conciliábulo era un pasaporte viejo de don Mateo Gutiérrez que Jorge había dado a Nelia para que le viese retratado junto a sus padres cuando 5 era muy niño.

En el laberinto de las huellas digitales veía doña Sura la posibilidad de un castigo. Ella que había venido con el tesoro de un bandido persa al que engañó su marido, sabía que en aquella ocultación de las casas perdidas en las afueras suele haber 10 una huída, feliz si nadie persigue a los huídos, desgraciada si alguien sigue sus huellas.

—No perdonaré la burla a mi hijo y al apellido de los Bander —gritaba la esperpéntica señora.

—Ni yo tampoco perdonaré —gritaba Nelia— el papel que 15 me ha hecho hacer ese morocho que sólo quería dar celos conmigo a Xenia. Yo le haré hacer la conscripción aquí o en su tierra... Yo le descubriré como prófugo.

Las confidencias del noviazgo imperaban en aquella audiencia mañanera y Nelia se satisfacía viéndole vestido de solado, yendo 20 al cuartel en recuerdo de ella, sometido a la dura disciplina, como pagando una rencilla de amor.

En casa de los Yrak todo sucedía parsimoniosamente. Había asuntos que arreglar, pero habían salido de aquel hombre gélido que daba tantos llantos solitarios a su única hija.

25 La conciencia de los padres estaba alegre y la hija había amanecido más bella, con dos ajorcas moradas bajo los ojos, como si hubiera tenido sueños de amor.

Volvía la inspiración a la casa y los nardos tenían sentido y entonaban sus "gacelas" de pasión.

30 Había cristales rotos por el suelo, pero los recogerían y volverían a poder andar descalzos en aquella intimidad que Cristián no acababa de comprender y ponía en sobreaviso como si fuese un extranjero sin solución.[2]

Arriba, era verdad, estaban las habitaciones sobrantes como 35 un quiste, pero Xenia las ocuparía sola para pensar con tiempo cuál habría de ser su destino. No les dolían prendas y le harían

2. **aquella intimidad ... solución** *that intimacy which Cristián did not quite understand and* [*which*] *put him on his guard as if he were an incorrigible foreigner*

todas las batas de soltera que fuese necesario.[3] Así, los padres gozarían más del perfume de esas flores estampadas.[4]

La hija liberada les servía el desayuno como en una fiesta de nuevo año, con mermeladas olvidadas y los espejos relucientes como cuando estaban libres de todo compromiso. 5

Las amigas de pelo suelto llegaron como trombas de optimismo para festejar a Xenia, la que se había salvado del matrimonio interesado que construye pisos para tener derecho a la prisión.

Se reían junto a las ventanas. Lo que más gracia les hacía es que el arquitecto abandonado había construído el nido para 10 otro.

—Elígelo mejor —decía Stella con luz de dientes en su risa.

—Ayudadme vosotras —dijo Xenia con hipocresía.

—Trapalona . . . Probablemente ya lo tienes elegido —insinuó Anuar. 15

—Y se llama . . . —dijo Zaira, pero se quedó a la entrada del nombre porque Xenia señaló a sus padres como temerosa de que pudiesen oír.

—Viuda, tan jovencita . . . —dijo Anuar haciéndose la lacrimosa. 20

En aquella atmósfera de incineraciones que tenía el día gris y un poco brumoso que había aparecido, algo parecía quemarse como un sobrante en las fogatas que ponían aquel humo oloroso a humedad en la campiña ciudadana.

Todos esperaban junto al quicio de la gran ventana que 25 parecía un espejo sin luna, la aparición de alguien que debía haber madrugado más en la mañana.

Era el cuadro de la reintegración o del descubrimiento o entre otras muchas maneras de llamarle: el cuadro de la reincorporación. 30

Esperaban y ninguna de las cuatro decía a quién.

"Si hubiese sido muy tempranero —pensaba Xenia— es que dudaba de lo sucedido y que no estaba seguro de su triunfo."

Prefería verle aparecer así a media mañana, fresco, con confianza en el porvenir, como si siempre hubiese hecho ese paseo 35 hacia la ventana con claveles.

3. **No . . . necesario.** *They were conscientious fulfillers of their obligations as parents and they would continue to clothe her as long as it was necessary.*
4. **flores estampadas:** on the materials of Xenia's dresses

—¡Allí viene! —gritó sin poderse contener Stella la anunciadora.

Xenia sonrió y dijo a sus amigas:

—Ocultaros un momento, porque si nos ve a todas se va a azorar.

Jorge avanzaba como refrenando su caballo, con mirada de ironía, caminando hacia el torreón del que era ya palomo en su palomar.

—Muy buenos días, prenda adorada —le dijo a Xenia, envolviéndola en su amor con capa de sueño.

—Buenos días, Jorge... ¿Qué tal los brindis?

—Me he pasado toda la noche brindando contigo, porque brindar es darse besos de cristal.

—¡Cómo ha amanecido el malevo! [5]

—¿Ya me llamas malevo cuando no he podido ser contigo todo lo bueno que pienso ser ...? Pero hablando de otra cosa: ¿cómo no se ha llevado el torreón el arquitecto que quería cazar con trampa?

—Ese torreón es mío, de nadie más que mío... Desde esta noche dormiré en su alcoba...

—Y yo le instalaré un teléfono de suspiros...

Las amigas no pudieron resistir la tentación y comenzaron a suspirar.

—¿Quién hay ahí? —preguntó, aprensivo, Jorge.

Asomaron las tres amigas, y hubo un cambio afectuoso de saludos.

La verdad de aquella mañana con testigos le acreditaba ante sí mismo a Jorge.

Aquello era lo oriental: nunca una sola barra de nardos en un búcaro; siempre, cuatro o cinco. Así se creaba el perfume fuerte y él podía trovar a las cuatro muchachas.

Le admiraban como Lindarajas asomadas a un ajimez declarándole sus parabienes, porque era el vencedor.

El romance caía como una enredadera de jazmines de España, ventana abajo.

Había echado al intruso y ya tenía derecho propio a aquella torre del homenaje que en buenos ladrillos de "pagano" [6] ponía

5. **¡Cómo ... malevo!** *How mischievous you got up today!*
6. **que ... "pagano"** *which, made of bricks paid by someone else*

ahora sobre todos ellos un gorro de cascabeles.

—Que sea enhorabuena —dijo la más atrevida, Stella, como siempre.

Los que habían fisgoneado lo que había sucedido en la mañanita, contaron los cabildeos que había habido. 5

—Parecía —dijo Anuar— como cuando se lleva hielo y oxígeno a la casa del enfermo . . . Doña Sura está que estrila.

—Nelia, con el rubio desdorado —contó Zaira— gritaba como una anarquista . . . ; si se reúne el odio almacenado en las dos casas puede haber un terremoto. 10

—¡La de ratas escondidas que iban a salir! [7] —dijo Stella.

Se veía que podían ir de fiesta los cuatro,[8] y con Christián sucedía que siempre era un extranjero que convidaba a estar formales en las confiterías.

La escala de risas moría en la risa del varón, que le ataba un 15 ramillete de gracia, que sabía bien lo que valía lo que había dicho cada una.[9] Por eso era el novio de la amiga que se podía admitir.

—¿Saldremos esta tarde? —preguntó Zaira.

—¡Cómo no! . . . Saldremos en excursión de exploradores, 20 porque esta tarde encontraremos el jardín del Edén y tomaremos helados en la confitería del paraíso.

Todas rieron la salida de Jorge y Stella propuso irse a arreglar para salir temprano.

Jorge las vió correr en su vuelo a través de la calle, lo más 25 bonito de lo bonito, el meteoro original de aquel rincón de casas, las melenas negras suspendidas como colas de cometa en el aire feliz y melado.

—Vístete tú también, vida mía . . . Hasta luego . . .

Y Jorge tomó y besó la mano de su amada como chico que 30 subido a una magnolia [10] roba la más hermosa de sus flores.

7. **¡La . . . salir!** *How many hidden rats would come out then!*
8. **Se veía . . . cuatro** *One could see that the four of them would have fun together*
9. **que le ataba . . . una** *who tied to it a bouquet of wit, which recognized well the value of what each of them had said*
10. **que . . . magnolia** *who having climbed a magnolia tree*

VII

Pasaban las semanas, los meses, y aquel idilio era el tizón encendido en el barrio, la brasa por la que no se pierde el fuego de amor en el mundo.

Xenia se había vuelto más mujer y Jorge comenzaba a tener 5 la barba dura del hombre que quiere ser dueño de su vida.

Sin embargo, la alegría de aquellos amores se había vuelto algo trágica. El muchacho no encontraba camino y no comprendía que la vida está poblada por otros que llegaron antes o se avivaron más.

10 Le apremiaba el amor, lo distraía precisamente por lo grande que era y no sabía concentrarse para vencer, para encontrar su utilidad en lo útil. Cuanto más ciego de amor, más negado a toda técnica.

Jorge estaba excitado, ansioso, sorbiendo el aire por Xenia, 15 pero él mismo parecía tramar un crimen, el crimen del descaro.

Así, a la vuelta de uno de los paseos con ella, entró en el cuarto en que estaba su padre y le dijo:

—Padre, necesito saber qué dinero tienes porque he de pagar la obra del piso que ha levantado el arquitecto Cristián ... 20 Justo es que ya que yo soy el novio que se ha quedado con su novia, pague la obra que él levantó con el propósito de casarse con Xenia ... creo que eso es lo digno ...

El padre, cansado de sus remordimientos, sintió el apremio de su hijo como un sarcasmo del destino.

25 —Hijo ... yo tengo poco dinero para dotar a mi hijo ... Bastante si le puedo mantener y darle elementos para que él pueda defenderse en la vida algún día ... Horripilante acción me costó el dinero que tengo ... Por eso no se puede malgastar ni un céntimo de ese capital.

30 Jorge se insolentó:

—Yo no tengo que ver cómo conseguiste tu dinero ... Yo necesito lo bastante para pagar esa deuda de honor ...

—¿Deuda de honor? ¿Jugaste acaso?

—No sólo las del juego son deudas de honor ... Pero para 35 purgar el crimen que cometiste bien podías ayudar a tu hijo ...

Don Mateo se encolerizó.

—Yo no he cometido ningún crimen... Yo no he matado a nadie... Yo sólo me he carbonizado a mí mismo.

Jorge puso una cara atroz de asombro.

—Como no quiero que creas que soy un asesino te voy a contar mi delito... Yo desenterré del cementerio de Musgondo un cadáver, lo metí en mi camioneta y logré que la camioneta con el cadáver se estrellaran contra un árbol y se incendiasen hasta quedar carbonizado e irreconocible el cadáver robado... Aquel cadáver era el de tu padre José Aveneros, como se comprobó porque dejé mi cédula en un maletín que apareció junto al muerto. Entonces yo desaparecí y tu madre cobró cuatro mil duros por un seguro contra accidente que yo había firmado un año antes... ¿Te enteras? [1] Eso es todo, pero yo estoy desaparecido para siempre de la lista de los vivos y con mi personalidad de Gutiérrez ya no soy tu padre...

Jorge le miraba aterrorizado y le veía negro, resquebrajado, incendiado. La imagen de su padre no estaba manchada de sangre, pero su crimen le consternaba más como si él mismo fuese el asesino y el asesinado.

—Ahora comprenderás —volvió a hablar don Mateo— que ese dinero que me ha costado la vida no puede malgastarse de cualquier modo. ¿No había dicho el turco que en último caso haría una hipoteca sobre la casa para pagar esa deuda de su ambición de padre casamentero?

—Sí pero no le hacen la hipoteca porque ya tenía hecha otra...[2]

—Hiciste mal en encargarte de esa chica.

—Yo soy muy joven para carbonizar mi corazón como tú carbonizaste el tuyo.

Don Mateo se puso en pie y lleno de ira gritó:

—No consiento que aludas al secreto de mi vida, que sabes tú porque eres mi hijo... Sólo te consiento que vayas a la justicia y me denuncies. Esto sí que sería una expiación buena.

La madre, que había oído los gritos, apareció presurosa, pronta a intervenir en favor de la paz.

—¿Discutíais? ¿Qué le has dicho al niño?

1. **¿Te enteras?** *Is that clear?*
2. **pero ... otra** *but they do not give him the mortgage because it was already mortgaged*

—Todo... Cómo su padre es un carbonizado y su madre casi no es su madre, pues yo sólo he podido sacarle pasaporte de Gutiérrez y su madre es la viuda de Aveneros...

—¡Su madre es su madre! —dijo ella abrazándose a su cuello.

5 Durante un rato hubo una escena de lágrimas y reconocimiento mutuo.

Don Mateo, mustio, miraba como si ya no pudiese estar presente en la fiesta de su hijo.

Arrepentido, Jorge, después de haber visto el sacrificio de su 10 padre no sabía qué hacer, si seguir pidiéndole o prometerle que iba a ganar para él toda su vida.

Pero ¿y el orgullo con que había prometido pagar el torreón de los desposorios?

Jorge estaba triste, con la tristeza de ver a su padre manipular 15 con un cadáver, impregnado de otra muerte, metido en el más difícil de los trabajos para lograr aquel respiro de una fortuna mejor.

Se retiró a su cuarto apesadumbrado, enlutado por su padre el desaparecido, alegre en medio de tanto mal porque no era 20 crimen el crimen que él suponía cometido por su padre, pues el matar a un muerto no es más que profanación.

Don Mateo se quedó a solas con su mujer.

—María —dijo con tristeza—, no podía sospechar que nuestro hijo pudiese colaborar en mi ruina... Presiento que él va a ser 25 la justicia que siempre se cumple aun variando de mundo.[3]

—Exageras —dijo la madre—. No será él quien te denuncie.

—Ya lo sé, pero tiene tal apremio por vivir, va tan a lo suyo que escandalizará y el escándalo es lo único que puede perderme.

30 —Hay que ayudarle.

—Lo ayudaré... Pero mi crimen no sirvió para nada, lo veo con dolor... Él necesita cometer su crimen... Es a mí mismo que ya no soy yo mismo a quien le apremia la vida...[4] No vale para dos vidas un crimen y más si es un crimen tan pequeño 35 como el mío...

—No digas crimen, por Dios... Hiciste valer un muerto para

3. **aun ... mundo** *even when one escapes to another part of the world*
4. **Es ... vida** *It is I, who am no longer myself, whom life is urging*

sacar unas vidas de su miseria.
—Mal auxilio el de un muerto ... Mal protector.
—Hay que casarle con esa muchacha ... Los padres están conformes ... Es hija única ... El viejo necesita un ayudante.
—Todo se hará, pero tengo el presentimiento de que todo va a ser inútil ... le he hecho mi cómplice, pero malo es tener un cómplice aunque sea un hijo ... Tú eres otra cosa ... Tú lo comprendiste todo, mi horror y mi abnegación ... Prueba de ello es que hemos sido felices aun estando bajo esa sombra ...
María lloraba, pero volvió a iluminarse de esperanzas y le dijo:
—Ya verás como todo es para bien ... Ha sido dura la lección que ha recibido el pobre hijo sabiendo la terrible verdad. Déjame ir a consolarle ... Necesita que yo le aclare las cosas, que le haga ver que todo lo hicimos para que él pueda mandar en una vida mejor ...
—Sí, vete ... Es un chico sombrío ... No se le ocurra una mala idea ...[5]
La madre salió por el pasillo hacia la habitación de Jorge y el padre se quedó cabizbajo, presentidor, viendo que alrededor del ciprés que se levantaba en el patio de su casa, merodeaba un enemigo, el extraño que va por lo suyo, el que pide el producto del robo sin haber sufrido su desgarrador peligro, sin haber hecho el terrible esfuerzo.
Jorge era hijo de un muerto, con el desenterrado para reclamar justicia, para nivelar la impunidad de la mala acción.
Y todo había venido por caminos disimulados, por el camino del amor.
El hombre ducho y dramático que era el falso don Mateo sabía que el amor es lo más fuerte de la vida, lo que tiene más exigencias, lo que no perdona obstáculos ni rémoras, lo que salta por todo.
Él no quería tener ningún enemigo y se había metido en aquel revés [6] del mundo como si se hubiese salvado de toda asechanza y ahora por el amor estaba rodeado de enemigos que vigilaban su vida, que le miraban torvamente, que querían adivinar su

5. **No ... idea** *Lest he may think of something rash*
6. **revés** *obscure corner*

pasado, que sospechaban de aquella ocultación en que vivía y que querían cazar sus pensamientos como si fuesen mariposas negras para sonsacarles la verdad.

VIII

La vida de las quince casas, apoyándose mutuamente, iba con-
5 siguiendo el vivir feliz, recibiendo en sus terrazas y en sus patios el maná de América, como recogiendo todos los días una pulpa de frutas nuevas que si venían un día de Río Negro *, otro día venían de Bogotá * y otro del inmenso Brasil * lleno de un polen ambarino y dulce.

10 Cada nube que pasaba abría su entraña y aprovechaba un grupo de habitantes para abrir sobre ellos su entraña y los días pasaban colmados, prósperos con un proyecto de mundo [1] del que sólo eran los primeros y escasos pobladores.

La ciudad avanzaba con casas nuevas y fábricas y faroles
15 grandes y puentes y caminos de asfalto, cercándoles ya y amenazando con disgregarles y poner sus casas en hilera obligándolas a una formación que no tuvieron en cuenta cuando los albañiles que las hicieron no abrigaban noción de por dónde había de estar la acera de la derecha ni la de la izquierda.

20 Don Mateo y el paralítico, que eran los más sedentarios, los que no iban nunca a la ciudad, tenían miedo de ese venir de la ciudad hacia ellos.

El paralítico a la puerta de su casilla miraba la construcción de nueve pisos que ya se anunciaba en los contornos como una
25 amenaza y parecía que quisiera exigirle que prescribiese su parálisis.[2]

—¿Ve usted? —le solía decir a don Mateo—, viene por nosotros.

Y parecía la construcción como una gran ola de un río inmenso
30 de América que hubiese roto sus compuertas.

Tenía una dureza especial aquel alud de cemento armado y exigía que se casasen los casanderos, que dejasen de estar ciegos

1. **un proyecto de mundo** *a blossoming world.* These two paragraphs refer to the prosperous situation prevailing in the scene of the novel, reflecting the abundance and fertility of America.
2. **y...parálisis** *and it seemed to demand from him that he give up his paralysis*

los ciegos, que los paralíticos saliesen por su pie.[3]

—Nosotros, a quienes nos gusta el campo —decía don Mateo al paralítico—, debimos escoger un sitio más en el interior... Pero fuimos cobardes y aprovechados... Queríamos tener al mismo tiempo las ventajas de la ciudad y las ventajas del campo...

El paralítico y su vieja madre eran los más inquietos y se oía caminar por el patio a altas horas de la noche como si el mismo paralítico anduviese, pues era un paso fuerte y sonoro el que se oía persistir en un ir y venir incansables.

Don Mateo había llegado a tal tolerancia con el género humano que guardaba como un secreto el misterio de aquel ambular sospechoso noches enteras.

Todos se debían solidaridad allí y por eso no perdonaba a la vieja Bander, que después de haber sido tan amiga de su mujer y de haber entrado en la casa, era ahora su mayor enemiga, cada día más, pues había llegado a dar parte al comisario de que tenía unos chanchitos en el gallinero y se los había hecho matar.

En la sonrisa cruel de aquella vieja, en que le miraban con odio otras razas que no comprendían lo español, veía una amenaza escondida, una espera de un plazo que no sabía cuándo iba a llegar pero de cuyo almanaque ella arrancaba una hoja todos los días.

Se acordaba de un proverbio malayo que le trajeron de Filipinas sus abuelos y que decía: "No tengas trato con viejas ni permitas que entren en tu casa. ¿Acaso tendrías tratos con un tigre? ¿Dejarías que se introdujese en tu hogar?"

La vieja Sura siempre que podía ofendía a Jorge y atentaba con cuantas mezquindades podía con la que pudo ser su nuera.[4] Si hubiera tenido un cañón hubiera destruído el pabellón que había añadido su hijo a la casa del turco.

Otra cosecha de nardos había llegado y así la primavera se parecía al otoño, pues los nardos florecen dos veces y enlazan en la memoria estaciones distanciadas.

Todos agradecían al turco sus arriates con nardos y las lunas de esas temporadas eran como renovadas novias con azahar de

3. **saliesen por su pie** *should walk*
4. **y atentaba ... nuera** *and she tried to be as mean as she could to the one who might have been her daughter-in-law*

nardos.

Con la bendición y bonanza de los nardos se sentían perdonados de todos sus pecados y América era el nuevo oriente al mismo tiempo que el nuevo occidente.

5 Aquel jubileo de las noches enardecidas por el olor de los nardos [5] les hacía sentirse en un mundo aun no empedernido por viejos pecados y al que sanaba el alma su mucho espacio vacío, su aire depurado por los matorrales espesos, por una inmensa soledad llena sólo de la presencia incontaminable de Dios.

10 La noche tenía curiosidad por aquellas banderillas que se clavaban en el alma [6] y parecía detenerse en aquel lugar y como no tenía prisa se ponía a oler, a sacar más olor del olor junto a los canteros del turco.

Si en su país de origen ya pasaba resbalando sobre los nardos, 15 allí se apeaba de sus caballos azules y sentía alrededor una expectación que le era muy grata.[7]

Así los días aquellos, así la nueva paz y el nuevo reflorecimiento del amor y de los amores, en la segunda estación de los nardos, una tarde se produjo un sobresalto como de incendio 20 que cuando se quiere recordar lo tiene invadido todo.[8]

—¡La policía! ¡La policía! —gritaron los chicuelos que venían corriendo desalados, con la lengua fuera como perros.

Comenzaron a oírse portazos, golpes de ventana, vientos sigilosos que huían.[9]

25 Don Mateo, sentado a su puerta, vió cómo el paralítico se ponía a salvo, ágil como no lo era él mismo y quitándose sus botas de inválido se puso las zapatillas de su vieja madre —como si fuesen zapatillas de bruja— y echó a correr mientras gritaba:

—¡Vienen por mí! ¡Vienen por mí!

30 Don Mateo se dió cuenta que hay dos delincuencias, una que se entrega y otra que huye. Él era de los que se entregan.

5. Notice the play on words: *enard*ecer and **nardo**
6. **aquellas banderillas . . . alma:** The metaphor here expresses the sticking of the nard stems into the soul the way in which the **banderillas** are stuck into the bull.
7. **La noche** continues to be the subject, personified.
8. **una tarde . . . todo** *one afternoon there took place a startling event, an event like a fire, which, by the time one detects its presence, has already invaded everything*
9. Refers to the invisible people, fleeing and banging the doors and windows as does the wind sweeping through the houses.

El paralítico, al huir, había llamado la atención de los policías y corrieron tras él, pero entonces vió don Mateo que aquel bulto que siempre llevaba atado a la muñeca del brazo derecho era una pistola, la pistola prevenida.

Sonaban tiros en dirección a la hondonada por donde iba el 5 tren y hacia donde saltó el paralítico sin dejar de disparar mientras cubría su retirada.

—¡El tal Gutiérrez[10] se nos escapó! —dijo el jefe de facción.

La vieja señora Bander que presenciaba la cacería en medio del pánico de todos, dijo: 10

—¡Ése no era Gutiérrez . . . , Gutiérrez es aquél!

Don Mateo, que se había quedado como con la parálisis de su amigo y vecino, al sentirse señalado por el dedo de la vieja vengadora, se asentó más en su butaca esperando el último toque de manos de la fatalidad. 15

Los policías se dirigían hacia él . . .

—¿Es usted el que se llama Mateo Gutiérrez . . . ?

—Sí, yo soy . . .

—Tenemos órdenes de la policía de España para que le detengamos. Alguien le ha denunciado allí y han comprobado que 20 sus huellas digitales corresponden con las de un muerto . . . Ahora vamos a saber si es usted el muerto o el vivo . . .

Jorge abrazó a su padre y la dolorosa María no quería dejarle ir.

—No hay más remedio . . . Ya volveré . . . Es una estafa y el 25 delito está prescrito . . . No es más que una estafa . . . Todos saben lo que es eso . . . Yo ni maté ni robé a mano armada.

—¿Pero quién es el que ha huído disparando y baleándonos? —preguntaba el comisario.

—El hijo de esa mujer —volvió a señalar el dedo inexorable 30 de la vieja Bander, la Euménide * de las quince casas.

El comisario agarró de un brazo a la vieja mujer.

—¿Quién era su hijo?

—Yo le llamaba Pibe . . .

—Hay tantos pibes malevos . . . lo importante es el mote que 35 lleve el Pibe.

—Por eso no le fué tan dura su vida, porque le llamaban pibe como su madre . . .

10. **¡El tal Gutiérrez** *That fellow Gutiérrez*

—¿Y qué añadían?

—Indáguenlo . . . Es su obligación.

El comisario gritó en voz alta:

—¿Alguien sabe cómo se llamaba este pibe? ¿Su alias?

5 —Nosotros le llamábamos el paralítico —dijo alguien.

—¡Valiente paralítico! [11] Pero yo necesito un nombre.

—Fernando —dijo un rapaz.

—¡Ah! El pibe Fernando, ¡gran prontuario!

—Señora, véngase con nosotros y traiga sus papeles —dijeron a 10 la anciana que andaba descalza.

—¿Pero por qué anda así? —le preguntaron.

—Porque mi pobre hijo se llevó mis zapatillas para huir . . . Que le duren mucho, así se acordará de mí . . .

El camión policial se acercó al ángulo de las casillas y se 15 tragó a todos, policías y delincuentes, saliendo después para la ciudad, la ciudad que temían, tanto el que pudiendo huir no había huído como el que al parecer imposibilitado había tenido más posibilidades que nadie.

En la falsa plazoleta de las quince casas quedaba el desmayo 20 de Xenia, la tristeza de Jorge, el naufragio de María y entre la consternación general una sola persona que sonreía, la vieja Bander, la que había enviado a España el viejo pasaporte de don Mateo, donde Jorge era un niño de falditas, aporte inocente en los pecados de un amor traicionado.

11. **¡Valiente paralítico!** *A fine paralytic!*

Cuestionarios

NOTE TO THE TEACHER:

The following exercises have been devised with the idea of avoiding as much as possible having the student translate directly from the text. The questions are devised to check the comprehension of the student. Certain exercises give Spanish sentences, slightly changed from the original text, which will help the teacher spot-check for various difficult idiomatic passages. Several further exercises have been set up for the proper understanding of certain Spanish idioms and their correct use. Although only one type of the latter exercise has been given per chapter, the teacher is encouraged to use the other types of exercise in each chapter, thus increasing their number in case of larger classes. Another device recommended is to have the student, either orally or in writing, give a résumé of each chapter or section after the first set of questions has been answered, using as the basis for his résumé his answers to these questions.

El piano

I (pp. 36–43)

I. Conteste en español con frases completas:

1. ¿En qué estación del año comienza la historia?
2. ¿Por qué no se fiaba la vieja de los chiquillos?
3. ¿Quién era la señorita Rosa?
4. ¿Por qué hablan tanto las vecinas de la señorita Rosa?
5. ¿Qué ocasionó el cambio de actitud de las vecinas hacia la pareja?
6. ¿Qué sucedió de pronto aquel día de junio?
7. ¿Qué vió la señora Getrudis mientras sacaban el piano de la casa?

II. Find the proper idiom in B and use it correctly in A:

A	B
1. Rosa *missed* her piano.	1. según
2. The child stood *beside* the stall.	2. a pesar de
3. *In spite of* the heat they continued to look.	3. tener tipo de
4. The child *looked like* (a) fool.	4. echar de menos
5. *According to* the rules she was wrong.	5. al lado de

II (pp. 43–46)

I. Conteste en español con frases completas:

1. ¿Por qué mira Rosa a la portera con tanta atención?
2. ¿A qué juegan los chiquillos de la vecindad?
3. ¿Por qué llaman "gallina" al hijo de Rosa?
4. ¿Por qué no le gusta a Rosa que su hijo juegue con los vecinos?
5. ¿Cómo sube Rosa las escaleras de su casa?

II. Use the following idioms in original Spanish sentences:

1. frente a
2. a veces
3. de pequeño
4. ser muy propio de
5. ponerse en pie
6. ir de compras

III (pp. 46–52)

I. Conteste en español con frases completas:

1. ¿De qué se siente Rosa ligeramente culpable?
2. ¿Qué deseaba Rafael?
3. ¿Por qué no le gustaba a Rosa vivir con su tía rica?
4. ¿Por qué está Rosa tan contenta esa mañana?
5. ¿Quién tiene que levantarse para ir al trabajo?
6. ¿Por qué Rosa les tenía miedo a las criadas?
7. ¿Qué se decide a hacer Rosa esa mañana?

II. Give the idiomatic English equivalent for the following:

1. La puerta está abierta de par en par.
2. La culpa es de ese muchacho que no sabe nada.
3. No te hagas ilusiones. No espero pasarlo mal.
4. Si no estudias, el día de mañana te suspenderán.
5. A poco volvió con su libro en la mano.
6. En el cuarto de al lado hacen mucho ruido.

IV (pp. 52–57)

I. Conteste en español con frases completas:

1. ¿Qué estuvo Rosa en un tris de hacer?
2. ¿Qué le gustaba mucho hacer a Rosa?
3. ¿Por qué le dice doña Micaela a Rosa que ha tirado una fortuna por la ventana?
4. ¿Cuántas clases de pobres hay según Rosa?
5. ¿Por qué se enojó Rafael con Rosa?

II. Find the proper idiom in B and use it correctly in A:

A	B
1. *Every day* she studies for three hours.	1. darse cuenta de
2. *I feel like* going to the movies.	2. querer decir
3. They don't know what *it means.*	3. en alta voz
4. She *often* forgets her books.	4. todos los días
5. *We don't realize* what we have.	5. tener ganas de
6. Read the sentences *aloud.*	6. a menudo

V (pp. 57–63)

I. Conteste en español con frases completas:

1. ¿Cuál fué la disposición del testamento de doña Micaela?
2. ¿Cómo reaccionó Rosa?
3. ¿Qué le disgustó más a Rosa en la actitud de su marido?
4. ¿Por qué una noche cogió Rafael la puerta de la calle?
5. ¿Por qué no podía dormir Rosa?
6. ¿Qué decisión hace la pareja con respecto al piano?
7. ¿Cómo bautizaron la nueva habitación?
8. ¿Por qué miraban a veces hacia la puerta del salón?

II. Give the idiomatic English equivalent for the following:

1. Rosa y Micaela estaban casi en paz.
2. Luisa se llevó un gran disgusto.
3. Jacinto toca muy bien el piano para su edad.
4. Me pagará a plazos.
5. A todos les daba gusto verlo desde la puerta.
6. En esta vida siempre se sufren vaivenes.
7. Hablemos en serio de la situación.

VI (pp. 63–71)

I. Conteste en español con frases completas:

1. ¿Qué cosas compra Rosa esa mañana?
2. ¿Qué le recuerda a Rosa el olor de los libros nuevos?
3. ¿Qué quiere olvidar Rosa?
4. ¿Por qué sale Rosa de su casa un día de nieve?
5. ¿Qué le dice a Rosa la mamá del niño muerto al darle la medicina?
6. ¿Cómo reacciona Luisa cuando Rosa le dice que no le podrán pagar en algún tiempo?
7. ¿Por qué anima Rafael a Luisa para que cuente cuentos?
8. ¿Por qué se quejaba Rafael agriamente a Rosa?
9. ¿Por qué decide Rosa vender el piano?
10. ¿Qué proyectos se hacen con el dinero de la venta?

II. Use the following idioms in original Spanish sentences:

1. por encima de
2. en medio de
3. fijarse en
4. en seguida
5. en realidad
6. al menos
7. de pronto
8. por ningún lado
9. de nuevo

VII (pp. 71–75)

I. Conteste en español con frases completas:

1. ¿Por qué le dice Luisa a Rosa que tuvo suerte de venir tan tarde?
2. ¿Qué regalo le trae Rosa a Luisa?
3. ¿Para qué quiere Luisa los guantes?

4. ¿Qué siente Rosa al llegar a la casa?
5. ¿Qué nota Rafael?
6. ¿Por qué llora Rosa?
7. ¿Qué le confiesa Rosa a su marido?
8. ¿Cómo reacciona Rafael para consolar a su esposa?

II. Give the idiomatic English equivalent for the following:

1. No mime tanto al niño porque se ha portado muy mal.
2. A Rosa no le alegra nada la charla con su marido.
3. Aunque no haya ido nunca a Madrid sé que es muy bella.
4. Por fin alcancé a ver cómo se llevaban mis muebles.
5. ¿Qué importa que se hayan llevado mis libros?
6. Estas enfermedades se pegan mucho.

Timoteo, el incomprendido

I (pp. 78–79)

I. Conteste en español con frases completas:

1. ¿Por qué le pegó Timoteo una patada a una de las vecinas?
2. ¿Cómo reacciona el marido de ésta?
3. ¿Cómo se puso la dueña del puesto de chufas?
4. ¿Qué oficios hizo el vendedor de mecheros?
5. ¿Qué hacen los dos hombres?

II. Give the idiomatic English equivalent for the following:

1. ¡No se meta usted conmigo!
2. Timoteo se encontró con su gran amigo el sueco.
3. ¿Sabe usted si está Timoteo?
4. El hombre, todo acalorado, subió las escaleras.

II (pp. 79–81)

I. Conteste en español con frases completas:

1. ¿Qué hizo la dueña del puesto de chufas?
2. ¿Qué quiere decirle al señor comisario?

3. ¿Por qué no se sabe bien lo que pasó en el despacho del señor comisario?
4. ¿Cómo explicó la dueña del puesto lo que le sucedió en la comisaría?
5. ¿Qué confusión había?
6. ¿Quién le arregló la cosa a la dueña del puesto?
7. ¿Qué dice el comisario de la dueña del puesto?

II. Give the correct English equivalent for the following reflexive expressions:

1. se puso su mejor sombrero
2. se recortó el pelo
3. se puso a pensar
4. se quitó los lentes
5. ¿cómo se llama usted?

III (pp. 81–83)

I. Conteste en español con frases completas:

1. ¿Qué probó a hacer Timoteo?
2. ¿Qué explicación da Timoteo a la dueña del puesto?
3. ¿Qué le contestó la dueña?
4. ¿Adónde fué Timoteo después?
5. ¿Qué hicieron los dos hombres?
6. ¿Cómo reacciona el mecánico de radios a las palabras de Timoteo?

II. Use the following idioms in original Spanish sentences:

1. acercarse a
2. ¡ya lo creo!
3. a medida que
4. atreverse a
5. echarse de ver
6. en seguida

IV (pp. 83–87)

I. Conteste en español con frases completas:

1. ¿De dónde era natural Timoteo?
2. ¿Qué ocupaciones había tenido Timoteo?
3. ¿Quién metió a Timoteo en la escultura abstracta?
4. ¿Por qué estaba en Cebreros doña Ragnhild?
5. ¿Qué se estableció entre Timoteo y doña Ragnhild?
6. ¿Por qué no entendió Timoteo la frase de doña Ragnhild?
7. ¿Qué notó Timoteo?

8. ¿Por qué empezaron a reírse a grandes carcajadas?
9. ¿Qué le preguntó a Timoteo la característica de la compañía?

II. Choose in B the proper idiom and use it correctly in A:

A	B
1. *At present* he is a barber.	1. casarse con
2. *He acquired a taste for* olive oil.	2. llamarse
3. She *became* serious.	3. en la actualidad
4. Mary *married* John.	4. ponerse
5. *Call me* Teo, please.	5. coger el gusto a
6. *After a week* she left.	6. en ocho días

V (pp. 87–88)

I. Conteste en español con frases completas:

1. ¿Qué hacía Timoteo en los primeros tiempos de casado?
2. ¿Para qué se ganaba con el negocio?
3. ¿Qué le dice doña Ragnhild a su marido?
4. ¿Por qué se preocupa Timoteo?
5. ¿Qué hicieron al día siguiente?
6. ¿Quién era la encargada de bautizar las obras?

II. Give the idiomatic English equivalent for the following:

1. El producto que yo corro es muy bueno.
2. Los artistas no se pertenecen.
3. A Timoteo le gusta meter baza.
4. En feo se parecía a Adonis.
5. Ya me hago cargo de la situación.
6. No te incomodes, pero no voy a salir contigo.

VI (pp. 89–90)

I. Conteste en español con frases completas:

1. ¿En qué influye mucho la costumbre?
2. ¿Qué hacía doña Ragnhild cuando Timoteo no trabajaba?
3. ¿Por qué la gente empezó a tratar con respeto a la sueca?
4. ¿Qué hizo la pareja para ayudarse un poco?
5. ¿Cómo terminó el negocio de las setas?
6. ¿Qué hizo doña Ragnhild con el dinero de la maleta?

II. Use the following idioms in original Spanish sentences:

1. a fuerza de
2. tomarse
3. gastar bromas
4. quedar hecho
5. llegar a + *inf.*
6. trascender

VII (pp. 90–91)

I. Conteste en español con frases completas:

1. ¿Quién invita a Timoteo y a su mujer a una horchata?
2. ¿Qué le sorprende a Timoteo?
3. ¿Está Matilde de acuerdo con su marido?

II. Find in B the proper idiom and use it correctly in A:

A	B
1. They greeted each other *very courteously.*	1. ir tirando
2. They said *they were getting along.*	2. sí que
3. One can *really* breathe here!	3. muy finos
4. *They began to walk* together.	4. ponerse a pasear

VIII (pp. 91–93)

I. Conteste en español con frases completas:

1. ¿Cuándo echaba doña Ragnhild a los realquilados de la cocina?
2. ¿Quién pone motes a los realquilados de Timoteo y de doña Ragnhild?
3. ¿Quién tomó el partido de Timoteo cuando lo de la patada?
4. ¿De qué se alegra madame?

II. Give the idiomatic English equivalent for the following:

1. La señora Aureliana no tenía más que lo puesto.
2. Nadie sabe de dónde saca todo su dinero.
3. Pili se pasa el día durmiendo.
4. Pegarle una patada a una señora no es de caballeros.

IX (pp. 93–95)

I. Conteste en español con frases completas:

1. ¿Qué hizo Timoteo cuando tuvo algo de obra?
2. ¿A qué se dedica la A.A.A.?
3. ¿Cómo era el catálogo de Timoteo?
4. ¿Qué le dicen los amigos a Timoteo?
5. ¿Por qué discuten dos de los amigos?

II. Use the following idioms in original Spanish sentences:

1. por lo menos
2. poco más o menos
3. poco a poco
4. no . . . más que

X (pp. 95–98)

I. Conteste en español con frases completas:

1. ¿Qué logró Felipe con la ayuda de Pío?
2. ¿Qué hizo Felipe para aclarar la voz?
3. ¿Por qué se pasaba Felipe las noches de claro en claro?
4. ¿Qué hizo una mañana en la oficina?
5. ¿Qué hace el teniente cuando saca a relucir el grado?
6. ¿Qué le pasa a Felipe?

II. Find the proper idiom in B and use it correctly in A:

A	B
1. *During the day* he studies.	1. estar metido en
2. *He is so immersed in* his rôle!	2. a lo mejor
3. *I am about to tell you* that you are an idiot!	3. por el día
4. *The chances are* he is not in.	4. estar por decirle
5. *She fell unconscious* on the floor	5. en cuanto
6. *As soon as* she comes in give her this.	6. caer redondo

XI (pp. 98–102)

I. Conteste en español con frases completas:

1. ¿Para qué fueron a Conga doña Ragnhild y Timoteo?
2. ¿Con quiénes se encontraron allí?
3. ¿A qué invita Timoteo a las cuatro chicas?
4. ¿Cuál de ellas es muy curiosa?
5. ¿Qué papel hace la señorita Pili?

II. Give the Spanish for the following:

1. in the next house
2. on the table
3. upon seeing them come
4. the pleasure is ours
5. where are you from?

XII (pp. 102–104)

I. Conteste en español con frases completas:

1. ¿De qué se acordó doña Ragnhild por el camino?
2. ¿Cómo iba Timoteo?
3. ¿Qué sorprende a Timoteo?
4. ¿Quiénes estaban ya en los salones de la A.A.A.?
5. ¿A qué hora dió el encargado todas las luces?
6. ¿Cómo estaban los amigos de Timoteo?

II. Find in B the proper idiom and use it correctly in A:

A	B
1. *The following day* he arrived late.	1. decir bueno a
2. Let's go into any restaurant *around here.*	2. al día siguiente
3. *Besides,* I didn't bring my hat.	3. creer que sí
4. He wanted to have a drink *to kill time.*	4. además
5. Have they arrived? *I think so.*	5. hacer tiempo
6. *He agreed to* everything.	6. de por aquí

XIII (pp. 104–105)

I. Conteste en español con frases completas:

De siete a nueve, como en las exposiciones de la A.A.A.,

1. ¿qué hacen los soldados?
2. ¿qué hacen los señoritos?
3. ¿qué noticias salen en los periódicos?
4. ¿qué sucede a veces?
5. ¿qué no sucede nunca?

XIV (p. 106)

I. Conteste en español con frases completas:

1. ¿Qué gesto tenía Timoteo?
2. ¿Qué hizo doña Ragnhild?
3. ¿Qué entendió Timoteo?
4. ¿Qué hizo Timoteo al llegar a casa?

II. Use the following idioms in original Spanish sentences:

1. en medio de
2. en pequeño
3. a pesar de
4. a los cinco minutos

XV (pp. 106–111)

I. Conteste en español con frases completas:

1. ¿Qué sucedió mientras Timoteo dormía?
2. ¿Quién está al lado de Felipe dándole ánimos?
3. ¿Cómo era el locutor?
4. ¿Por qué hacen mucho ruido en el gallinero?
5. ¿Por qué estalló el público en un aplauso frenético?
6. ¿A quién dedica Felipe el verso que va a recitar?
7. ¿Qué hacía doña Ragnhild mientras escuchaba "Fiesta en el aire"?
8. ¿Qué hace Esperancita al besar a sus nenes?
9. ¿Con qué soñaba Timoteo mientras tanto?

II. Give the idiomatic English equivalent for the following:

1. Perdió la voz a consecuencia de un resfriado.
2. ¡Más alto, para que lo puedan oir!
3. Saltaba a la vista que él no era tonto.
4. Timoteo dijo por lo bajo que no le importaba.
5. Desde aquí se ve muy bien.
6. No quiero que usted le diga nada a nadie.

XVI (pp. 111–116)

I. Conteste en español con frases completas:

1. ¿Por qué está el café mejor que otros días?
2. ¿A qué hora se acercaron Timoteo y doña Ragnhild a la exposición?
3. ¿Por qué le da un brinquito el corazón a Timoteo?
4. ¿Quiénes llegan a las siete y cinco?
5. ¿Quién guía a los demás?
6. ¿Quiénes entran a las ocho menos veinte?
7. ¿Qué opinó la señorita Conchi?
8. ¿A qué hora apareció madame?
9. ¿Quién más entró?

II. Find in B the proper idiom and use it correctly in A:

A	B
1. How *good* the coffee *tastes!*	1. meterse
2. This coffee *is good!*	2. no importar
3. *It isn't my fault* if they don't like it.	3. estar bueno
4. *Let's go in* here to eat.	4. ser bueno
5. They were all serious, somewhat scared, *even.*	5. no ser . . . culpa
6. *I don't care* if you can't use it.	6. incluso

XVII (pp. 116–117)

I. Conteste en español con frases completas:

1. ¿Por qué estaban alarmados los amigos de Timoteo?

2. ¿Qué faltaba en la habitación de la pareja?
3. ¿Dónde fueron localizados?

II. Give the idiomatic English equivalent for the following:

1. Allí tampoco están.
2. Nada faltaba en la casa.
3. Nadie volvió a saber nada de ellos.
4. Los periódicos habrían anunciado el accidente.
5. Al cabo de un mes regresó a su casa.

La vocación

I (pp. 120–122)

I. Conteste en español con frases completas:

1. ¿Por qué dice don Pedro que su hijo ya tiene determinado lo que ha de ser?
2. ¿En qué mes comienza la historia?
3. ¿Por qué iba preocupado don Pedro?

II. Give the idiomatic English equivalent for the following:

1. A los hombres no se les debe consentir que discutan tanto.
2. ¡Déjelo que haga lo que quiera!
3. Hay que tener más cuidado con los niños.

II (pp. 122–129)

I. Conteste en español con frases completas:

1. ¿Cómo llamaban sus amigos a don Pedro?
2. ¿Por qué no durmió bien don Pedro aquella noche?
3. ¿Quién fundó la Siderúrgica Ibaizábal?
4. ¿Quiénes dirigieron la fábrica?

5. ¿Quién le decía a Pedro cuando joven que el día de mañana tendría que dirigir la fábrica?
6. ¿Adónde acordaron mandar a Perico?
7. ¿Por qué no tenía tiempo el padre de preocuparse de su hijo?
8. ¿Por qué vendió Perico todos sus cuadros?
9. ¿Quién era el ídolo de Perico?
10. ¿Qué efectos tuvo el botellazo que dió Perico a su amigo?
11. ¿Cómo trata de excusar Perico el fracaso del retrato de su madre?
12. ¿Por qué no se preocupa el padre de la actitud de Perico?
13. ¿Qué decide Perico un día?
14. ¿Por qué dice don Pedro que su hijo será una lección para él?

II. Find in B the proper idiom and use it correctly in A:

A	B
1. *He studied medicine* without success.	1. atreverse a
2. *He has no fondness* for music.	2. importarle (algo a alguien)
3. *At that time* he decided to leave the city.	3. tomar
4. The war *broke out* in May.	4. cursar la carrera de
5. What *do you care about* painting?	5. por aquella época
6. *He engaged* a secretary.	6. ya + *fut. of* cambiar
7. *He didn't dare* to exhibit.	7. tener afición a
8. *He will change by and by.*	8. estallar

III (pp. 129–133)

I. Conteste en español con frases completas:

1. ¿Quiénes están discutiendo?
2. ¿Por qué quiere el padre que el hijo abandone la pintura?
3. ¿Por qué llama la madre de Alfonso a sus amigos?
4. ¿Qué explicación da don Pedro a su mujer sobre la ausencia de Alfonso?
5. ¿Qué medidas quiere tomar la madre?

6. ¿Qué aconseja tío Luis?
7. ¿Por qué cobra la vida una dimensión nueva para la madre?

II. Use the following idioms in original Spanish sentences:

1. no más que
2. qué ir a ser de
3. figurarse
4. tomar medidas
5. tener edad
6. dar parte a

IV (pp. 133–140)

I. Conteste en español con frases completas:

1. ¿Qué hora era cuando recibieron el telegrama?
2. ¿Cómo reaccionó don Pedro?
3. ¿En qué van los padres de Alfonso a Florencia?
4. ¿Cómo ha encontrado el médico a Alfonso?
5. ¿Cómo trata la madre a su hijo?
6. ¿A dónde fué el padre?
7. ¿Qué significa Florencia para don Pedro?
8. ¿Qué recibió don Pedro de su fábrica?
9. ¿Cuál era la visita preferida de don Pedro?
10. ¿Quién pintó "La muerte y funerales de San Francisco"?

II. Give the idiomatic English equivalent for the following:

1. El telegrama fué cursado desde Londres.
2. No he podido dar con mi hermano.
3. El niño se puso a llorar.
4. La puerta da al jardín de la casa.
5. A los pies de la cama había una silla.
6. Mandó que llamase a sus padres en seguida.
7. Desde lo alto de la torre se veía toda la ciudad.
8. ¡Cuántos en el mundo emplean mal su energía!
9. Todas las chicas le guiñaban el ojo al pasar.
10. Por vez primera no supe qué decir.

V (pp. 140–142)

I. Conteste en español con frases completas:

1. ¿Qué es lo que más le ha gustado a don Pedro?
2. ¿Desde dónde pueden contemplar la ciudad?

3. ¿Qué quiere don Pedro que haga su hijo?
4. ¿Quién despide a don Pedro y a su esposa?

II. Find the proper idiom in B and use it correctly in A:

A	B
1. *What is the matter?*	1. al atardecer
2. *At sundown* the city was lovely.	2. a la hora de la comida
3. *He saw them to* the door.	3. de modo que
4. *So,* you don't want to do it?	4. pasar
5. *At dinner time* he went home.	5. despedir

VI (pp. 142–145)

I. Conteste en español con frases completas:

1. ¿Con quiénes mezclan los críticos el nombre de Alfonso?
2. ¿Quién invita a Alfonso para que cuelgue sus cuadros?
3. ¿Cómo interpreta don Pedro la frase de Alfonso?
4. ¿Qué se reprocha don Pedro?
5. ¿Qué único cuadro ha traído Alfonso consigo?
6. ¿Por qué dice don Pedro que el cuadro es demasiado grande para "la entrada"?
7. ¿En qué está inspirado el cuadro?
8. ¿Qué título tiene el cuadro más famoso de Alfonso?
9. ¿Por qué dice don Pedro que ha roto "su propia obra"?

II. Use correctly the following idioms in original Spanish sentences:

1. de repente
2. ganar la partida
3. así las cosas
4. eso es
5. ser apto para
6. dentro de poco
7. faltan . . . horas para

El turco de los nardos

I (pp. 148–152)

I. Conteste en español con frases completas:

1. ¿Qué era lo primero que se encontraba como a la entrada del caserío?
2. ¿Qué sorprendía al transeúnte en aquel paraje?
3. ¿Quiénes daban carácter al barrio?
4. ¿Cuáles eran las familias destacadas del caserío?
5. ¿Por qué era Muley Yrak el principal personaje de la colonia?

II. Find in B the proper idiom and use it correctly in A:

A	B
1. *Near* the entrance there was a chair.	1. querer decir
2. I don't know what *it means.*	2. lo malo
3. It passes *through the middle.*	3. por todos lados
4. That is *the bad thing.*	4. como a
5. *Everywhere* there are trees.	5. por en medio
6. *At least* I have my pride.	6. dar con
7. *I can't find* my book.	7. a veces
8. *At times* I get bored.	8. por lo menos

II (pp. 152–157)

I. Conteste en español con frases completas:

1. ¿Qué sucedía en las noches de viento?
2. ¿Qué indicaba a los habitantes del caserío que había pasado el medio día?
3. ¿Cuál es el verdadero nombre de Mateo Gutiérrez?
4. ¿Qué consolaba a Gutiérrez?
5. ¿Qué hizo un día el hijo de los Bander?
6. ¿Qué propuso el arquitecto al padre de Xenia?
7. ¿Qué era lo único que atraía a Xenia?

8. ¿Por qué miró don Mateo con espanto a su hijo?
9. ¿Por qué tuvo que interponerse la madre entre padre e hijo?
10. ¿Por qué llora Jorge?

II. Use the following idioms in original Spanish sentences:

1. por eso
2. como si
3. con aire de
4. sin embargo
5. alguna vez
6. presumir de
7. en medio de
8. de ninguna manera
9. en vez de
10. en cuanto

III (pp. 157–162)

I. Conteste en español con frases completas:

1. ¿Por qué esperaban los Wlamik que su hija hubiese salido morena?
2. ¿Por qué aceptaba Jorge la compañía de Nelia?
3. ¿Quién llamó a Jorge una noche?
4. ¿Qué le pide Jorge a Xenia?
5. ¿Qué noticias tiene Xenia?
6. ¿Qué hizo Jorge con el nardo de la solapa?

II. Give an idiomatic English equivalent for the following:

1. Todo se había preparado para que las cosas sucediesen bien.
2. Nelia hacía caso a todos los muchachos del caserío.
3. ¡No sé cómo le gustan a usted tanto los nardos!
4. No se atrevía nunca a hablarle francamente.
5. Aun falta mucho para terminar el libro.
6. Se veía que sólo querían estar solos.
7. Ella no habla más que español.
8. Pelearon cuerpo a cuerpo como locos.

IV (pp. 162–168)

I. Conteste en español con frases completas:

1. ¿Quién es la belleza que descansaba de su persecución?
2. ¿De qué se acordaban algunas de aquellas gentes?
3. ¿Qué causó un revuelo una tarde?
4. ¿Qué vieron los vecinos con ira sorda?

5. ¿Qué hizo Adhara para calmar la excitación del caserío?
6. ¿Por qué se siente Jorge muy ofendido con Nelia?
7. ¿Qué le confiesa don Mateo a su hijo?
8. ¿Cómo reacciona Jorge a las palabras de su padre?

II. Find in B the proper idiom and use it correctly in A:

A	B
1. He *no longer* comes.	1. por eso
2. The book is *behind* the lamp.	2. estar para
3. *For that reason* I don't want to go.	3. en seguida
4. *I was about to* go out.	4. ya no
5. I *immediately* came back.	5. detrás de
6. *You have no reason* to look at me like that.	6. descuidar
7. *Don't worry,* father.	7. no tener por qué

V (pp. 168–173)

I. Conteste en español con frases completas:

1. ¿De qué se acordaban Jorge y sus padres al oir hablar a los turcos?
2. ¿Cómo se había vestido Xenia?
3. ¿Por qué no servía para nada el hermano de Anuar?
4. ¿Qué propone Cristián?
5. ¿Qué costumbre extraña tienen los lituanos y los polacos?
6. ¿Qué hizo Adhara después que rompieron las copas y los vasos?
7. ¿Por qué le dice Xenia a su padre que ya no llorará más?

II. Use the following idioms in original Spanish sentences:

1. por fin	4. de vez en cuando	7. contar con
2. acordarse de	5. más de la cuenta	8. ganar la partida
3. hacer caso	6. ya que	9. de nuevo

VI (pp. 173–177)

I. Conteste en español con frases completas:

1. ¿Qué había jurado doña Sura?

2. ¿Cuál era la principal arma que se manejaba en el conciliábulo?
3. ¿Cómo quiere vengarse Nelia de Jorge?
4. ¿Qué era lo que más gracia les hacía a Xenia y sus amigas?
5. ¿A quién esperaban las cuatro muchachas?
6. ¿Qué les pide Xenia a sus amigas?
7. ¿Qué hace Jorge antes de irse?

II. Give the idiomatic English equivalent for the following:

1. Por el camino venían los automóviles.
2. Él sólo quiere que le paguen los gastos.
3. Los odiaba a todos como si fuesen iguales.
4. Se lo dió para que lo mirase con más cuidado.
5. Se despertó llorando como si hubiese tenido un dolor.
6. Xenia temía que sus padres pudiesen oir la conversación.
7. Si hubiese llegado más tarde no me habría encontrado.

VII (pp. 178–182)

I. Conteste en español con frases completas:

1. ¿Qué le dice Jorge a su padre a la vuelta de uno de sus paseos?
2. ¿Por qué se insolenta Jorge?
3. ¿Por qué pone Jorge una cara de asombro?
4. ¿En qué consiste el crimen de don Mateo?
5. ¿Por qué no le hacen una hipoteca a Yrak?
6. ¿Por qué se retiró Jorge alegre en medio de tanto mal?
7. ¿Qué promete hacer don Mateo?

II. Find in B the proper idiom and use it correctly in A:

A	B
1. His expression *became* tragic.	1. justo es
2. *I have to* pay for it.	2. lo bastante
3. *It is only fair* that I do it.	3. haber de
4. I need *enough* to make the trip.	4. volverse
5. *He stood up* and left.	5. a solas
6. The child remained *alone.*	6. haber que
7. *It is necessary* to do it.	7. ponerse en pie

VIII (pp. 182–186)

I. Conteste en español con frases completas:

1. ¿De qué tenían miedo don Mateo y el paralítico?
2. ¿Qué se oía en casa del paralítico a altas horas de la noche?
3. ¿Por qué se acordaba don Mateo de un proverbio malayo?
4. ¿Qué sobresaltó al caserío una tarde?
5. ¿Qué vió don Mateo?
6. ¿Qué había hecho el paralítico al huir?
7. ¿Qué era lo que siempre llevaba atado a la muñeca del brazo derecho?
8. ¿Quién cree la policía que es el paralítico?
9. ¿Quién le indica a la policía quién es Gutiérrez?
10. ¿Quién resultó ser el paralítico?
11. ¿Quién era la única persona que sonreía?

II. Use the following idioms in original Spanish sentences:

1. tener en cuenta
2. tener miedo de
3. soler
4. cada día más
5. dar parte a
6. tener trato con
7. parecerse a
8. tener prisa
9. echar a + *inf.*
10. dirigirse a

Discusiones literarias

I

1. The actual action of *El piano* lasts a few hours—from breakfast until lunch. There are, however, many digressions. What is the purpose of all these digressions? How does the author accomplish her purpose without giving us the impression of interrupting the course of events? What do all these digressions put together tell us? What has the author gained by telling the story this way rather than in chronological order?

2. How many important characters are there in this narrative? What function does a character such as doña Gertrudis perform? Could this character be eliminated without much damage to the story? How are these persons characterized? Is there much description of their physical appearance? Does the author "get into their minds" and tell us what these characters are thinking about at a given moment? Does she do this with any of the characters? Can it be said that the story develops from a single or a multiple point of view? Is this point of view adhered to throughout the narrative? How effective is the author's chosen technique in developing the story?

3. The first part of the story is devoted to laying the setting and creating a mood. What pertinent details does the author use to attain these?

4. How objective is this narrative? How has the author accomplished the degree of objectivity that has been attained?

5. What would you say is the theme of this short novel? Does the short novel penetrate into any human truth? Why is this short novel called *El piano*? Can the piano be considered some kind of symbol? Is it a universal symbol or a personal symbol? What is the difference between these two?

6. Do you believe that this narrative can justifiably be called a short novel? Why? (Consider this as much as possible from the point of view of the definition given in the Introduction.) Could

it be made into a short story, keeping the same theme and general purpose, by trimming it somewhat? What main elements would have to be suppressed?

II

1. How is the time element treated in *Timoteo, el incomprendido?* Are there any digressions in the course of this narrative? How are these digressions handled by the author? What function do they have?

2. Although the narrative directly concerns Timoteo and his wife, there are other characters who acquire great prominence throughout. What is the function in the story of a character such as Felipe Oviedo de la Hoz? Is his function in any way connected with the intention and theme of this short novel? How so? In what way does the narrative establish a kind of parallel between Timoteo and Felipe? What is the significance of the "triumph" of Felipe and the "defeat" of Timoteo?

3. What is, then, the theme of this short novel? What is the intention of the author? What is the author satirizing? Is the author mainly concerned with a satire on "modern art"? Is he concerned with the choosing of one's profession or occupation? Is he concerned with something which goes beyond the plain satire of these two aspects of life? How specifically is he able to achieve his satirical intention? (Select those passages in which, in your estimation, the author is most successful in satire.) Does the author achieve any pathos? How does this pathos affect the general tone of the narrative? Point out some of the passages where pathos is present.

4. What kind of technique has the author adopted for his narrative? Does he use a single or a multiple point of view? What is he able to achieve through his choice of point of view? Does the author create a mood in the course of the narrative? What kind of mood? How does he create it? What means has the author used to create his characters? Are they all well individualized? Characterized? Do they achieve a certain degree of reality for the reader? Does the author make any use of distortion? If so, for what purpose? Does the characterization of persons and the description of situations resemble a caricature or a

realistic portrayal? Explain your choice in terms of the function that the type of characterization used performs in the narrative (with reference to its theme and tone).

5. Comment specifically on the author's portrayal of the radio announcer of "Fiesta en el aire." How does the author manage to contradict in our minds statements that he makes such as "el locutor era muy simpático y tenía un habla muy campechana . . ." and later, "el locutor, en seguida saltaba a la vista que era muy simpático," and the picture that the reader on his own is able to form and which is intentionally influenced by the "real" attitude of the author, which is not expressed? How is this technique connected with the so-called "objective technique"?

6. Why can this narrative be considered a short novel? What elements make this narrative into a short novel?

III

1. *La vocación* begins when Alfonso is a small child and ends when he has already attained some stature in his chosen profession. There is, however, a long digression towards the beginning. What is the function of this digression? Is it essential to the rest of the narrative? If so, why?

2. In this short novel there are only two important characters through whom the whole conflict and plot are developed. How are these two persons characterized? Is this characterization of the father and the son an essential part of the story? Does the theme of the story depend to a certain extent upon this characterization? Why? Does the author often enter into the minds of his characters? In what sections does he do this and for what purpose? How does the author manage to keep all other characters in the background to the extent that they are almost used as stage properties?

3. How does the epigraph of this narrative, quoted at the very beginning, relate to the theme of the story? What is the theme? How is the theme emphasized by means of the father-son conflict? Is the theme in any way related to a wider social environment or does it only deal with the more limited conflict within the family unit?

4. What kind of technique has the author used for his story?

Has he used a single or multiple point of view? Who is the true protagonist of this short novel? How does the identity of the protagonist affect the point of view adopted by the author?

5. How does a city like Florence help to emphasize the important aspects of this narrative? Is the description of the art treasures of this city essential to the development of the story or does it simply create atmosphere? Is the atmosphere created important in the statement of the theme?

6. Even though the author has kept many of the elements of this narrative to a minimum, why is it still possible to call it a short novel?

IV

1. Of the four short novels in this collection the time element is least important in *El turco de los nardos*. There are no digressions in the narrative. Things which happened prior to the beginning of the story are directly told in a brief form by one of the characters. Why? Why is there a sort of "timeless" quality about this short novel? Does this have to do with the way in which the story is told? How is this story developed?

2. There are quite a number of characters, all of them almost equally important to the development of the narrative, even though the Spaniard's and the Turk's families seem to occupy the center of attention. Why is there this lack of concentration on a protagonist or on a smaller group of characters? Is characterization an important element in this story? Is there much psychological conflict within or between characters?

3. What is, then, the main objective of this short novel? Does it have a theme? Is this theme a very important part of the narrative? Does the theme influence the development of the narrative?

4. Is this narrative objective or subjective? Explain your choice in detail, giving examples. Why has the author chosen this technique for developing the story? Is the element of description important? What does the author achieve through it? Is it an objective description somewhat as a camera may give us? Does the author create a mood through description? What is this mood and what purpose does it serve in the story? What point of

view has been chosen by the author to develop his narrative?

5. Are the *nardos* used symbolically or are they merely used to emphasize a certain mood? What does the author achieve by emphasizing the importance of these flowers? Is anything else in the narrative treated the same way as the nards? What treatment do things (inanimate objects) receive in general?

6. Can you point out elements of humor utilized by the author in this short novel? What purpose does this humor fulfill? How does the author create this humor?

7. Would you call this a realistic story? Are the characters "true to life"? The situations?

8. Do you think that this narrative can justifiably be called a short novel? Why?

GENERAL QUESTIONS

1. Compare the language, style and general treatment of the four short novels and on this basis try to characterize them as to their type: for example, realistic, naturalistic, fantastic, impressionistic, surrealistic, symbolistic, expressionistic, or other.

2. Compare *La vocación* and *Timoteo, el incomprendido,* both of which deal with a similar subject. How have the authors attained such diverse effects? Try to explain why it may be said of one that it is the grotesque caricature of the other.

3. Can it be said that both *El piano* and *El turco de los nardos* are similar stories because both deal with an object which symbolizes the theme of the short novel? Do these two stories have anything in common?

4. Which of these short novels deal with psychological conflicts? How are these dramatized by the authors?

5. Which of these short novels seems to be more concerned with language and style per se? How are these elements emphasized at the expense of others? What general effect does this type of writing produce?

6. Could *El turco de los nardos,* as a story, have been successfully cast in the language and style used in *Timoteo, el incomprendido?* Support your opinion.

Vocabulary-Dictionary

The following types of words have been omitted from this Vocabulary; (a) most of the first 189 words of M. A. Buchanan's *A Graded Spanish Word Book* (Toronto, 1929); (b) easily recognizable cognates; (c) articles, personal and possessive pronouns and adjectives; (d) cardinal numbers; (e) names of the months and days of the week; (f) adverbs in *mente* when the corresponding adjective is included; (g) common diminutives and augmentatives; (h) verbal forms other than infinitive except some uncommon irregular forms or past participles with special meanings when used as adjectives. Genders of nouns have not been indicated in the cases of masculines ending in **o** and feminines ending in **a**.

All words which appear in the text with an asterisk are found in the vocabulary under the corresponding letter.

Abbreviations used:

adj. adjective
adv. adverb
Arg. Argentina
arch. architecture
art. article
aug. augmentative
Bib. Biblical
cap. capital
coll. colloquial
conj. conjunction
def. definite
dem. demonstrative
dim. diminutive
dipl. diplomacy
eccl. ecclesiastical
e.g. for example
elec. electric, electricity
f. feminine
fig. figurative
Fr. French
ger. gerund
hort. horticulture
impers. impersonal
ind. indefinite
inf. infinitive
interj. interjection
It. Italian
Lat. Latin
lit. literally
m. masculine
mil. military
mus. music
myth. mythology
n. noun
naut. nautical
neut. neuter
p. participle
pl. plural
poet. poetical
p.p. past participle
pers. person
prep. preposition
pres. present
pret. preterite
pron. pronoun
sing. singular
v. verb

a at; to; for; in; by; from; on; with; within; after; — **poco** shortly, presently

abajo down, below, under, low; **calle** — down the street; **hacia** — downward; **ventana** — out the window

abandonado,-a abandoned, exposed; discarded

abandonar to abandon, desert, leave; recline; throw away, discard; **—se**

to abandon oneself, give up
abanico fan; **en** — fan shaped
abarcar to take in, encompass, embrace
abatido,-a abject, downcast
abierto,-a *p.p.* of **abrir** open; frank
ablandar to soften
abnegación *f.* abnegation, self-sacrifice
aborrecer to hate, detest, abhor
abortar to abort; avert
abrazar to embrace, hug, throw one's arms around
abrigar to foster (*hopes, notions, etc.*); — **noción** to have an idea
abrigo overcoat, wrap
abrir(se) to open
absoluto,-a absolute, theoretical, ideal; **en** — absolutely, (not) at all
absorto,-a absorbed, entranced
absurdo,-a absurd; *n.m.* absurdity
abuelo grandfather; **—s** grandparents
aburridero *coll.* a source of boredom, a boring place
abusivo,-a abusive (*wrongly used*)
acabar to end, finish; end up; — **de** + *inf.* to have just, finish, stop, succeed in; — **por** + *inf.* to end or finish by; **—se de** + *inf.* to have just; **no** — **de** + *inf.* not quite to + *verb* (*e.g.* ***no acababa de creerlo*** he didn't quite believe it)
academia academy
acaecimiento happening, occurrence
acalorado,-a excited
acalorarse to become excited
acampar to encamp
acaparador,-a monopolizer
acariciar to caress
acaso maybe, perhaps
acatarrarse to catch or take cold
acción *f.* act, action; share of stock
accionistas: reunión de — shareholders' meeting
acechar to watch, spy on
acento tone; accent
aceptable acceptable
aceptar to accept
acera sidewalk
acercar to approach, come near; **—se** **(a)** to approach, draw near (to)
acero (steel) sword
acicalar to dress up, tidy up
acicate *m.* incentive, inducement
aclarar to clear (up)
acometer to attack, overtake suddenly, seize
acompañar to accompany, go with
acompasado,-a rhythmic
aconsejar to advise, counsel
acontecimiento happening, event, occurrence
acordar (ue) to decide, agree upon; **—se (de)** to remember
acorrer to help
acoso relentless pursuit
acostarse (ue) to go to bed
acostumbrar to accustom, be accustomed; **—se** to become accustomed, accustom oneself
acreditar to give a reputation to; credit
acritud *f.* acrimony, bitterness
actitud *f.* attitude
acto action, act
actuación *f.* performance
actualidad *f.* present time; **en la** — at the present time
actuar to perform
acudir to turn to, recur to; — **en ayuda** come solicitously to help
acunar to rock (*to sleep*)
acusar to accuse
achicar to make smaller
achicharrarse to get scorched
adaptar to adapt
adelantar to advance (*money, etc.*); move ahead
adelante ahead; **de ahora (aquí) en** — from now on; **más** — farther on
adelanto payment in advance, advancement
además besides, moreover, in addition, to boot; — **de** besides, in addition to
ad hoc *Lat.* for this object or purpose
adiós goodbye
adivinar to guess, divine
adjetivo adjective
admirar to admire; surprise
admitir to admit, accept
adoquín *m.* paving stone, paving block
adoración *f.* adoration, worship
adorar to adore
adornar to adorn, decorate

adquirir (ie) to acquire
aducir to adduce, argue
adujo *3rd pers. sing. of* aducir
adulación *f.* adulation, flattery
adulciguarse (*v. invented by Zunzunegui*) to become tempered (*lit.*, to become sweetened)
adunarse to meet, unite
adusto,-a stern, sullen
advertencia warning, remark, observation
advertir (ie, i) to warn, advise; observe; point out
aechar to sift
afán *m.* eagerness, zeal
afear to disfigure, make ugly
afectivo,-a affective
afectuoso,-a affectionate
afición *f.* fondness, liking
aficionado,-a amateur
afilar to sharpen
afino refinement (*of metals*)
afirmar to affirm
afligir to grieve
aflojar to let go, loosen
aflorar to crop out, appear
afortunado,-a fortunate
afuera outside; *f. pl. n.* outskirts
agarrar to catch, fasten; hold; **—se (de, a)** to take hold of
agente *m.* policeman; **— de policía** detective
ágil agile, light, nimble
aglomerado agglomerate
agobiar to weigh down, exhaust, oppress; bend, bow
agonía agony, anguish, death struggle
agonioso,-a anxious
agonizante dying
agostar to burn up, wither
agradable agreeable, pleasant, delightful
agradar to please, be pleasing to
agradecer to thank; be thankful or grateful for
agrado affability; pleasure
agrandar to enlarge; **—se** to expand
agredido,-a attacked
agredir to attack, assault
agresividad *f.* aggressiveness, self-assertion
agresor *m.* aggressor
agrietar to crack
agrio,-a sour, soured; sharp, bitter
agrónomo: perito — surveyor
agua water
aguantador,-a enduring
aguantar to endure
aguante *m.* endurance, patience, strength
aguardar to await
aguja needle
agujero hole, opening
aguzar to sharpen; **— el oído** to prick up one's ears
ahí there; **por —** that way, in that direction, over there, around here; about, more or less
ahogar to drown; choke, suffocate
ahogo oppression
ahora now; **— mismo** right now, just now; **— que** but; **de — en adelante** from now on; **por —** for the present
ahuecarse to grow proud, haughty; swagger, put on airs
ahuyentar to drive away, drive out, banish, dispel
airado,-a angry, irate
aire *m.* air; wind; look(s), appearance; **el — libre** the open air; **tomar el —** to get some fresh air, go out for a walk
airoso,-a graceful
aislar to isolate
ajeno,-a strange, different
ajimez *arch.* mullioned window (*window with a slender bar or pier between two or more lights; Moorish*)
ajo garlic
ajorca bracelet
al = a el; al + *inf.* on, upon, when
Alá Allah *Mohammedan name for the Supreme Being*
alambrado wire fence
alarde *m.* display, show
alargar to lengthen, stretch out
alarido shout, yell, outcry
alarmar to alarm
alba dawn
albañil *m.* bricklayer
albañilería masonry, bricklaying
albino,-a albinic
alborotar to agitate, stir up
alboroto disturbance, excitement

alborozado,-a overjoyed
alcalde *m.* mayor
alcancía money-box
alcanzar to reach; fetch; — **a** + *inf.* to manage to
alcista *adj.* bullish (*tending to rise in price*), rising
alcoba bedroom
alcohol *m.* alcohol, liquor
aldeano,-a rustic, peasantlike
alegar to argue, plead
alegrar to gladden, cheer, enliven; **—se (de)** to be glad, rejoice
alegre happy, gay, cheerful, glad
alegría joy, delight, happiness
alejar(se) to keep at a distance, move away
alfombra rug, carpet
alfombrado carpeted
algo something, anything; *adv.* somewhat
algodón *m.* cotton
alianza alliance
aliento breath, air
alimentar to nourish, feed; sustain, encourage
alimento food
alisar to smooth, sleek
aliviar to ease, soothe, relieve
alivio relief
alma soul, heart, spirit, living soul (*person*)
almacenar to store, store up
almanaque *m.* calendar
almena parapet
almohada pillow, cushion
almohadón *m.* cushion, large pillow
alrededor around; — **de** around, about; **a su** — around him, her
alternar to take turns; — **con** to go around with, "rub elbows with"
alto,-a high, lofty, tall; upper; loud; **—as horas** late hours
altura height; stature; prominence
alucinante dazzling
alud *m.* avalanche
aludir to allude, refer to
alumbrar to light; enlighten
alusión *f.* allusion
alza rise, advance (*e.g., in prices*)
alzar to raise, lift; **—se** to get up
allí there; **hasta** — to that point; **por** — that way, around there
ama mistress; — **de casa** housewife
amabilidad *f.* amiability, kindness, politeness; **tener la — de** to be so kind as to
amable amiable, kind
amada lady love, beloved
amamantar to nurse, suckle
amanecer *n.m.* dawn, daybreak; **al** — at daybreak; dawn; *v.* to dawn, begin to get light; start the day
amanecida dawn, daybreak; **en la** — in the early morning
amar to love
amargar to make bitter, embitter
amargo,-a grievous, painful, bitter; *n.m.* maté (*an Argentinian infusion like tea*)
amargura sorrow, grief
amarillento,-a yellowish
amarillo yellow
ambarino,-a amberlike, amber-colored
ambicionar to be ambitious for, have ambitions, strive for
ambicioso,-a ambitious; greedy
ambiente *m.* atmosphere
ambleo short, thick wax candle
ambular to walk, move about
amenaza threat
amenazar to threaten
amigo,-a friendly, cordial; *n.* friend
amigote *coll.* old friend, pal
amolar (ue) to pester, bore
amontonar to heap, pile up, accumulate
amor *m.* love; *pl.* love affair, amour
amoroso,-a amorous
amortecimiento fainting, swoon
amoscarse to become annoyed
amparar to shelter, protect
amplio,-a ample, full, broad, roomy
anagrama *m.* anagram
anales *m.pl.* annals
anarquista anarchist
anciano,-a old; *n.* old man, old woman
anclar to anchor
ancho,-a broad, wide
¡anda! why! goodness!
andar to walk, go, run; to elapse (*said of time*); to be; to be present; — + *pres. p.* a form of progressive (e.g., ***andaban contemplando*** they

were gazing); — **huido** to be a fugitive; — **mal** to be badly off
andén *m.* railway platform
andrajoso,-a ragged, raggedy
andurriales *m.pl.* out-of-the-way places
Angélico, Fray Fra Giovanni of Fiesole, called the Angelico (1387–1455), Florentine painter. One of his famous paintings is the "Coronation of the Virgin" in the Uffizi Gallery in Florence.
angosto,-a narrow
ángulo angle, corner
angustia anguish, distress
angustiado,-a greedy, grasping; distressed
angustioso,-a agonizing, painful
anhelante panting, gasping; eager, longing, craving, covetous
anhelar to crave; gasp
anhelo yearning, longing
animado,-a lively, animated
animador,-a encouraging
animar to encourage
ánimo spirit; nerve; encouragement; **¡ánimo!** courage; **calmar los —s** to quiet things down; **dar —s** to give encouragement to
anís *m.* anisette (*anise-flavored brandy, a favorite Spanish liqueur*)
anochecer *m.* dusk, nightfall
anonimato anonymity
anónimo,-a: sociedad —a stock company
anotar to note, write down
ansia anxiety; **darle — (a uno)** to be concerned
ansiedad *f.* anxiety, concern; desire
ansioso,-a anxious, yearning
ante before, in the presence of
anteanoche night before last
anteayer day before yesterday
anterior previous, preceding
antes *adv.* before, formerly; — **de** *prep.* before; — **(de) que** *conj.* before
anticipar to anticipate, advance; **—se a** to get or be ahead of
antiguo,-a old, antique
antipático,-a disagreeable, displeasing, antipathetic
anudar to tie, knot, join (together)
anunciador *m.* announcer
anunciar to announce
anzuelo bait
añadido (*p.p.* of **añadir**) *m.* **addition**
añadir to add
año year; **al** — a year, per year; **de —s** of so many years
apacible peaceful
apagar to put out, extinguish; **turn** off (*lights, heat,* etc.); **—se** to go out, be extinguished
aparador *m.* buffet, sideboard
aparato apparatus, machine; — **de lavado eléctrico** automatic washing machine; — **de radio** radio set; — **distribuidor (de gasolina)** (gasoline) pump
aparatoso,-a spectacular
aparecer to appear, turn up, show up
aparentar to pretend
aparente apparent
aparición *f.* apparition, ghost; appearing
apartado,-a separated, withdrawn, isolated
apartar to turn aside, turn away; separate
apasionado,-a passionate
apearse to dismount
apego attachment, fondness; **tener — (a algo)** to be fond (of something)
apelativo title, "name"
apelotonado,-a crowded
apellido surname, last name
apenas scarcely, hardly; *conj.* as soon as
apeñuscar(se) to crowd
apertura opening
apesadumbrar to grieve, distress
apesgante overwhelming
apetecer to crave, desire
apetecible tempting, desirable
aplacado,-a appeased, placated, satisfied
aplaudir to applaud
aplauso applause
aplicación *f.* assiduity
aplicar to apply
apliqué ornamentation applied to plain surfaces
aplomo aplomb, self-possession
apoderarse (de) to take hold of, **seize**

aporreado,-a knocked, rapped forcefully
aporte *m.* contribution; instrument
apoyar(se) to lean, rest, prop, support; **—se en** to lean on
apoyo support
apreciar to appreciate, esteem; detect
apremiar to press, urge
apremio pressure, urge
aprender to learn
aprensión *f.* apprehension (*fear, worry*)
aprensivo,-a apprehensive
apresurarse to hurry
apretar to squeeze, crowd
aprovechado,-a thrifty; advantage-seeking
aprovechamiento use; profit
aprovechar to take advantage of; **—se de** to avail oneself of, take advantage of
apto,-a suitable
apuntalar to re-enforce, add, take up
apuntar to note, take note of
apunte *m.* sketch
apuñalar to stab
apurar to urge, press; worry, fret
apuro need, want, trouble, difficulties; **pasar —s** to have trouble, difficulties (*generally of financial nature*)
aquello *neut.* that; that thing, that matter; **— de** that matter of
aquí here; **he —** here is, behold
aquietamiento quieting down
arado plow
árbol *m.* tree
arboleda grove
arbolito sapling
arca ark; **— de Noé** Noah's ark
arcángel *m.* archangel
ardiente ardent, burning, passionate
ardoroso,-a burning
arena sand
argamasa mortar
arisco,-a surly, shy
arma weapon; **hacer las primeras —s** to open fire, *fig.* to get started in a profession or occupation
armario wardrobe
armarse *coll.* to start, break out; **—la** *coll.* to start a row (*e.g.,* **la que se armó en el barrio** the row that started in the neighborhood)
armatoste *m.* hulk, cumbersome piece of furniture
armonía harmony
Arno river flowing west in Tuscany, central Italy, through Florence into the Ligurian Sea
aroma smell, odor
arpón *m.* harpoon
arquitectónico,-a architecture
arraigado,-a deep-rooted
arrancar to start (up), begin; *coll.* to leave, go away; tear off **—se** to begin; pull out
arranque *m.* fit, impulse; *arch.* springer (*of an arch, e.g. on a balcony*)
arrastrar to drag
arrebatar to captivate
arrebato fury, outburst, flush
arreglar to settle, arrange; fix; **—se** to adjust, settle; fix oneself up; manage; **bien arreglado,-a** fixed up (*well dressed*)
arreglo repair, remodeling
arrepentido,-a repentant
arrepentir(se) (ie,i) to repent; **—se de** to repent (*some deed*)
arriate *m.* border (*in garden*)
arriba up, above, overhead; upstairs; **calle —** up the street
arrimar to approach; **—se** to come near, come close, approach
arrojar to vomit; **—se** to throw oneself
arruga wrinkle
arrugar to wrinkle, crumple
arruguilla *dim.* of **arruga**
arte *m.* & *f.* art, skill; **bellas —s** fine arts
artesanía craftmanship
artista *m.* & *f.* artist; **— de cine** movie actor; **— de circo** circus actor; **— de teatro** stage actor
ascender (ie) to ascend; **— a** to amount to
asechanza snare
asegurador *m.* insurance salesman
asegurar to assure, guarantee; secure; maintain
asentarse (ie) to establish oneself, be established
asentir (ie,i) to assent

asesinar to murder, assassinate
asesino murderer
asfalto asphalt, asphalt pavement
así thus, so; like this, in this way; — **como** like; — ... **como** as well ... as; — **que** as soon as; thus, so
asiento seat
asignatura course, subject (*in school*); **perder** — to flunk
asimilar to assimilate
asistente *m.* attendant
asistir to attend, help, be helpful; be present
asomar to show, stick out (one's head); begin to show, appear; — **a** to lean out
asombro astonishment, amazement
aspereza harshness
áspero,-a rough; bitter
asqueado,-a nauseated
asturiano,-a *adj.* & *n.* Asturian (*from Asturias, a region in the northwest of Spain*)
asunto matter, affair, question
asustadizo,-a shy, scary, timid
asustado,-a frightened
asustar to scare, frighten, startle; **—se** to take fright, become afraid; **—se de** to be frightened at
atacar to attack
atajar to stop, interrupt
atar to tie; *fig.* to tie one down
atardecer *m.* late afternoon; **al** — at sundown
ataúd *m.* casket, coffin
ataurique *m.* *arch.* Moorish ornamental plasterwork
atemperar to moderate, adjust
atenazar to torture, take hold of
atención *f.* attention; *pl.* acts of courtesy
atender (ie) to attend to, listen to; take care of
atentar to attempt, try
aterrar to terrify
aterrorizado,-a terrified
atestar (ie) to pack, cram
ático attic
atisbar to observe, penetrate
atizar to stir up, incite
atleta *m.* & *f.* athlete
atollar to get stuck (*in the mud*)
atónito,-a overwhelmed, aghast
atormentador,-a tormenting, painful
atrabancado,-a made in a hurry
atracarse *coll.* to stuff (*to eat and drink too much*)
atracción *f.* amusement (*in vaudeville, a nightclub, etc.*)
atractivo attraction
atraer to attract
atragantarse to choke
atraillar to leash
atrás back, backward
atravesado: tener el vino — to be a quarrelsome drunk
atravesar (ie) to go over; pierce; cross, go across
atreverse to dare; — **a** + *inf.* to dare to
atrevido,-a bold, daring
atribulado,-a afflicted, grieved
atropello an automobile accident (*being run down by an automobile*)
atroz disfigured
atuendo finery
atusar to smooth
audiencia hearing (*as in a court of law*)
aumentar to increase; grow; enhance, heighten
aumento enlargement
aun (aún) even, yet, still; **ni** — not even
aureola aureole, halo, aura
ausencia absence
ausente absent
autobús *m.* bus
autoridad *f.* authority; authorities (*e.g., the police*)
autorizar to authorize
auxilio aid, help
avanzado,-a advanced, vanguard
avanzar to progress, advance
ave *f.* bird
Avellaneda district in the outskirts of Buenos Aires
Ave María *interj.* gracious goodness
avenido,-a: bien — in agreement, well reconciled
aventurar to venture
avergonzarse (üe) to be or become ashamed, be or become embarrassed
averiguar to find out
aviar to get ready, prepare

Ávila province northwest of Madrid, central Spain
avinagrarse to turn sour; turn into vinegar
avío provision; *pl.* equipment, furnishings
avión *m.* airplane; **en —** by plane
avisar to inform, notify
aviso advice, information; announcement, message; warning; **mandar —** to send word; **sobre —** on one's guard
avivarse to hasten
ay alas! gosh!
ayer yesterday; **antes de —** day before yesterday
ayuda aid, help, assistance
ayudante *m.* helper
ayudar to help; **–se** to help oneself
ayuntamiento municipal government
azahar *m.* orange blossom (*symbol of a bride*)
azar *m.* chance, fate
azarado,-a flustered
azararse to blush, become flustered
azorar to be abashed, be disturbed
azúcar *m.* sugar
azucena lily
azul blue
azulejo glazed color tile

babero bib
bache *m.* peculiarity
bailar to dance
baile *m.* dance
bajar(se) to lower; descend, go down; get off, alight
bajo,-a low, lowered; short; *prep.* beneath, below, under; **por lo —** on the sly, secretly; in a very low voice
balcón *m.* balcony
balde: de — free, for nothing
baldío waste (land)
balear to shoot at (*with bullets*)
bálsamo balsam, balm
banal banal, commonplace
banca bank
banco bench
banda band; **cerrársele en — (a alguien)** to stop (someone) short
banderilla banderilla (*barbed dart with streamer used in bull fights*)
banderín *m.* a small flag
bandido bandit, outlaw
baño bath, bathing; cover, coating
Baptisterio de S. Giovanni Battista Baptistry of Saint John the Baptist, built around the 10th or 11th Century. It was the Cathedral of Florence until 1128. On the outside are three famous bronze doors, one by Pisano and the others by Ghiberti (*see* **Ghiberti**).
bar *m.* bar, saloon
baraja confusion
barandilla railing, balustrade
barato,-a cheap
barba whiskers, beard
barbaridad *f.* outrage; nonsense
barbarote *m. coll.* big boob
barbero barber
barbilla tip of chin
barca small boat
Barcelona seaport and manufacturing city in northeast Spain on the Mediterranean
barco boat, ship
Bardi: *see* **capilla Bardi**
barra scape, stem
barrer to sweep
barriada quarter, district
barriga belly
barrilete *m.* kite
barrio suburb, district, quarter
barro clay; mud
bártulos *m. pl.* effects, belongings
basilisco basilisk (*a fabulous serpent, lizard, or dragon whose breath or even look was fatal*); **ponerse hecho un —** to be in a rage
bastante enough, sufficient; a good deal of, plenty of; *adv.* enough; quite, fairly, somewhat, rather
bastar to suffice, be enough
bastidor *m.* crate; wing (*of stage scenery*); window-sash; **entre —es** behind the scenes
bastón *m.* cane
bata smock; dress; **en —** wearing a smock
batahola *coll.* uproar
batalla battle
batido milk shake
batiente *m.* door (*each of a pair*

of double windows or doors)
bautizar to baptize; *fig.* give a name to something
bayo,-a bay (*color*)
bayoneta bayonet
baza: meter — (en) *coll.* to butt in
beato,-a blessed
beber to drink; **—se** to drink up
becario,-a holder of a scholarship or fellowship
bélico,-a warlike
belleza beauty
bello,-a beautiful, lovely
bendición *f.* blessing
benévolo,-a benevolent, kind
berbiquí *m.* brace
berenjena eggplant
berrinche *m. coll.* tantrum
besar to kiss
beso kiss
bestia beast; stupid, boorish
bicharada swarm of bugs
bidet *m.* bidet (*tub for sitz bath*)
bien well; very; really; quite; right, all right; *pl.* wealth, riches, possessions; **estar — pensado** to be a good idea; **más —** rather; **o —** or else, perhaps; **si —** although; **tener a —** to deem wise
bienaventurado,-a blessed
las **bienaventuranzas** the Beatitudes
bienhechor,-a beneficent
bifurcarse to branch out, fork
bigote *m.* mustache
bilbaíno,-a pertaining to Bilbao
Bilbao industrial city of Vizcaya province in the north of Spain
billete *m.* bill, bank note; ticket
biombo folding screen
bis twice (*used as a mark of repetition*)
bisoñé *m.* wig for front of head
bizantino,-a Byzantine
bizarro,-a gallant, brave
biznieto,-a great-grandchild; *m.* great-grandson
bizquear to squint
blanco,-a white (*applies to snow, grapes, wine,* etc.); blank; **pasar la noche en —** to spend a sleepless night
blando,-a soft
blanqueado,-a whitened, bleached
blanquirrubio,-a whitish-blond
bloque *m.* block
blusa blouse
Boboli Boboli Gardens, adjacent to the Pitti Palace in Florence, created about the middle of the 16th Century
boca mouth
bocina horn, trumpet, auto horn
boda marriage, wedding
bodeguero,-a owner or keeper of a wine cellar
boga vogue; **en —** in vogue
bogar to sail
Bogotá capital city of Colombia
bohemia Bohemian glass
bohemio,-a Bohemian
boicot *m.* boycott
bola ball
bolillo bobbin for making lace
Bolsa stock exchange, stock market
bolso bag, purse, pocketbook
Bolueta quarter in the municipality of Begoña, province of Vizcaya, in the north of Spain
bollo bun, muffin, roll; **— suizo** sweet bun
bombardeo bombing, bombardment
bombilla light bulb
bonanza *fig.* source of wealth; boom
boquerón *m.* anchovy
bordar to embroider; perform a thing artistically
borde *m.* edge, border; **al —** on the verge, at the edge
bordear to border
Borgo de San Jacopo *It.* St. James Street, in Florence, which runs along the Arno river for the short distance between the Old Bridge and the Bridge of St. Trinity
borracho,-a drunk (*person*)
borrar to erase
bota shoe, boot
botar to launch
bote *m.* bounce
botella bottle
botellazo blow or hit with a bottle
botica medicine
boticario druggist
botijo earthen jar or jug (with spout and handle) for water
botiquín *m.* medicine chest; in-

firmary
boxeo boxing
boya buoy
brasa red-hot charcoal
brazo arm; **del — de** arm in arm with
breve brief
brillante brilliant, bright, shining; *m.* diamond
brillo brightness, lustre, sparkle
brinco leap, jump; **dar un —** to jump
brindar to toast
brindis *m.* toast (*when drinking*)
broma joke; **gastar una —** to play a joke
bromista *m.* & *f.* (practical) joker
bronce *m.* bronze
bronco,-a rough, coarse
brotar to spring forth, emerge
brote *m.* shoot, bud
bruja witch, hag
brumoso,-a misty
Brunelleschi, Filippo the founder of Renaissance architecture, born in Florence (*c.* 1377–1446). He won the competition for the construction of the dome for the cathedral of his native city.
bruñir to burnish, polish
bruto,-a stupid
búcaro flower vase
bueno (buen),-a good, kind; *adv.* well; all right; O.K.; **buenas** greetings; **con —s ojos** favorably; **la —a de Luisa** good old Luisa; **saber lo que es —** to know what things are really like
buho owl
bujía candle; **— eléctrica** light bulb
bulto bundle; form
burbuja bubble
Burdeos Bordeaux
burdeos *m.* wine from the Bordeaux region; *adj.* wine color
burla ridicule; deception
burlón,-a joking, scoffing
burócrata bureaucrat
burro,-a stupid, asinine; *n.m.* donkey
burujo lump
busca search
buscar to look for, search for, seek
butaca armchair
buzón *m.* letter drop
cabal complete, perfect; **justos y —es** exactly
cabalgar to ride
caballería knighthood, chivalry; **— andante** knight-errantry
caballero gentleman
caballerosidad *f.* chivalrousness, chivalry, gentlemanliness
caballete *m.* easel
caballista horseman
caballo horse; **a —** on horseback; **a — de** astride
cabecear to bind together
cabecera head (*of bed, table,* etc.)
cabellera head of hair
cabello *m.* hair; *pl.* hair
cabeza head; **perder la —** to become befuddled; **sentar la —** *coll.* to settle down
cabezota *m.* & *f.* *coll.* big-headed (person)
cabildeo meeting of the factions
cabizbajo,-a crestfallen
cabo end; **al — de** at the end of
cabra goat; **loco como una —** crazy as a billygoat
cacahuete *m.* peanut
cacería hunt
cacerola saucepan
cachaza *coll.* phlegm, slowness
cachondearse *coll.* to make fun (of)
cachorrillo pup, cub; pocket pistol
cadáver *m.* corpse, cadaver
caedizo,-a ready to fall
caer to fall; be located; **— encima (algo a alguien)** to inherit; **— por** *coll.* to land (in); **—se** to fall, fall down; **no tener donde —se muerto** *coll.* not to have a cent to one's name
café *m.* café, coffee house; coffee
cafetera coffee pot
caída fall, tumble
cajón *m.* stall; big box, case
cal *f.* lime; whitewash
calambre *m.* cramp; the sensation felt when a limb goes to sleep
calamitoso,-a calamitous
calamocano,-a *coll.* tipsy (*person*)
calculador,-a calculating
cálculo calculation
caldo juice

calefacción *f.* heat
calendario calendar
calentar (ie) to heat; **–se** to get warm (or hot); to warm up
calidad *f.* quality
cálido,-a warm, hot
caliente hot; **comer** — *fig.* to have a decent meal
calificar to qualify, characterize
calmar to calm, quiet; **–se** to calm, calm down
calmo,-a calm, quiet; *n.f.* calm, quiet
calmosidad *f.* calmness (*noun made of the adj.* **calmoso**)
calmoso,-a calm
calor *m.* heat, warmth; **hacer — to** be warm, be hot (*weather*)
calvo,-a bald
calzada causeway, highway
calzoncillos underwear
callar to be silent, keep silent; **–se** to become silent; **calle** hush
calle *f.* street; **dejar en la — (a alguien)** to leave (someone) penniless; **por la** — in the street(s)
callejero,-a street (*pertaining to the*)
cama bed
cámara bedroom, chamber; **ayuda de** — valet de chambre
camarero waiter
cambiar to change; exchange; **— de** to change (*e.g. hats, places*)
cambio change; exchange; **a — de** in exchange for; **en** — on the other hand
caminar to walk
camino road, way, path; **encontrar —** to find a way; **llevar — de** to be on the way to; **por el** — on the way
camión *m.* truck, van; **— de mudanzas** moving van; — **policial** police van
camioneta light truck
camiseta sweatshirt
campana bell
campanil *m.* belfry
Campanile *It.* Bell-Tower; in the text it refers to the Campanile of Giotto, to the right side of the cathedral in Florence. It was begun in 1334 by Giotto and continued by Andrea Pisano after Giotto's death, finally completed in 1359 under the direction of Francesco Talenti.
campechano,-a cheerful; frank
campesino,-a country
campiña countryside
campo field; country; — **santo** cemetery
cancha (sport) field; court (*for tennis, etc.*)
canita: echar una canita al aire to have a good time
cansado,-a tired, weary, worn-out, exhausted
cansancio weariness, fatigue, tiredness
cansar to tire; **–se** to get, become tired
cantar to sing; praise
cántaro jug
cante: — flamenco flamenco singing (Andalusian gypsy song)
cantero ridge (*between furrows*)
cantidad *f.* quantity, amount
canto song, singing
cantón *m.* corner
cañada cattle path
cañón *m.* cannon
capa cape
capacitar to qualify, enable
capador *m.* gelder
capaz capable
capilla chapel; **Capilla Peruzzi:** one of the famous chapels in Santa Croce decorated by Giotto (*see* **Santa Croce** *and* **Giotto**). The Peruzzi frescoes, scenes from the lives of St. John the Baptist and St. John the Evangelist, mark the culminating point of this painter's genius; **Capilla Bardi:** the second of the two famous chapels in Santa Croce, decorated with frescoes by Giotto. Among the most famous frescoes of Giotto is the *Death and Funeral of St. Francis* at this chapel.
capital *f.* capital (*city*); *m.* capital (*amount of money, etc.*)
capitán *m.* captain
capitanía headquarters; — **general** general headquarters
capolavoro *It.* masterpiece

capricho whim
cara face, look, countenance; **— a** facing (*something*); **dar la —** to be willing to face a situation
caracol *m.* snail
carácter *m.* character
característico,-a old man, old woman (*character actors in the theater*)
caramba *interj.* hah! strange! confound it!; **que —** *coll.* what the heck!
carambola carom (*in billiards, a shot in which the cue ball strikes each of two object balls*); rebounding by chance
caramelo (hard) candy
caray *interj.* goodness! confound it! darn it!
carbonería charcoal store
carbonizar to char, burn to a crisp
carcajada burst of laughter
carga load, weight, burden; anxiety, worry; **volver a la —** to keep coming back, not give up, try again
cargado,-a loaded, full
cargar to load, burden
cargo care, charge; **hacerse — de** to realize, understand
cariátide *f. arch.* caryatid
caricia caress, petting; endearment
caridad *f.* charity
cariño love, affection, fondness, fond attention
cariñoso,-a loving, affectionate
carne *f.* flesh; meat; **en — viva** raw
caro,-a expensive, dear, costly
carraspear to hawk, clear one's throat
carrera studies; career; **— de ingeniero** engineering studies
carretera highway
carro car, auto
carta letter; **a —s vistas** with one's cards on the table (obviously, clearly, as it can be seen)
cartela sign (*on a plaque*)
cartera billfold, wallet
cartulina fine cardboard
casa house; home; household; firm; **en —** at home
casado,-a married; **vida de —s** married life
casamentero,-a matchmaking
casandero,-a marriageable (person)
casar to marry (off); **—se (con)** to get married (to), marry
cáscara peel
caserío group of houses
casero,-a homemade
caserón *m.* large house
casi almost, nearly; hardly
casilla *dim. of* **casa** cabin
caso case; instance; **el — es** the fact is; **en último —** as a last resort; **hacer — (de)** to pay attention (to)
castaño,-a chestnut, chestnut-colored
castellano Castilian, Spanish (*language*)
castigo punishment
castizo,-a pure, pure blooded
casucha shack, shanty
catálogo catalogue
categoría class; **de —** of importance
cauce *m.* runway
causa cause; **por —(s) de** on account of, because of
causar to cause
cavar to dig; go deep
cazar to hunt; chase
cazuela casserole
ce the letter C
cedazo sieve
ceder to give way, yield
cédula certificate; **— personal** identification papers
cegar (ie) to blind
ceguera blindness
ceja eyebrow
cejijunto,-a *coll.* beetle-browed (*having thick, bushy eyebrows close together*)
celebrar to celebrate; **—se** to take place
célebre famous, celebrated
celeste celestial, heavenly
Cellini, Benvenuto (1500–1571), Italian goldsmith and sculptor, also known for his autobiography, a fine example of Renaissance literature
celos *m.pl.* jealousy; **dar —** to make jealous
celular: *see* **coche**
cementerio cemetery
cemento cement; concrete; **— armado** reinforced concrete

cenar to have supper
cencerro cowbell
cenefa *arch.* border, trimming
censo census
céntimo hundredth part of a **peseta**
central central; *f.* station; main office
centrar to center
centro center
ceñido,-a tight, close-fitting
ceñir (i) to gird, encircle; fasten, tie
ceño frown
ceñudo,-a frowning
cepillar to brush
cerca near, nearby; — **de** near (to); about (*a certain number*)
cercano,-a close, nearby
cercar to fence in, encircle
ceremonioso,-a ceremonious, formal
cereza cherry red
cerrar(se) (ie) to close, shut; finish; — **sele en banda (a alguien)** to stop (someone) short
certamen *m.* contest
ciclista cyclist, bicyclist
ciego,-a blind
cielo heaven; sky; Heaven
cierto,-a certain, a certain; **de** — for certain
cifrar to base
cigarrillo cigarette
cigarro cigarette
cigüeña heron; **pico de** — heron's bill
Cimabue, Giovanni (1240-*c.* 1302), Florentine painter, the first to break the Byzantine traditions. By infusing life and individuality into the worn-out types of his predecessors, he led the way to the naturalism of the works of his great pupil Giotto.
cimero,-a uppermost, top
cimiento foundation
cinabrio vermilion color
cincuentón *m.* a person fifty years old
cine *m. coll.* movie, movies
ciprés *m.* cypress
circasiano,-a Circassian (*an inhabitant of Circassia on the northeast coast of the Black Sea. They are noted for their beauty.*)
circo circus
círculo circle
circundante surrounding
circunspecto,-a circumspect
cita appointment, date
ciudadano,-a (pertaining to the) city
Ciudad Real province in S. central Spain; its commune
civilizador,-a civilizing
claridad *f.* clarity, clearness, brightness
claro,-a clear, bright, evident; *adv.* of course, clearly, obviously; *interj.* sure! of course!; *n.f.* white of egg; **a las —s** clearly; **¡— está** or **¡— que sí!** sure! of course!; **pasar la noche de — en —** not to sleep a wink
clase *f.* class, kind; type
clásico,-a classic, classical; standard, typical
claudicar to bungle; *coll.* to back down
clavar to nail, stick
clave *f.* key (*to a puzzle, matter, etc.*); — **cerrada** brace ({)
clavel *m.* carnation
clavija peg; **apretar las —s** *coll.* to put the screws (on)
cliente *m.* & *f.* client, customer
clima *m.* climate
clínica clinic, private hospital
cobarde cowardly; *m.* & *f.* coward
cobrador *m.* trolley conductor
cobrar to collect; recover (*something lost*), regain; take on; — **afición** to take a liking
cocina kitchen; **con derecho a** — with kitchen privileges
coco coconut
coche *m.* wagon; car, automobile; — **celular** Black Maria, prison van; **en** — by car
codiciar to covet
codo elbow; **de —s** (leaning) on one's elbows
cofia hair net
coger to catch, take hold of, take, seize; — **el gusto a** to acquire a taste for; **cogido(s) de la mano** hand in hand, holding hands
cogote *m.* back of the neck
cola tail; **piano de** — grand piano
colaborar to collaborate
colcha bedspread
colchón *m.* mattress
colchoneta long cushion (*for a sofa*

or bench)
colectivo small bus
colegio college, school
colérico,-a angered, enraged
colgador *m.* hanger
colgante hanging
colgao *coll.* for **colgado,** *p.p.* of **colgar**
colgar (ue) to hang (*pictures in an exhibition*)
colilla butt, stub
colina hill
colmado,-a abundant, full, overflowing; **sentirse —,-a** to feel contented, satisfied, without any more to wish for
colmena hive; **casa-—** hive-like house
colocar to set, place
colonia colony
color *m.* color; coloring
comadrería *coll.* gossiping (*group or circle*)
La Comedia *The Divine Comedy* by Dante Alighieri (1265–1321) (*see*) Italian poet and one of the greatest writers of all time. The *Divina Commedia* is universally esteemed one of the greatest epics that has appeared in any language, ancient or modern. It is divided into three books, *Inferno* (Hell), *Purgatorio* (Purgatory), *Paradiso* (Paradise).
comedor *m.* dining room
comedorcito dinette
comensal *m.* & *f.* guest
comentar to comment, comment on; gossip; discuss
comentario comment, commentary; *pl.* gossip, chit-chat
comenzar (ie) to begin, commence, start; **— a** + *inf.* to begin to
comer to eat; **— caliente** *fig.* to have a decent meal; **—se** to eat up; **dar de —** to feed, give something to eat; **mal —** to eat poorly
comercio business, store, shop
cometa *m.* comet; *f.* kite
cometer to commit (*a sin, crime*)
cómico,-a comic, comical; *n.* actor
comida meal, dinner; food
cominería *coll.* fussiness; exaggerated details
comisaría police station
comisario commissioner, deputy
como as, like; as big as; as if; so to speak, as it were; since; as for; about; something like; **—** + *adj.* somewhat + *adj.*; **— que** since; **— si** as if
¿cómo? how? what?; **¡cómo!** how!; **¡cómo no!** of course!
cómodo,-a comfortable
compañero,-a companion, friend
compañía company; (theatrical) company; **hacerle — a uno** to keep one company
comparar to compare
compartir to share
compasivo,-a compassionate
compatriota compatriot, countryman
competencia competition; competence
complacido,-a satisfied, pleased
complaciente agreeable, pleasing
completar to complete, perfect
complicar to complicate
cómplice *m.* & *f.* accomplice, accessory
comportamiento behavior
compostura posture
compra purchase, shopping, day's marketing; **hacer —s** or **ir de —** to go shopping; **salir a —s** to go shopping
comprador,-a buyer
comprar to buy, purchase
comprender to understand, realize
comprobar (ue) to verify
comprometer to engage
compromiso engagement; encumbrance
compuerta floodgate, lock
compungido,-a grieved
común common; **por lo —** commonly
comunicación *f.* connection; **puerta de —** connecting door
comunicar to communicate; notify, announce
comunión *f.* communion; **hacer la primera —** to receive first communion
concebir (i) to conceive
concentrar(se) to concentrate
conciencia conscience; consciousness, awareness; **estado de —** state of mind
concierto concert

conciliábulo consultation, conference
conciliador,-a conciliatory
conclave *m.* conclave (*secret assembly*)
concreto,-a concrete; **en —, concretamente** finally, to sum up
concurrente *m.* contender
concurrido,-a crowded, full of people
concursante *m.* & *f.* contestant (*in a radio or television show*)
concursar to compete; participate in a contest
concurso contest, competition; show (*with prizes*); crowd
condescendiente obliging, indulgent
conducir to drive (*car, etc.*); to conduct, lead, guide, direct
conductor *m.* driver
confesar(se) (ie) to confess
confiado,-a self-confident
confianza confidence; self-confidence; familiarity, intimacy; **tener — con** to be on familiar terms with; **tomar —** to acquire confidence
confidencia trust, confidence, secret; *pl.* intimate confessions
confín *m.* boundary; **sin —es** without limits
confirmar to confirm, verify
confitería *Arg.* ice-cream parlor
conflicto conflict, struggle
conformarse to yield; resign oneself
conforme in agreement
confundir to confuse; **—se** to become confused, lost
confuso,-a confused
congestionar to congest
congoja anguish, grief
conjunto aggregate, ensemble
conmover (ue) to stir, affect, move, touch
conocer to know, be acquainted or familiar with; se **conoce que** it is obvious that
conocido,-a (well) known, familiar
conocimiento acquaintance; knowledge
conquistar to conquer
consagrar to devote, dedicate
conscripción *f.* draft (*military service*); **hacer la —** to serve (*in the army, etc.*)
consecución *f.* attainment
consecuencia consequence, result; **a — de** as a result of
conseguir (i) to get, obtain; attain; — + *inf.* to succeed in + *ger.*
consejo advice; council, board; *pl.* advice; — **de administración** board of directors
consentir (ie,i) to permit, allow
conservar to keep, preserve
considerar to consider, examine
consistir (en) to consist in (of); lie
consolar (ue) to console
constante constant, continual
Constantinopla Constantinople (*the old name for Istanbul, Turkey*)
consternado,-a dismayed
consternar to terrify, dismay
construcción *f.* building, construction
construir to construct, build
consumición *f.* consumption (*of food, drink, etc.*)
contagiar to infect, affect (*by contagion*)
contar (ue) to tell, relate; count; — **con** to count on, rely on
contemplar to contemplate, study; view, gaze
contener (ie) to contain; check, stop; **—se** to contain oneself, hold one's tongue, hold (in)
contento,-a contented, satisfied, happy, glad
contestación *f.* answer, reply
contestar to answer
continuación *f.* continuation; **a — de** right after
continuar to continue
continuidad *f.* continuity
continuo,-a continual
contorno contour, outline; **—(s)** vicinity, neighborhood
contra against
contradictor,-a contradicter
contrario,-a contrary, opposite; *m.* & *f.* opponent, rival; **todo lo — (que)** the complete opposite (of), just the opposite (of); **llevar la —a a** *coll.* to oppose, disagree with
contribuir to contribute; **— a** + *inf.* to contribute to
contumaz obstinate
convalecencia convalescence
convenir (ie) to be suitable, be im-

portant; benefit
conventillero,-a tenement-house dweller
conventillo tenement house; **hora de —** gossiping time
convertir (ie,i) to convert, turn; **—se** to become, turn (into)
convidar: — a uno + *inf.* to incite one to
convincente convincing
convulsivo,-a convulsive
coñac *m.* cognac, grape brandy
copa wine glass, goblet
copiar to copy (down), transcribe
coraza armor
corazón *m.* heart
corbata necktie
cordero lamb; *fig.* lamb (*meek fellow*)
cordialidad *f.* cordiality, friendliness
Corea Korea
coronación *f.* crowning, coronation
coronado,-a crowned; **¿qué diablos —s?** what in the devil?
corral *m.* poultry yard
corraliza yard
correa belt
Correchio Antonio Correggio (1494–1534), Italian painter born in the city of his name in northern Italy. His most famous frescoes are at the cathedral of Parma. He developed his style from studying the works of Leonardo da Vinci.
correr to run, run about; **correr a, por** to sell at, for; **— (un producto)** to sell (a product)
corresponder to correspond; **— a** to reciprocate, repay
corretear *coll.* to race around, run around
corriente *f.* current, fad; current (*elec.*)
corro group or circle of people
cortapisa difficulty, impediment
cortar to cut; cut short, interrupt; **— por lo sano** *coll.* to use desperate remedies; cut something short
cortés courteous, polite
cortina curtain
corto,-a short, brief; bashful, shy
cosa thing, matter; **— de** a matter of; **—s de** doings of; **otra —** something else; **poca —** insignificant
cosecha harvest, crop
coser to sew; join, unite
cosquillear to tickle
costado side; **al — de** to the side of
costar (ue) to cost; **— trabajo** to take a lot of effort
costoso,-a expensive, costly
costumbre *f.* custom, habit; **de —** usual
cotidianidad *f.* everyday life
cotización *f.* quotation (*of prices in stock market*)
cotizar to cry out (prices) in the stock exchange
crear to create
crecer to grow
creciente growing
creer to believe, think; **—se** to believe oneself to be; **¡ya lo creo!** *coll.* I should say so, of course
crencha locks of hair
crepúsculo twilight
creyente *m.* & *f.* believer (*also said of a Christian*)
criada servant, maid; **— de servir** domestic servant
criar to breed; grow
criatura little creature (child); person
crimen *m.* crime; **hacer un —** to commit a crime
crío child
criollo,-a native (*in Latin America*)
crispación *f.* convulsion
Cristo Christ
Cristos paintings or sculptures representing Christ
criterio judgment
criticador,-a criticizing
criticar to criticize
crítico,-a critical; *m.* critic; *f.* criticism; critical reviews (*of books, exhibitions,* etc.)
S. Croce Santa Croce, one of the most beautiful churches in Florence, begun in 1295. Among its many treasures it contains a series of frescoes by Giotto (*see* **Giotto**).
cruce *m.* crossing; intersection
crucigrama *m.* crossword puzzle
crudo,-a raw; unbleached, natural (*color*)
cruzar to cross; cut across
cuaderno notebook

cuadrado,-a square (*in shape*)
cuadro painting, picture
cual, cuales which; **el, la —, los, las cuales** who, which; **lo —** *neut.* which; **cada —** each one
cualquiera (cualquier), *pl.* **cualesquiera** some, any; *pron.* someone, anyone
cuando when, whenever; **de — en —** from time to time; **de vez en —** from time to time
cuanto,-a as much as, all that; *pl.* as many as, all those that; **— más . . . más** the more . . . the more; **en —** as soon as, while; **tanto más (menos) — que** all the more (less) because; **unos —os** a few, some
cuartear to quarter; **—se** to crack
cuartel *m.* barracks (*mil.*)
cuartilla sheet of paper
cuarto room; quarter; *coll.* cent (money)
Cuba libre a drink of rum and Coca Cola
cubierta cover; deck
cubrir to cover, cover over, cover up
cuclillas: en cuclillas squatting, crouching
cuchillo knife
cuchitril *m.* hole, corner, den, very small room
cuello neck; collar
Cuenca province in east-central Spain
cuenta count, calculation; account, bill; **darse — (de) (que)** to realize, be aware of, notice; **más de la —** too much; **tener en —** to take into account, pay attention to
cuento story, short story
cuerda rope
cuerno horn; **¿de dónde —s?** where in the devil . . . ?
cuero: en —s stark naked
cuerpo body; **— a —** hand to hand
cuesta hill; **a —s** on one's back or shoulders
cuestión *f.* question; matter; quarrel; **ser — de** to be a matter of
cuestionar to dispute
cuidado care, caution, worry; *interj.* look out!; **no hay —** don't worry; **tener —** to be careful
cuidar (de) to care for, take care of
culottes *Fr.* underwear
culpa blame, fault
culpable guilty, culpable
cultivar to cultivate, farm
culto,-a cultured
cultura culture, education
cumpleaños *m.* birthday
cumplir to fulfill, execute; **—se** to be fulfilled
cuna cradle
cupón *m.* coupon
cúpula cupola; dome
curar(se) to cure; get well
cursar to study; attend; transmit, send
curso course
curtido,-a tanned; weather-beaten
custodia custody; monstrance (*a vessel in which the consecrated Host is exposed to receive the veneration of the faithful*)
cuyo,-a of which, of whom; whose, which

chal *m.* shawl
champaña champagne (*wine*)
chancho pig
chapuzar(se) to duck
chaqueta jacket
charada charade
charco puddle
charla *coll.* chatter, conversation
charlar to chat, chatter
chasco trick, joke; disappointment; **llevarse un —** to be disappointed
chatez commonplaceness
chato,-a flat-nosed (person); *f.* honey (*used as term of endearment*)
cheque *m.* check
chico,-a small, little; *f.* lass, young girl; *m. pl.* children
chicharra locust, cicada
chillar to screech, jabber
chillido scream, shriek
chillón,-a *coll.* piqued
chimenea chimney
chinche *m.* & *f.* bug, bedbug
chiquillería *coll.* crowd of youngsters
chiquillo,-a child, youngster, kid
chispa sparkle
chisquero pocket lighter

chiste *m.* joke; cartoon
chistoso,-a gay, humorous, funny
chorlito *coll.* scatterbrains; **cabeza de —** scatterbrains
choteo *coll.* jeering, chaffing
chufa chufa nut
chupada pull (on a cigar)
chupar to suck
chusco,-a funny, "cute"

dados *m.pl.* dice
dama lady
damasco damask (*fabric*)
Dante Alighieri (1265–1321), Italian poet, author of the *Divina Commedia* (*see* ***La Comedia***) and one of the greatest writers of all time. He was born in Florence of a middle-class family that had been ennobled.
dantesco (pertaining to) Dante
danza dance
daño hurt, harm; **hacer —** to hurt
dar to give; hit, strike; rub; apply; yield, produce; cause; **— con** to run into, encounter; find; **— de alta** to discharge a patient from a hospital; **— de comer** to feed, give something to eat; **— la hora** to strike the hour; **— la luz** to turn the light on; **— por** to consider as; **—se a** to give oneself over to
debajo underneath, below; **— de** *prep.* beneath, under; **por —** underneath
debate *m.* debate; **director de —s** moderator
deber to owe; ought, should; must; can; **— de** should, ought; must; *n.m.* duty
debido,-a due, proper
débil weak
debilidad *f.* weakness
debilitarse to weaken, undermine, become weak
decencia decency, propriety
decente decent, proper, respectable
decepcionar to disappoint
decidido,-a decided, determined
decidir to decide
decir to say, speak, talk, tell; **es —** that is to say; **querer —** to mean, think
decisión *f.* decision, determination
declarar to declare; **—se** *coll.* to declare one's love, to make (someone) a declaration of love
declinar to decline; diminish
decorado,-a decorated
dedicar to dedicate, devote; autograph (a photograph); **—se** to devote oneself
dedicatoria dedication (*of a book, photograph*)
dedo finger; toe
defectuoso,-a defective, faulty
defender (ie) to defend
defensa defense
definido,-a definite; defined
dejar to leave, leave behind; abandon; let, allow, permit; yield; **— a un lado** to abandon; **— de** to stop; **— en la calle (a alguien)** to leave (someone) penniless; **—se** + *inf.* to allow oneself to; **—se de** to put aside; **no — de** not to fail to
deje *m.* accent (*of a region*)
delantal *m.* apron
delante before, in front, opposite; **— de** *prep.* before, ahead of, in front of
delator,-a accuser, informer
deleite *m.* delight
delgado,-a thin, slender
delicadeza delicacy
delicado,-a delicate
delicia delight
delicioso,-a delicious, delightful
delicuescencia deliquescence (*the act of gradual dissolution*)
delincuencia guilt, criminality
delincuente *m.* & *f.* criminal
delirio delirium
delito crime
demás (*with def. art.*) the others, the rest (*e.g.* **los demás**); **por —** too, too much
demasiado too, excessively; too much, excessive
demencia insanity
demente *m.* & *f.* lunatic, crazy person
demoníaco,-a demoniac, demonic
demostrar (ue) to show
demudar to change, alter
dentro within, inside; **— de** *prep.* within, in, into; **— de poco** shortly

denuedo bravery, daring
denunciar to denounce, "squeal on"
deportivo,-a (pertaining to) sport, sports
depósito deposit, container
depreciar to depreciate (*diminish in value*)
depurar to purify
derecho right; straight; **con — a cocina** with kitchen privileges
deriva drift; **ir (quedar) a la —** to be (be left) adrift
derivo derivation, origin
derramar to spill
derretir (i) to melt, thaw
derribar to knock down; **—se** to tumble down
desabrido,-a unpleasant
desagradable disagreeable, unpleasant
desagradecido,-a ungrateful
desahogado,-a clear, free, roomy
desahuciar to oust, get rid of
desairado,-a slighted, snubbed
desalado,-a hasty, eager
desaliento discouragement
desamparo helplessness
desánimo discouragement, dispiritedness, low spirits
desaparecer to disappear
desaprobar (ue) to disapprove
desaprovechar to make no use of
desasosiego disquiet, anxiety
desayunar to breakfast
desayuno breakfast
desazonar to annoy, embitter
descalzo,-a barefooted
descampado the open country
descansar to rest
descanso rest; relief
descarnado,-a lean, thin; cadaverous
descaro effrontery, impudence
descender (ie) to descend
descenso descent (*act of descending*)
descifrar to decipher, interpret, make out
desclavar to unnail, remove the nails from
descolgar (ue) to slip down; **—se por** to slip down (*e.g. a wall*)
descolorido,-a discolored, faded
descomponerse to lose one's temper
desconcertado,-a disconcerted, surprised; confused
desconchado chipped place
desconectar disconnect
desconfiar (de) to mistrust
desconocer to not know, be ignorant of
desconocido,-a unrecognizable, quite changed, quite different
desconsolado,-a disconsolate, grieved
desconsuelo sadness, desolation
descontento,-a displeased; *n.m.* dissatisfaction
descosido,-a desultory; wild; immoderate; *n.m.* rip, open seam
descubrimiento discovery
descubrir to discover; expose
descuidado,-a careless; dirty, slovenly; neglected
descuidar to free of worry; **descuida** do not worry
desde since, from; **— hoy** from now on; **— luego** of course, at once; **— que** since
desdichado,-a unfortunate, wretched
desdorado,-a damaged, sullied (*e.g. reputation*); ungilded
desear to desire, wish; **— +** *inf.* to wish to, desire to; **hacerse —** to make oneself needed
desechar to cast aside, reject
desempaquetar to unwrap, unpack
desempeñar to play (*a rôle*)
desencadenar to unchain; break loose
desencajado,-a disfigured (*of the face*)
desengañarse to become disillusioned
desengaño disillusionment; disappointment
desenlace *m.* outcome
desenterrar (ie) to dig up, disinter
deseo desire, wish
desertor *m.* deserter
desesperación *f.* desperation, despair
desesperado,-a hopeless; desperate
desesperador,-a despairing
desesperanza hopelessness, despair
desesperarse to despond, sink into despair
desfallecer to grow weak, faint (away)
desfallecimiento weakening, faintness
desgajar to tear off
desgana indifference; boredom

desgarbado,-a ungainly, uncouth
desgarrado torn
desgarrador heartrending
desgarro boldness; outburst
desgracia misfortune
desgraciado,-a unfortunate, unhappy; disagreeable; *m.* & *f.* wretch, unfortunate
deshacer to dissolve; disappear
deshecho *p.p of* **deshacer**
desherrado,-a unshod
desiderátum *m.* desideratum (*a need*)
desilusionar to disillusion, disappoint
desinfectante *m.* disinfectant
desinterés *m.* unselfishness
desleír(se) to dilute; dissolve
deslizarse to slide
deslumbramiento dazzle; admiration
deslumbrante dazzling
deslumbrar to dazzle; blind
desmayo faint, fainting fit
desmejorarse to decline; lose one's health, waste away
desmelenado,-a disheveled
desmesurado,-a disproportionate, excessive
desmoronarse to crumble, decline
desnivel *m.* unevenness
desnudar(se) to undress
desnudo,-a naked, bare; unsheathed
desolación *f.* desolation
desolado,-a desolate
desolante desolating
desorden *m.* disorder
desorientado,-a confused
despabilado,-a wide-awake
despacio slowly
despachar to dispatch; sell
despacho office, study
desparramar(se) to spread, scatter
despectivo,-a contemptuous
despedida parting, leave-taking
despedir (i) to throw, hurl; emit, send forth, send out; see off; **—se** to take leave, say goodbye; **salir despedido** to come out (hurriedly, as if propelled)
despegar to detach, loosen; **—se** to become distant, let go; **orejas despegadas** ears that stick out
despejado,-a clear; unobstructed
despejar to clear (up)
despender to waste, misspend
desperdiciar to waste, squander
desperezar(se) to stretch (*one's arms and legs*)
desperezo stretching
despertar(se) (ie) to awaken, wake up; arouse, stir up
despierto,-a wide-awake, awakened
despilfarro extravagance, lavishness
desplacer *m.* displeasure
desposorios *m.pl.* engagement; nuptials
despreciable despicable
despreciar to slight
despreciativo,-a contemptuous, scornful
desprender(se) to loosen, detach; come out of place
desprendido,-a generous, unselfish, disinterested
despreocupación *f.* unconcernedness
desprevenido,-a unawares
desquiciar to disjoint; unhinge
destacado,-a outstanding, distinguished
desteñido,-a faded, discolored
destino destination; employment; destiny, fate
destrozar to shatter, destroy
destruir to destroy
desvanecer to dispel; disappear
desvencijado,-a rickety, falling apart
desviado,-a astray, off the track
detalle *m.* detail, particular
detener (ie) to detain, stop; arrest
detenimiento thoroughness
determinar to determine, lead; decide; **— a (una persona)** + *inf.* to lead or induce to
detrás behind; **— de** *prep.* behind, back of; **por — de** behind the back of
deuda debt
devolver (ue) to return (*something*), give back
día *m.* day; **al otro —** the following day; **de todos los —s** customary; **el — de mañana** in the future; **el medio —** noon; **todos los —s** every day
diablejo, diablillo *dim. forms of* **diablo**

diablo devil; **de mil —s, de todos los —s** a hell of a; **¡—s!** the devil! **¿qué —s coronados?** what in the devil . . . ?
diadema tiara
diálogo dialogue; conversation
diario,-a daily
dibujar to draw; outline
dibujo drawing, sketch
dictaminar to pass judgment; diagnose
dicha happiness
dicho *p.p. of* **decir; mejor —** rather
dichoso,-a happy; fortunate; *coll.* annoying, tiresome
diente *m.* tooth
diferencia difference
difícil difficult, hard; **— de hard to**
difícilmente with difficulty
dificultad *f.* difficulty
difunto,-a deceased
digno,-a dignified
dinastía dynasty
dinero money
dinosaurio dinosaur
Dios *m.* God; **como — manda** as it should be; **¡por —!** goodness!, for heaven's sake!; **¡válgame —!** Heaven help me!; **diosa** goddess
diputación *f.* deputation, delegation; **Diputación Provincial** Provincial Commission
dirección *f.* address; direction, course; administration
director *m.* & *f.* director, manager; **— de debates** moderator; **— gerente** manager
dirigir to direct; **—se a** to address (*a person*); go toward
discóbolo discus thrower
disculpa excuse
disculpar to excuse
discurso speech, discourse, lecture
discusión *f.* discussion; argument
discutir to discuss; argue
disfrutar to enjoy, have the benefit of
disgregar to disperse, scatter
disgusto disgust; unpleasantness; **llevarse un —** to become grieved
disimular to disguise, hide, conceal; pretend not to notice (*something*)
disipar to disperse; misspend
disminuir to diminish, decrease
disolver(se) (ue) to dissolve; separate
disparar to shoot (*a gun*)
disparatado,-a absurd, foolish
displicente peevish
disponer to dispose, arrange, prepare; **—se** to prepare oneself, get ready; **—se a** to get ready to; **estar dispuesto,-a a** to be ready to, determined to
disposición *f.* disposition, arrangement, inclination, aptitude
disputa quarrel, dispute
distancia distance; **a . . . metros de —** (so many) meters away
distanciado,-a *p.p. of* **distanciar** separated, at odds
distinto,-a distinct; different; separate
distracción *f.* distraction, diversion
distraer to distract; divert, amuse
distraído,-a distracted, absent-minded
distribuidor *m.* distributor; **— de gasolina** gasoline station
distribuir to distribute
ditirambo dithyramb (*a lyric poem in honor of Dionysus*); **hacer el —** to sing one's praises
diversión *f.* diversion, recreation, amusement, entertainment
diverso,-a diverse, different
divino,-a divine, heavenly
divisar to sight, see
divo *poet.* godlike
divorcio divorce
docilidad *f.* docility, obedience
doler (ue) to hurt, ache; **—se to** complain
dolor *m.* pain; grief, sorrow
doloroso,-a painful; pitiful
doméstico,-a domestic (*servant*)
domicilio domicile; home address; **cambio de —s** change of address
dominar to dominate
dominio domain (*ownership*)
don *m.* gift, present; natural gift
dorado,-a golden
dormido,-a asleep
dormilón-a sleepy
dormir (ue,u) to sleep; **—se to go** to sleep, fall asleep
dotado,-a gifted

dotar to provide with a dowry, endow
dote *f.* talent
drama *m.* drama, play; conflict
dramatizar to dramatize
dúctil manageable, easy to handle
ducho,-a expert
duda doubt; **sin —** doubtless
dudar to doubt; **— de** not to be sure of, doubt
dueño,-a owner, proprietor
dulce sweet; *n.m.* candy
dulcificar to sweeten
dulzura sweetness; gentleness
Duomo: *see* ***Santa Maria del Fiore***
durante during, for
durar to last
dureza hardness, harshness
duro Spanish coin worth five pesetas
duro,-a hard; harsh, severe

económico,-a economic; inexpensive
ecuánime calm
echar to throw, throw out, cast, hurl, fling; emit, expel; drive; put, put out; lie, rest, stretch oneself out; **— a perder** to spoil, ruin; **— de menos** to miss; **— de ver** to notice; **— una canita al aire** to have a good time; **— un ojo** *coll.* to keep an eye; **—se** to throw or hurl oneself; **—(se) a** to begin, burst out
edad *f.* age; **menor de —** minor; **ser mayor de —** to be of age; **tener —** to be old enough
edificio building
educación *f.* education; manners, upbringing
educar to educate; bring up
efecto effect; **en —** in fact, as a matter of fact; exactly
efluvio effluvium (*physics*)
efusivo,-a effusive
egoísmo egoism, selfishness
ejemplar exemplary
ejemplo example, instance; **por —** for example, for instance
ejercicio exercise; practice
elegancia elegance, style, stylishness
elegante elegant; stylish
elegíaco,-a elegiac
elegir (i) to choose
elemento element; *pl.* means, resources
elevar to elevate, raise
elocuente eloquent
elogiar to extol, praise
embarazo pregnancy
embarcación *f.* boat
embargar *law* to seize, attach
embargo seizure, attachment; **sin —** nevertheless, however, yet
"El embargo" title of a poem (*see* **Gabriel y Galán**) about a poor peasant whose wife has just died when the judge and his deputies come to seize his possessions for nonpayment of his debts
embate *m.* attack
embozo folded part of bed sheet touching the face
emisión *f.* broadcast
emocionar to move, stir; touch
empaque *m. coll.* air, appearance
emparentado,-a related; **— con** related to
empedernido,-a hardened
empeñarse to persist in; **— en** + *inf.* to insist on
empezar (ie) to begin; **— a** + *inf.* to begin to
empinarse to tower, rise high
empleado,-a clerk, employee
emplear to employ, use
empleo employment, job; use; **sin —** useless
empollar to hatch
empozarse *coll.* to be shelved or pigeonholed
emprender to undertake, enter (up)on
empresa enterprise, undertaking
empujar to push
empuje *m.* push
empujón *m.* push; **a —es** roughly, violently
empuñar to clutch; wield
enamorado,-a in love; *m.* & *f.* person in love, lover
enamoramiento falling in love
enarbolar to brandish
enardecer to inflame, excite
encaje *m.* lace
encaminarse to take a road, set out
encantado,-a satisfied, delighted
encantar to enchant, charm, de-

light; **—le a uno** to like
encanto charm, delight, enchantment
encargado,-a person in charge
encargar to entrust; request, commission; **— algo a uno** to commission someone to do something; **—se de** + *inf.* to undertake to; take charge of
encargo commission, assignment
encendedor *m.* cigarette lighter
encender (ie) to light, kindle; turn on (*lights*)
encerrar (ie) to lock in; **—se** to lock oneself in
encía gum
encima above, overhead; at hand; **caer — (algo a alguien)** to inherit; **por — de** above, over
encoger to shrug; shrink, shrivel; **—se de hombros** to shrug one's shoulders
encolerizarse to become angered
encomendar (ie) to entrust, commend
encontrar (ue) to meet, encounter; find, hit upon; **—se** to be; find oneself, feel; **—se con** to run into, come upon, encounter
encorvar to bend
enderezar to straighten (out)
enemigo,-a enemy
energía energy, effort
enérgico,-a severe
energúmeno,-a wild person, crazy person
enervadura exhaustion
enfadar to annoy, anger, bother; **—se** to be annoyed, get angry
enfermar to get sick, fall ill
enfermedad *f.* illness, sickness
enfermo,-a sick, ill
enfrente opposite, in front; **de —** on the opposite side
enganchar: — una merluza *slang* to tie one on, get drunk
engañar to deceive, fool, cheat
engañoso,-a deceitful
engatusador,-a coaxing
engendrar to beget, conceive
enhorabuena congratulations; **dar la —** to congratulate; **¡que sea —!** congratulations
enjaretar *coll.* to rush headlong through
enlabiador,-a cajoling
enlazar to link, connect
enloquecedor,-a maddening
enloquecer to go crazy; madden
enlutado,-a (dressed) in mourning
ennegrecer to blacken
enojarse to get or become angry
enorme enormous
enredadera vine
enrevesamiento complexity, entanglement
enrojecer to redden, blush, flush
enrojecido,-a reddened
enrojecimiento reddening, blushing
ensañarse to exult in cruelty; vent one's fury
ensayar to try, try out
ensayo essay
enseñar to teach; show
ensimismarse to become absorbed in thought, abstracted
ensombrecer to darken, cloud; **—se** to become sad, gloomy
entarimado small platform with rugs and cushions used by Moslems for sitting instead of chairs or other furniture
entender (ie) to understand, know, realize
enterar to inform, acquaint; **—se (de)** to find out (about), learn about
entereza fortitude
entero point (*gained or lost by stock in the market*)
entero,-a whole, entire, intact, complete
entierro burial, funeral
entonación *f.* intonation, tone
entonar to intone; sing
entonces then; and so; **por —** then, at that time
entorchado wreathed cord; bullion (*twisted fringe of uniforms*); stripe (*e.g. general's stripes*)
entornar to half-close (*eyes, door, etc.*)
entrada entry, entrance; beginning; **de —** from the outset
entraña entrail
entrañable intimate
entrar to enter, go in; **— a** + *inf.* to go into; **— en** to enter, enter into;

—**le risa (a alguien)** to be overcome with laughter
entrecejo space between eyebrows
entrecortar to break into now and then
entregar to deliver; hand over; —**se** to surrender
entretener (ie) to entertain, amuse; —**se** to be amused, amuse oneself; —**se en (con)** to amuse oneself
entretenida kept woman
entusiasmarse to be enthusiastic, enthused
enunciar to enunciate; declare
envalentonar to encourage, embolden
envanecer to make vain
envejecer to age
envenenado,-a venomous, poisonous
envenenar to poison
enviar to send
envidia envy
envidiar to envy
envidioso,-a envious
envío sending, delivery
envolver (ue) to surround, encircle; envelop; wrap, wrap up; **envuelto en** covered with
enzarzar to entangle; —**se** to get involved (*in a dispute*); get entangled
epifanía epiphany (*a manifestation, especially of divinity*)
epitalamio epithalamium (*a celebration in honor of the bride and bridegroom*)
época epoch, time
equilibrio equilibrium, balance
equilibrista *m.* & *f.* rope-dancer, rope-walker
equivocado,-a mistaken
equivocarse to make a mistake
erguir (ie,i) to raise, straighten (up)
erigir to erect, build; establish
errar to wander
erupción *f.* eruption
esbeltez *f.* elegance, slenderness
escala scale (*mus.*)
escalera stairs, stairway; step ladder
escalofrío chill
escalón *m.* step (*of stairs*)
escamar *coll.* to cause mistrust
escandalizar to cause an uproar
escándalo uproar; **con** — with loudness, boldly
escapar(se) to escape, run away; leak; emerge; slip out
escaparate *m.* show window
escarmentar to learn a lesson (*by experience*); take a warning; teach a lesson
escaso,-a scarce, scant
escena scene
escenario stage, setting
escéptico,-a sceptic, sceptical
esclarecer to dawn; light up
escoba broom
escocia *arch.* scotia (*a type of molding*)
escoger to choose
escogido,-a selected
escolar (pertaining to) school
esconder(se) to hide
escote *m.* décolletage, open neckline
escritor *m.* writer
escritura writing
La Escritura Scripture (*the Bible*)
escrutador,-a searching
escuchar to listen (to), hear
escudo shield
escuela school; (technique)
escuerzo *coll.* sickly-looking person or animal
escueto,-a plain
esculpir to sculpture, carve
escultor *m.* sculptor
escultura sculpture
escurrido,-a drained (*in text used with meaning of* lean)
esencia essence
esfera sphere, ball
esforzarse (ue) to exert oneself; — **por** + *inf.* to strive to
esfuerzo effort
eso *pron. dem. neut.* that; **a — de** at, about; — **(es)** that's it; that is . . . ; that's right; — **mismo** that very thing, that's exactly what; **por** — therefore, for that reason
espacio space; while
espachurrar to squash
espalda back; *pl.* back, shoulders; **a (la) — de** behind, back of (*a building*); **de —s a** with their backs turned to

espantar to frighten away, chase away; **—se de** to marvel at, wonder at; become scared of
espanto terror, fright, dread
espantoso,-a frightful, horrible
España Spain
español,-a Spanish; Spaniard; **a la —a** Spanish style
espartano,-a Spartan (*pertaining to the austerity in which the Spartans lived*)
especia spice
especial special, especial
especializarse to become specialized
especie *f.* kind, sort, type; species
espectáculo spectacle
espectador *m.* & *f.* spectator
espectral ghostly
espejo mirror
espera waiting, expectation; hope
esperanza hope
esperar to wait (for), await, expect; hope (for)
esperpéntico,-a frightful-looking (*person or thing*)
espeso,-a thick
espesura thickness; shock of hair
espigado,-a tall
espigadura tallness
espíritu *m.* spirit; **pobre de —** poor in spirit
espléndido,-a splendid; magnificent
esplendor *m.* splendor
esposa wife
espuma foam
esqueje *m. hort.* slip (*for grafting or starting a plant*)
esquela note; announcement; **— mortuoria** death notice or announcement (*published in Spanish newspapers*)
esquelético,-a skeletal (*skinny to the bone*)
esquina corner
establecer to establish; form
estación *f.* station; season
estado condition; state; **en — interesante** pregnant
estafa swindle
estallar to burst, explode; break **out** (*said of a fire, war, etc.*)
estampar to print
estantería book stacks, shelves
estar to be; be present; **¿estamos?** understood? is it agreed?; **— hecho** to be looking like; **— para** to be about to, in the mood for; **— por** to be in favor of; **—se** to remain, stay
estatua statue; sculpture
estatura stature, height
Este *m.* East
estéril sterile; futile
estilo style
estilográfica (fountain) pen
estimar to esteem; *coll.* to like, be fond of
estirarse to stretch
esto *neut. pron.* this; **— de** this business of, this matter of; **en —** at this point
estómago stomach
estorbar *coll.* to be in the way
estrábico,-a strabismal (*cross-eyed, walleyed*)
estrangular to strangle, choke
estratagema stratagem, plot
estrechar to hug
estrecho,-a narrow; tight, close; *n.m.* narrow place or area
estrella star; *fig.* fate
estrellar *coll.* to shatter, dash to pieces; **—se** to crash
estreno *première,* first performance; also used for the first time something is used or worn; **de —** new
estrépito racket, noise
estreptomicina streptomycin
estrilar *coll.* to rage, be furious; **estar que estrila** *coll.* mad as a hatter
estropear to spoil, ruin
estructura structure
estudiar to study
estudio study
estupidez *f.* stupidity
estúpido,-a stupid
estupor *m.* amazement
eternidad *f.* eternity
eterno,-a eternal
Euménide (*myth.*) one of the Eumenides, three fearful winged maidens whose function as early as Homer and Hesiod was to punish men both in this world and after death for their crimes. They were regarded also as goddesses of

Fate.
Evangelio Gospel
evitar to avoid, prevent
exacto,-a exact, precise
exagerar to exaggerate
examen *m.* examination
excederse to go too far
excitación *f.* excitement
excitante exciting, stimulating
excitar to excite
exhalar to exhale; breathe forth
exhausto,-a exhausted
exigencia demand
exigir to demand
existencia existence, life
existir to exist; *as noun* life
éxito success
experimentado,-a experienced
experimentar to experience, feel
expiación *f.* expiation, punishment
explanada esplanade
explicación *f.* explanation
explicar to explain; **—se** to explain oneself, understand (*e.g.* **ahora me lo explico** now I understand it)
explorador *m.* explorer
exponer to expose; exhibit
exposición *f.* exhibition; **hacer una —** to exhibit
exprés: olla — pressure cooker
expreso express (*train*)
extender (ie) to stretch out, hold out
extensión *f.* extension; range
extenso,-a extensive, vast
exteriorizar to reveal
extranjero,-a foreigner
extrañar(se) to find strange, be surprised (at)
extrañesa surprise, wonderment
extraño,-a strange, curious, surprising; *m.* outsider
extraordinario,-a extraordinary
extravagante extravagant, foolish, wild
extraviar to lead astray; **—se** to go astray, get lost
extremeño,-a Estremenian (*from Extremadura, region in west-central Spain, north of Andalusia*)
extremo end
exultante exulting
exultar to exult
fábrica factory; manufacture; structure
fabuloso,-a fabulous
facción *f.* party (*performing military duty*); *pl.* features (*face*)
faceta facet
fácil easy
facilón,-a *coll.* easy-going
facilidad *f.* easiness, facility
facultad *f.* power
fachada façade
faena task, job, work; **hacer una — a alguien** to do mischief to someone
falda skirt; **de falditas** in small skirts
falso,-a false; fake
falta lack, need; **hacer —** to need, be necessary
faltar to lack, need; be wanting or lacking; fail; **— poco (tiempo)** to be near (in time); **¡no faltaba más!** the (very) idea!; **no — más que** + *inf.* to need only + *inf.*
falla defect, fault
fallar to fail
fama fame, reputation
familia family; **Sagrada Familia** Holy Family (*Michelangelo's famous painting by this name is mentioned in the text*)
familiar familiar; personal; (pertaining to the) family
familiaridad *f.* familiarity; intimacy
famoso,-a famous
fango mud
fangoso,-a muddy
fantasma *m.* ghost
faralae *m.* frill, ruffle
faro lantern; floodlight
farol *m.* street lamp; lantern
farsante *coll.* fake
fascinación *f.* fascination; enchantment
fascinar to fascinate
fastidiar to annoy; sicken
fatalidad *f.* fate
fatigas nausea; **— de muerte** agonizing nausea
favorecer to favor
fe *f.* faith; **sin —** faithless
fealdad *f.* ugliness
febril feverish
fecha date
felicidad *f.* happiness, good fortune

felicitar to congratulate
feliz happy
felón,-a treacherous, disloyal; *m.* & *f.* wicked person, criminal
fenómeno phenomenon
feo,-a ugly, homely; **en —** in an ugly way or manner
feria fair
feroz fierce, savage, ferocious
fertilidad *f.* fertility
fervoroso,-a fervent, fervid
festejar to honor; feast; **— la fecha** to honor or celebrate the day
fétido,-a fetid, foul
fez *m.* fez (*felt cap with a tassel once worn by Turks*)
fiar to trust; **—se de** to trust in, rely on
ficha chip
fiebre *f.* fever
fiel faithful
fieltro felt
fiesta holiday, feast; party; **"Fiesta en el aire"** "Holiday on the air," a radio program; **ir de —** to go to a party (parties)
figurarse to imagine
figurilla small figure, small body
fijar to fix; **—se (en)** to notice, pay attention (to); become fixed (*e.g.* to a spot)
fijo,-a fixed; determined; *adv.* fixedly
fila file; row; **— india** single file, Indian file
filigrama filigree, delicate work
Filipinas Philippine Islands
filo edge; ridge
fin *m.* end; **al —** at last, finally; **en —** finally, in short; **por —** finally, in short
final *adj.* final; *m.* end; **al —** finally
fino,-a fine; refined, polite; of a good quality
firma signature
firmar to sign
firme firm, solid
firulete *m.* ornament
fisgonear to pry
fisgoneo *coll.* constant prying
físico physique, appearance
flaco,-a thin; weak
flamear to wave, flutter
flamenco Andalusian gypsy (song, dance, etc.)
flauta flute
flor *f.* flower
florecer to blossom
Florencia Florence, city on the river Arno, northwest of Rome in Tuscany, central Italy. It is an extremely important city for its many Renaissance art treasures.
florentino,-a Florentine (*pertaining to Florence*)
Foch, Ferdinand (1851–1929), French general, marshal of France during World War I
fogata bonfire
fomento promotion, encouragement
fonda inn
fondo depths; back, background, setting; **en el —** at bottom; **por — de** as background for; **sin —** bottomless
forcejar to struggle
forma shape, form; way
formal serious
formalizarse to become serious
formar to form, develop
fortaleza strength, vigor; fortitude
fortuna fortune; **por —** fortunately
fosforescente phosphorescent
fósforo phosphorus
fracasado,-a would-be, having had no success; *m.* & *f.* failure
fracasar to fail
fracaso failure
frágil fragile, flimsy
francés,-a French; *m.* French (*language*)
Francia France
San Francisco de Asís St. Francis of Assisi (1182–1226), Italian monk, founder of the Franciscan order. He especially devoted himself to poverty and was known in Italy as the *poverello* because of his poverty vow.
franco,-a frank, open; evident
franchute,-a *coll.* Frenchy
frase *f.* phrase; sentence; **hacer una —** to make up a cliché
Fray Angélico: *see* **Angélico**
fregar to scrub, mop
frenesí *m.* frenzy
frenético,-a frantic, mad, frenzied

frente *f.* forehead; *m.* front, head; **al — de** in charge of; **— a** in front of, facing, before, across from, opposite, overlooking
fresco,-a cool, fresh; fresco (*painting*)
frescura freshness, coolness
frío,-a cold; cool; *m.* cold
friolero,-a chilly
frito,-a fried
frívolo,-a frivolous
frontera border
fruición *f.* enjoyment, gratification
fruncir to knit (*eyebrows*); **— el ceño** to frown, scowl
frustrado,-a frustrated
fruta fruit
frutera fruit vendor, fruit woman
fruto fruit (*result, product*)
fuego fire
fuente *f.* platter, tray
fuera out, outside; **— de** *prep.* out (outside) of, away from
fuerte strong
fuerza force, power, strength; **a — de** by dint of, force of; **a la —** forcibly, involuntarily
fugitivo fugitive, runaway
fumar to smoke
función *f.* show (*theatrical, radio, television*)
funcionario official
fundador,-a founder
fundidor *m.* founder, smelter
fúnebre funeral; **coche —** hearse
funeral(es) *m.pl.* funeral
furgón *m.* van, wagon
furia fury; desperateness
furibundo,-a furious, enraged, frenzied

gabinete *m.* boudoir
Gabriel y Galán, José María (1870–1905), a Salamancan poet who wrote about family life, Nature, and country life. He became the voice of the Salamancan and Extremaduran peasants and often wrote in their speech. The poem cited in the text, "El embargo" (*see*), belongs to the volume *Estremeñas* written in the dialect of Extremadura.
gacela gazelle
"gacelas" Anacreontic (*pertaining to Anacreon, Ionian Greek poet*) ode used among Persians and Arabs to eulogize the beauty of a woman
galante gallant, attentive (*to women*)
galería gallery
Galería de los Oficios Uffizi Gallery in Florence, the most important art gallery in Italy and among the first in the world. It excels in its collection of paintings of Florentine and Tuscan artists of the 13th and 14th Centuries.
galón *m.* braid, stripe; bullion in uniforms
gallego,-a Galician (*from Galicia, a region in northwest Spain*)
gallina chicken, hen; *m.* & *f.* chicken-hearted (*person*), sissy, coward
gallinero *coll.* top gallery, paradise (*in a theater*); hencoop, poultry yard
gallo rooster
gana desire; **darle a uno —(s) de** to feel like, have a mind to; **hacer lo que le da la — (a uno)** to do as one pleases; **tener —(s) de** to feel like, have a mind to
ganar to earn (*money*); to gain, win; beat; reach; **—se** to earn
garbanzo chick pea
garganta throat
gárgara gargling; **hacer —s** to gargle
garita porter's lodge, porter's office
garra claw; *coll.* clutch, hand
gas *m.* gas; **Gas** the gas company
gaseoso,-a gaseous, gassy
gastado,-a used up, worn-out
gastar to spend; wear out; **— una broma** to play a joke
gasto cost; **pagar los —s** to foot the bill
gato cat; *coll.* native of Madrid
gatuno,-a catlike
gélido,-a frigid
gemelo,-a twin; **—s** binoculars
género genre; goods; **— humano** humankind, the human race
generoso,-a generous; warm (*heart*)
genial inspired, brilliant, genius-like
genio temper, disposition, humor, genius
Génova Genoa (*Italian seaport in*

northwest Italy)
gente *f.* people
genuflexo,-a genuflecting, on one's knees
gerente manager; **director —** manager
germen *m.* germ, seed; source
germinador,-a germinating
gestar to give birth
gesto face; expression, manner, gesture
gestoría "place where managers could be trained"
Ghiberti, Lorenzo (*c.* 1378–1455), Italian goldsmith, bronze-caster and sculptor, born in Florence. He won a competition to execute a gate in bronze for the baptistry of S. Giovanni Battista, and was also entrusted with the execution of a second gate which contains ten reliefs. On the two gates he worked for fifty years.
Ghirlandajo, Domenico Curradi (1449–94), Italian painter of the early Florentine school. His famous painting the *Adoration of the Magi* is mentioned in the text.
gigante giant
gigantesco,-a gigantic
La Gioconda the Mona Lisa painting of Leonardo da Vinci
Giotto di Bondone (*c.* 1276–1336), one of the greatest of the early Italian painters, also celebrated as an architect, born near Florence. He decorated the Peruzzi and Bardi Chapels in the church of Santa Croce, Florence (*see* **capilla** *and* ***S. Croce***).
giralda weathercock
girasol *m.* sunflower
gitanería band of gypsies
gitano gypsy
glera pit
glóbulo globule, small globe
glosar to comment
gobernador *m.* governor
goce *m.* enjoyment, pleasure
gocho,-a *coll.* pig, hog (*said of a dirty person*)
golfo ragamuffin
golondrina swallow
golosear to go around nibbling on delicacies
golpe *m.* blow; blow (*misfortune*); **dar —(s) en** to bang against, strike blows; **de —** all at once, suddenly
golpear to knock, pound, strike
gorro cap; **— de cascabeles** jester's cap (*with bells on it*)
goteante dripping
gotear to drip; sprinkle (*rain in scattered drops*)
Goya, Francisco de (1746–1828), Spanish painter born in Aragon. He was court painter for many years and has left one of the most outstanding collections of portraits of the Royal family and his contemporaries. One of his best known paintings is *La Maja desnuda* and the companion picture *La Maja vestida,* both portraits of the same woman, considered among the best of their type among European paintings.
gozador,-a enjoyer
gozar (de) to enjoy
gozoso,-a joyful
grabar to engrave
gracia grace; wit; style; gift (*endowment*); *pl.* thanks; **dar las —s** to thank; **hacerle a uno —** to strike someone as funny, to be amused by; **¡gracias a Dios!** thank heavens!
Gracián, Baltasar (1584–1658), Spanish Jesuit, author of the *Criticón,* a kind of philosophical criticism of the civilization and science of his time. His style is labored, quite subtle and obscure.
gracioso,-a pleasing, "cute," entertaining
grado rank
Gran Vía Broadway (*a street in Bilbao, where the action of the novel begins*)
grande (gran) large, great; **en gran parte** mainly
grandeza grandeur
grato,-a pleasant
grave serious, grave
gravitar to gravitate; hang, weigh down
grifo faucet
gris gray

gritar to cry out, shout
grito shout, cry
grueso,-a thick, heavy, bulky; *m.* **bulk**
gruñir to grumble; grunt, growl
gruñón,-a *coll.* grumpy, muttered
grupo group
guadaña scythe *(one of the attributes of death personified)*
guante *m.* glove
guapo,-a handsome, good-looking
guardapolvo smock *(lightweight coat used for protection by students)*
guardar to guard, keep, hold, preserve; show
guardia *m.* policeman; guard; — **municipal** city policeman
guarecer(se) to take refuge
guarro,-a hog
guasón,-a *coll.* joker, kidder
guerra war
guía guide
guiar to guide, lead
guiñar to wink *(an eye)*
guiso cooked dish
Guriezo municipality of the province of Santander in the north of Spain
gustar to please; like *(e.g.* **como Vd. guste** as you like); —**le a uno** to like
gusto taste; pleasure, joy; flavor; **coger el — a** to acquire a taste for; **tener — en** to be glad to; **tomar (el) — (a)** to take a liking (for)
gustoso,-a ready, willing, glad; **estar — de (que)** to be happy or glad (that)
Gynt: *see* **Peer Gynt**

haber *aux.* to have; *impers.* **hay** *and 3rd pers. sing. of all tenses* there is, there are, *etc.;* — **de** + *inf.* to be to, be about to, be sure to; have to, should, must; — **que** to be necessary; **había que ver** you should have seen; **no hay cuidado** don't worry; **¿qué hay?** How! hello! What's up?
habilidad *f.* skill, ability
habitación *f.* room
habitante *m.* & *f.* inhabitant
habitar to inhabit
habla speech *(the way in which a person speaks)*; conversation
hablador,-a talkative
habladuría gossip
hablar to speak, talk, say, discuss; *m.* speech
hacer to make; do, perform, create, produce; for, since, ago *(impersonal use in expressions of time, e.g.* **hacer mucho (tiempo) que** to be a long time since, **hace poco** a short while ago, **hace ya mucho tiempo** for some time now); — **bien** to do right; — **las primeras armas** *see* **arma;** —**le a uno gracia** *see* **gracia;** —**le compañía a uno** to keep one company; — **lo que se puede** to do one's best; — **mal** to do wrong; — **preguntas** to ask questions; — **que** + *subj.* to have, cause, order, see to it that; —**se** to become; pretend to be; —**sele a uno** to strike or impress one as; — **tiempo** to mark time
hacia toward, in the direction of; — **abajo** downward
hacienda fortune, possessions
halagador,-a flattering
hambre *f.* hunger; **pasar** — to go hungry
haragán,-a lazy; *m.* & *f.* loafer, good for nothing
harto,-a fed up, full; — **de** full of, sick of, fed up with
hasta until, till; as far as, to, up to; even; — **luego** so long; — **más ver** see you later, so long; — **que** *conj.* until
he *1st pers. sing. ind. of* **haber;** — **aquí** here is, behold
hebra thread *(of conversation)*; **pegar la** — to start a conversation
hecho,-a *p.p. of* **hacer** done, made, finished; **estar** — to be looking like; — **con** made of; **quedar —,-a** to turn out to be, end up being; *n.m.* fact
hechura styles
helado ice cream
hemíptero,-a hemipterous *(From* Hemiptera, *a large order of insects to which the term* bug *is applied)*
hendidura cleft, crack
heredero,-a heir, heiress, inheritor
herencia inheritance, legacy

herida wound
herido,-a hurt (*injured, offended*)
herir (ie,i) to hurt, injure, wound; **—se** to hurt oneself
hermano brother; *adj.* & *m.* & *f.* mate, twin
hermético,-a hermetic; impenetrable (*place*)
hermosura beauty
Herodiades Herodias, daughter of Herod the Great. It was her daughter Salome who danced before Antipas and persuaded him to the oath that allowed Herodias to accomplish the death of John the Baptist.
herradura: camino de — bridle path
herrero blacksmith
hervir (ie,i) to boil; swarm, teem; **— de** to swarm, teem with
hielo ice, cold; chill; **coger —s** to catch chills, colds
hierba grass; **hierbabaena** mint
hierro iron
hilera row, line
hilo thread; linen; **— de voz** a soft, thin voice
hinchar to swell, puff up; fill (*as with air*), swell up
hipocresía hypocrisy, dissimulation
hipoteca mortgage; **hacer una — (sobre)** to mortgage
hiriente cutting, offensive
historia history; story, tale
hogar *m.* home
hoja sheet, leaf; **— de papel** leaflet
hola *interj.* hello
holgazán,-a lazy, indolent
hombre *m.* man; *coll.* my boy, old chap; **¡hombre!** upon my word!; **todo un —** quite a man
hombro shoulder
homenaje *m.* gift; homage
hondo,-a deep
hondonada ravine
honra honor; **(tener) a mucha —** (to be) proud of
honradez *f.* honesty
honrado,-a honest, honorable
honrar to honor
hora hour, time; **altas —s** late hours; **¿qué — es?** what time is it?
horchata summer drink made of barley
horizonte *m.* horizon
horno furnace; **alto —** blast furnace
horripilante hair-raising, terrifying
horroroso,-a horrid, horrible
hostil hostile
hotel *m.* hotel; cottage
hueco,-a hollow, empty
huella track; **— digital** fingerprint
huérfano,-a orphan
huerto orchard; **Huerto de los Olivos** Mount of Olives or Olivet, east side of Jerusalem, Palestine
hueso bone; **en los —s** skin and bones
huevo egg; **clara de —** white of egg
huída escape
huidizo,-a evasive, cunning
huído,-a *p.p. of* **huir**; *n.* fugitive, runaway; **andar (estar) —** to be a fugitive
huir to avoid, shun; flee
humanidad *f.* humanity
humear to smoke, steam
humedad *f.* dampness; mustiness
húmedo,-a damp, wet
humilde humble
humillación *f.* humiliation
humo smoke; *pl.* airs, conceit
humor *m.* humor, mood
hundir to shatter; destroy; sink
huracán *m.* hurricane
huraño,-a sour, disapproving

Ibsen, Henrik (1828–1906), Norwegian poet and dramatist, best known for his satirical and social dramas. Among his best-known works are *Peer Gynt, Ghosts, A Doll's House, The Wild Duck*
ibseniano pertaining to Ibsen.
idéntico,-a identical
identificar to identify; recognize
idilio idyl
idiota idiotic; *m.* & *f.* idiot
iglesia church
ignorar to be ignorant of
igual same, equal, identical; even, monotonous
iluminar to light (up)
ilusión *f.* illusion, hope; **hacerse —es** to indulge in wishful thinking, deceive oneself; **hacerse la —** to become hopeful

ilusionado,-a excited with expectation
ilusionar to excite, thrill; **—se to have** illusions
ilusorio,-a illusory
imagen *f.* image, picture
imaginar(se) to imagine
imbécil *adj.* & *m.* & *f.* imbecile
imitar to imitate
impaciente impatient
impar odd; *m.pl.* the odd numbered seats
impedir (i) to prevent; **— algo a uno** to prevent someone from doing something
imperar to hold sway, prevail
imperdonable unforgivable, unpardonable
imperioso,-a imperative
impermeable *m.* raincoat
impertérrito,-a undaunted, dauntless
ímpetu *m.* impetus, impulse
implacable implacable, relentless
impoluto,-a unpolluted
imponente imposing, stately
imponer to impose
importador,-a importing; **casa —a** import company
importancia importance
importar to matter, be important; concern; **¿Qué importa?** What does it matter?
imposibilitado,-a disabled, crippled, paralytic
impotente impotent, helpless
impregnado,-a impregnated, saturated
impregnar to impregnate, permeate
impresionante impressive
impresionista impressionist; **pintura —** a type of realist art the aim of which is to render the immediate sense impression of the artist apart from any element of study of detail; this theory was systematically applied by a school of French painters originated by Edouard Manet (1832–83), which included Monet, Degas, Renoir, Pissarro.
impreso *p.p. of* imprimir
imprimir to print
impudicia immodesty, "gall"
impune safe, secure, out of danger
impunidad *f.* impunity
inadvertido,-a unseen, unnoticed, unobserved
inagotable inexhaustible
inalcanzable unattainable, unreachable
inauguración *f.* inauguration, opening (*of a show*)
inaugurar to inaugurate, open
incalificable unqualifiable; unspeakable
incansable untiring
incapacidad *f.* inability, incapability
incendiado,-a aflame, in flames
incendiarse to catch fire
incendio fire, blaze
inclinado,-a inclined, bent over
inclinar(se) to incline, bend
incluso including; even, besides
incógnito,-a concealed
incomodarse to get annoyed
incomprendido,-a misunderstood
incomprensible incomprehensible
incomprensión *f.* incomprehension
inconsciente unconscious, unaware
incontaminable uncontaminatable, undefilable
incontenible irrepressible, unrestrained
inconveniente *m.* objection, obstacle
incorporado,-a sitting up
incorporarse to sit up
increado,-a uncreated
incultura lack of culture
indagar to investigate
indefenso,-a defenseless
indefinible indefinable; unexpressible; incomprehensible
indemnizar to compensate, reimburse
indescriptible undescribable
Indias Indies (*the name originally given by Columbus to the newly discovered lands*)
indicación *f.* indication; **por — de** at the direction or suggestion of
indicar to indicate, show
indignar to anger, irritate, make indignant; **—se** to get indignant
indio *m.* & *f.* Indian
inepto,-a inept, incompetent
inesperado,-a unexpected
inevitable unavoidable, inevitable

inexorable inexorable, relentless
inexplicable inexplicable, unexplainable
inexpresivo,-a inexpressive
infancia infancy, childhood
infantil infantile, childlike, childish
infatigable indefatigable, tireless
infierno hell, inferno; "Inferno," part of Dante's *Divina Commedia* (*see* **Dante** *and* ***La Comedia***)
infinito,-a infinite; *pl.* countless, innumerable; *m.* infinite
inflamado,-a inflamed, aflame
influir to influence; — **en** to have an influence on
informar to inform, report
ingeniero engineer
ingenio talent, ingenuity; talented person
ingenuidad *f.* ingenuousness, naïveté
ingenuo,-a ingenuous, naïve, artless, candid
ingrato,-a thankless (*ungrateful*)
ingresar to enter, become a member
injusto,-a unjust
inmediaciones *f. pl.* neighborhood
inmediato,-a immediate
inmenso,-a immense
inmóvil motionless, quiet; paralyzed
inmovilizarse to bring oneself to a standstill
inmutable immutable, invariable, unchangeable
innato,-a innate
inoportuno,-a out of place, untimely
inquietante disquieting
inquietarse to become disquieted
inquieto,-a anxious, worried, restless
inquietud *f.* anxiety, disquietude
inquirir (ie) to inquire (into), investigate
insinuar to advance, point out
insistir to insist
insolación *f.* sunstroke
insolentarse to become insolent
insólito,-a unusual
insomnio insomnia, sleeplessness
insostenible unbearable
inspirar to inspire
instalar to install, place, set up
instantáneo,-a instantaneous
instante *m.* instant, moment
instintivo,-a instinctive
instinto instinct
insufrible insufferable
insuperable insurmountable
intacto,-a intact, untouched
íntegro,-a entire, complete, whole
intentar to try, try out, attempt
intento attempt
interés *m.* interest, gain, advantage
interesado,-a interested; selfish; **estar — por** to be interested in
interesante interesting; **en estado —** pregnant
interesarse to be interested; — **por** to be interested in
interior interior; inside (pertaining to), internal; **ser del —** to come from the inland
interponerse to intercede, stand between
intérprete *m.* interpreter
interrogar to question, ask
interrumpir to interrupt
interruptor,-a interrupting (person)
intervenir (ie) to take up; intervene, intercede
intimidad *f.* intimacy
íntimo,-a intimate, personal
intranquilo,-a worried; restless
intríngulis *m. coll.* secret
introducirse to gain access; come in
intruso intruder
inútil useless
invadir to invade, overrun; overwhelm
inválido,-a invalid
inventar to invent, devise
invierno winter
invitación *f.* invitation, announcement
invitar to invite; treat (to something)
ir to go, walk; be; — **a** + *inf.* to be about to, go to; — + *pres. part.* to keep on . . . -ing . . . gradually; **—se** to go, go away, leave; — **tirando** *coll.* to get along
ira anger
iracundo,-a angry, wrathful, irascible
ironía irony
irrazonable unreasonable
irreconocible unrecognizable
irritarse to become exasperated
irrompible unbreakable
izar to hoist, haul up

izquierdo,-a left (*side*)

jabalina javelin
jabón *m.* soap
jadear to pant
japonés,-a Japanese
jardín *m.* garden
jarra jar, jug; **en —s** with arms akimbo
jarrón *m.* vase
jaula cage
jazmín *m.* jasmine; **— del Cabo** Cape jasmine
jefe *m.* chief, head; **— de producción** producer
jerez sherry; **vino de —** sherry wine
jersey *m.* jersey (*sweater*)
jesuita Jesuit (*a member of the Company or Society of Jesus, a religious order founded by Ignatius Loyola in 1534*)
jeta *coll.* mug (*face*)
jornal *m.* salary, wage
joven young; *n.* young man, youth; young woman; **de —** as a youth, as a young man (*or* woman)
joya jewel
jubileo *coll.* jubilee
judío,-a Jewish; Jew
juego game, play, sport; gambling
juez *m.* judge; **señor —** your honor (*as a form of address*)
jugador *m.* gambler
jugar to play; gamble; **el —** the playing; **— a** to play
juguete *m.* toy
junto,-a together; **— a** near, with; beside
juramento oath; curse
jurar to swear
justicia justice; *fig.* the police
justiciero,-a just, fair
justificar to justify
justo,-a just, fair; exact; righteous person; **—s y cabales** exactly; **los —s** the just
juvenil youthful
juventud *f.* youth
juzgar to judge

kilo kilogram (*approximately 2.2 lb.*)

laberíntico,-a labyrinth-like, maze-like
laberinto maze, labyrinth
labio lip
labor *f.* labor, work; **sus —es** housewife (*in official documents what is written after the name of a woman as her profession*)
labriego peasant
Laburu, Padre extraordinarily brilliant orator, one of the most sensationally successful preachers of our time in Spain, especially among the upper classes of Spanish society
lacrimoso,-a tearful; **hacerse el —** to pretend to be tearful
láctea: vía — Milky Way
ladeado,-a leaning
lado side, direction; place; **al —** next door; **al — de** beside, next to, by the side of; **al otro — de** the other side of; passed; **de un —** on one side; **por aquel —** around there; in that direction; **por todos —s** everywhere
ladrillo brick
lágrima tear
lamentar(se) to lament
lámpara lamp, light
lánguido,-a languishing
lanzar to hurl, fling; launch (a person in a career); give out
lápiz *m.* pencil
largarse *coll.* to utter, let out; go away, run away
largo,-a long; **a lo — de** along, throughout; **largamente** for a long time
larguirucho,-a *coll.* lanky, gangling
lástima pity; **es (una) — (que)** it is a pity (that)
lastimero,-a pitiful, doleful
lata tin, tin can
latir to beat, throb
laudatorio,-a laudatory, full of praise
lavado,-a washed, scrubbed up
lavandera laundress
lavar(se) to wash; **—se las manos** to wash one's hands of
leal loyal, faithful
lección *f.* lesson
lectura reading
leche *f.* milk

lechera milk vendor, milkwoman
lechería dairy, dairy store
lecho bed
lechoso,-a milky
leer to read
legajo file, bundle of papers
legitimista *m.* & *f.* legitimist (*one who supports legitimate authority, especially a monarchy*)
legítimo,-a legitimate; sincere
lejanía remoteness, distance
lejano,-a distant, remote
lejos far; **de (muy) —** from a (great) distance; **— de** far from
lengua tongue; **con la — fuera** with the tongue hanging out; **no tener pelos en la —** not to mince words
lenguaje *m.* language
lente *m.* & *f.* lens; *pl.* eye glasses; **— de aumento** magnifying glass
lentitud *f.* slowness
lento,-a slow
leña firewood
letra letter
levantamiento elevation; building up
levantar to raise; lift; stir up; build up; **—se** to get up, rise, rise up
liar to roll (*a cigarette*); **—se** *coll.* to become embroiled, involved; **—se a coces** to become embroiled in a kick-fight
liberar to free
libertar to free
libra pound
libre free; open; net (*profit*)
libreta loaf of bread
Lieja Liége (*Belgian city famous for its steel industry*)
lienzo canvas
ligero,-a light, slight, faint
limar to curtail, cut down
limbo limbo (*the abode of souls who have not sinned in life but who cannot be admitted to heaven because of the original sin; e.g. characters of the Old Testament and children*)
limpio,-a clean, spotless; clear; neat; pure
linajudo,-a of high lineage, highborn
Lindaraja noble Moorish lady
lindura prettiness, beauty
línea line
lío *coll.* mess, muddle, incident
listín: — de teléfonos telephone book
listo,-a alert; *f.* list
lituano,-a Lithuanian
liturgia liturgy
litúrgico,-a liturgical
lívido,-a livid, pale
lo *art. neut.* the; **— de** the matter, affair of; — + *adj. or adv.* = *substantive expression*
lobo *coll.* drunk
local local; *m.* rooms, quarters
localizar to locate
loco,-a crazy, mad, crazed; *m.* & *f.* madman, lunatic; **volver —** to drive crazy
locura madness, extravagance
locutor,-a announcer
Loggia dei Lanzi a roofed open gallery, on the main square of Florence, to the right of the Old Palace, built between 1376 and 1381. It contains many fine examples of Renaissance statuary.
lógica logic
lograr to get, obtain; attain; succeed in, accomplish; profit from
lomo back; **—s** ribs
lona canvas
loro parrot
lotería lottery; **lista de —** the list of numbers to receive lottery prizes
lozanía vigor
San Lucas Saint Luke
lucerna chandelier
lucero light
lucido,-a brilliant; gorgeous
lucimiento brilliancy; flying colors
lucir to display, put on
lucha struggle, fight
luchar to struggle
luego then, presently, soon; after; **desde —** of course; at once; **hasta —** see you later; so long
lugar *m.* place
lujo luxury; **de —** de luxe, of a high quality; **perro de —** show dog; lap dog
lujoso,-a luxurious
lumbre *f.* fire
luminoso,-a luminous, shining, bright
luna moon; mirror-plate

lunar *m.* mole
lustre *m.* luster, splendor
luz *f.* light; *pl.* enlightenment, culture; **de pocas luces** of little intelligence

llamada call, appeal
llamar to call; — **la atención** to attract attention; —**se** to be called, named
llamear to flame, blaze, flash
llanto weeping, crying
llave *f.* key; faucet, spigot; (elec.) switch; **bajo** — under lock and key
llavero key ring
llegada arrival
llegar to arrive, come; go; reach; — **a** to reach; go as far as to; succeed in; — **a** + *inf.* to come to; happen to
llenar to fill; — **de** to fill with
lleno,-a full
llevar to carry, take, raise; bear; wear; get, obtain; have been (e.g. **llevaba cinco días** she had been five days); — **camino de** to be on the way to; — **la contraria a** *coll.* to oppose, disagree with; —**se** to carry or take away; —**se un chasco** to be disappointed; —**se un disgusto** to become grieved; —**se una sorpresa** to become surprised
llorar to cry, weep
lloro weeping
llorón,-a weeping
lluvia rain

macbethiano of or from Macbeth, pertaining to Macbeth
maceaje *m.* hammering
macerar to soak
macizo cluster
macho male; masculine
madera wood; **de** — wooden
madrépora madrepore (*coral*)
madriguera den (*e.g. of thieves or convicts*), hideout
madrileño,-a Madrilenian (*from Madrid*)
Madriles *pl.* of Madrid (*used in affected speech*)
madrina sponsor
madrugar to get up early
madurar to mature, ripen
maestro teacher; master, old master
magno,-a great
magro,-a thin, meager
majada herd of sheep
maja: *La Maja desnuda, La Maja vestida,* paintings by Goya (*see* **Goya**)
mal *adv.* badly, poorly, bad, ill; *n.m.* ill, evil, harm, illness; **andar** — to be badly off; **hacer** — to do wrong; **pasarlo** — to struggle; **tomar a** — to take offense
Málaga province in southern Spain; **málaga** wine from this region
malayo Malayan
maldad *f.* wickedness
maldición *f.* curse
maldito,-a accursed, damned
maleta valise, gripsack
maletín *m.* satchel
malevo,-a mischievous; evil
malgastar to waste, squander
malhumor *m.* ill-humor; **de** — ill-humored
malhumorado,-a ill-humored
malicia malice
malo,-a bad, wicked, evil, sick
malogrado,-a ill-fated, thwarted; wasted
malogro failure
malta malt
maltrecho,-a battered
malva mauve (*color*)
malvado,-a evil, wicked; *n.* villain, wicked man, scoundrel
maná *Bib.* manna
mancera plow handle
mancha spot, stain
manchar to stain
mandar to order, command; dominate; send; **como Dios manda** as it should be; — + *inf.* to order to + *inf.*, to have + *inf.*; **¡mande!** at your service, yes sir!
mandato order
manejar to wield
manera manner, way; style (*in art*); *pl.* manners; **a mi, su** — in my, his, her own way; **de ninguna** — by no manner of means; **de otra** — in a different way, any other way; — **de ser** temperament, way of behavior;

no hay — de + *inf.* there is no way to

Manet, Edouard French painter (1832–1883); *see* **impresionista**

manguero hoseman

manía mania, craze, whims

manipular to manipulate

mano *f.* hand; *coll.* "pull," influence; **de —s de** by the hand of; **petición de —s** asking of hand in marriage; **robar a — armada** to commit an armed robbery

manso,-a meek, gentle

manta blanket, tarpaulin

mantener to maintain, keep; support; **—se** to keep calm; remain firm

mantillo humus, fertilizer

mantón *m.* shawl; **— de Manila** embroidered silk shawl

manzana apple; city block, block of houses

mañana *f.* morning; *m.* future; *adv.* tomorrow; **a media —** in mid morning

mañanero,-a morning

mañanita early morning

mapa *m.* map

maquinal mechanical

mar *m.* & *f.* sea; **la —** (*used as adv. in a fig. sense*) very much, extremely; **la — de** a lot of, lots of

maravilla wonder, marvel; **de —** marvelous

maravillado,-a astonished, dazzled, dumbfounded

maravilloso,-a wonderful, marvelous

marca brand, make; scar

marcado,-a marked

marcar to mark; **— las horas** to mark (the) time

marco frame

marcha course, progress; leaving; **cerrar la —** to end the procession; **sobre la —** at once, right away

marchar to go, walk; **—se** to go away, leave

mareo giddiness; **darle un — (a alguien)** to become faint, faint

marfil *m.* ivory

margen *m.* margin; **estar al —** to be on the outside (of something, *e.g.* a discussion)

Santa Maria del Fiore It. the Cathedral of Florence, also known as ***il Duomo***. It was begun in 1296 and its construction, under various architects, lasted until 1434.

marido husband

marimacho *coll.* mannish woman

mariposa butterfly

mármol *m.* marble

marrajo,-a cunning

martillo hammer

más more, most; besides, in addition to; extra; **— bien** rather; **no (nada) . . . — que** only; **por — que** no matter how much, however much; **¿qué —?** what else?; **sin — ni —** *coll.* just like that, without more ado

más *m.* plus (*sign*); **tener sus — y sus menos** to have its good points and bad points

máscara mask

mástil *m. naut.* mast

mata bush

matadero slaughter house; **Mataderos** district in the outskirts of Buenos Aires

Matamoros place in the province of Vizcaya, in the north of Spain

matar to kill

Maternidad *f.* free maternity hospital for the poor; maternity, motherhood

matizado,-a blended; diversified

matorral *m.* underbrush

matrimonio matrimony, marriage; married couple

matrona midwife

máximo,-a maximum, top

mayor larger; greater, greatest; older, oldest; important; first class

mayordomo butler

mayoría majority (*being of full age*); majority

mayúsculo,-a capital

mecánico mechanic; **— de radios** radio repairman

mecanógrafo,-a typist

mecedora rocker, rocking chair

mechero pocket lighter

mediado,-a half-full

medicina medicine

médico doctor, physician

medida measurement; step; measure;

a — **que** as, in proportion as
medio,-a half (a); **a —a mañana** in mid morning; **el — día** noon; *n.m.* middle, center, midst; method, means; *n.f.* stocking; half past; **en —** (in) the middle; **en — de** in the middle of, in the midst of; **por — de** by means of, through
mediodía *m.* noon, midday
medir (i) to measure
meditabundo,-a meditative
meditar to meditate
medroso,-a dreadful, terrible, fearful
Medusa in Greek mythology a Gorgon slain by Perseus; *see* **Perseo**
mejilla cheek
mejor better, best; **a lo —** *coll.* the chances are, like as not, perhaps; **— dicho** rather
mejoría improvement
melado,-a honey-colored
melena locks of hair
meloso,-a honeyed, sweet
memoria memory; mind; **de — by** heart
mendicante *m.* beggar
menester *m.* job, occupation
menor less, lesser; least; younger, youngest; slightest
menos less, least; except; **al —** at least; **por lo —** at least; **venir a —** to decline in social standing, become impoverished, come down in the world
menos *m.* minus (*sign*); **tener sus más y sus —** to have its good points and bad points
mensaje *m.* message
menudo,-a little, diminutive, minute, tiny, slight; **a —** often
mercado market
mercancía merchandise; trade, dealing
mercería notions store
mercurio mercury
merecer to deserve, merit
merendar (ie) to lunch, have lunch
merienda luncheon, lunch
merluza *coll.* drunk, spree; **enganchar una —** *slang* to tie one on, get drunk
mermelada marmalade, jam
merodear to maraud
merodeo marauding
mesa table
mesurado,-a restrained, measured
metalúrgico,-a metallurgic
meter to put (in), place, insert, plunge; stab; **— (a alguien en algo)** to get (someone) interested (in something); **— ruido** to produce noise; **—se** to go into, get into; **—se con** to pick a quarrel (with someone), meddle; **—se en** to get into; plunge into
metido,-a *p.p of* **meter** plunged; confined, shut in; **estar (muy) — en** to be (deeply) involved in
metro meter
mezcla mixture
mezclar to mix; **—se** to mingle, take part
mezquindad *f.* meanness
mezquino,-a poor; small
micrófono microphone
miedo fear; **dar —** to frighten; **tener —** to be afraid
miel *f.* honey; honey color
mientes *f.pl.* mind; **parar — en** to consider, pay attention to
mientras while; **— no** as long as; **— tanto** meanwhile
Miguel Angel Michelangelo Buonarroti (1475–1564), Italian sculptor, painter, architect, and poet, one of the most important artists of the High Renaissance
milagro miracle
militar military; *m.* military man
millonario,-a *adj.* & *m.* & *f.* millionaire
mimo pampering, fussiness
mimoso,-a pampered; *adv.* softly
minarete *m.* minaret
minoría minority
minucia trifle; *pl.* minutiae
mirada glance, look
miramiento regard; caution
mirar to look (at), watch, regard; consider; **—se** to look at oneself; **quedarse mirando (a una persona)** to stare at (a person)
misa mass
miserable miserable, wretched; mean, stingy

miseria misery, wretchedness; poverty
mismo,-a same, (one's) own, (the) very; self (*e.g.* **ella misma** herself); **ahora —** right now, just now; **el, la — . . . de siempre** the customary; **eso —** that very thing, that's exactly what; **lo —** the same thing, just the same
mitad *f.* middle
mobiliario suite of furniture
mocedad *f.* youth
mocetón *m.* strapping young fellow
mocita *dim. of* **moza**
mocoso,-a snotty, ill-bred, rude, mean
moda fashion, style
modelar to model
modo manner, way; **de — que** so, so that
mojar to soak, moisten
moldeado,-a molded
moldería foundry, casting
molestar to bother, annoy, molest; **—se** to be or become annoyed; bother
molesto,-a annoying, bothersome; annoyed, bothered
molleja: criar — *coll.* to grow lazy
momento moment, time; **por el —** for the time being
momia mummy
monigote *m.* funny figure (*drawn or painted by children*)
mono,-a *coll.* cute, nice
monóculo monocle
monologar to soliloquize
monoplaza single-place
monstruosidad *f.* monstrosity
monstruoso,-a monstrous
monte *m.* mountain
montón *m.* pile, heap
morado,-a purple
morder (ue) to bite
mordisco bite
mordoré reddish brown, russet
morenez *f.* darkness
moreno,-a brown, dark, dark-complexioned; *f.* brunette
morir(se) (ue,u) to die
morisco,-a Moorish (*in the text used to mean a person of the Mohammedan religion, which would include the Turks*)
morocho,-a dark-complected
morosidad *f.* deliberateness
moroso,-a detailed
mortuorio,-a funeral
mosca fly
mostrar (ue) to show; **—se** to show oneself to be
mote *m.* nickname; **poner —s** to give a nickname
motivo motive, reason
mover (ue) to move, shake; **—se** to move; get around
movimiento movement, motion
moza girl; **buena —** good-looking, good-looking girl *or* woman
mozo lad, boy, young man; **buen —** good-looking young man
mudable changeable
mudanza moving; **camión (coche) de —s** moving van
mudo dumb, speechless
mueble *m.* (piece of) furniture; *pl.* furniture
mueblería furniture store
muerte *f.* death
muerto,-a *p.p. of* **morir;** *n.* dead person, corpse; **naturaleza —a** *art* still life; **no tener dónde caerse —** not to have a cent to one's name
muestra sample, sign; **dar —s de** to show signs of
muestrario sample book
mula mule; **— de varas** a draft mule (*one between the shafts of a carriage*)
munición *f.* supplies; **de —** government issue; **pan de —** army bread
municipal municipal (*pertaining to a city, town*)
muñeca wrist
murga: dar la — a *coll.* to bother, annoy
murmullo murmur
murmuración *f.* gossip, gossiping
museo museum
Museo del Prado the Prado Museum of Fine Arts in Madrid, one of the best painting museums in the world
mustio,-a sad, gloomy
mutuo,-a mutual; mutual (insurance)

nacarado,-a mother-of-pearl (*in appearance or color*)

nacer to be born
naciente incipient; growing
nada nothing; anything; no; **de —** not at all; you are welcome; **en —** at all, in no manner or degree; **— más que** only; **— menos que** not less than
nadie no one, nobody; anyone; **— más** nobody else
nafta gasoline
Napoleón Napoleon Bonaparte (1769–1821), Emperor of the French (1804–1815)
nardo nard, spikenard (*a plant which produces a very fragrant flower*)
nariz *f.* nose
natural natural; *m.* & *f.* native
naturaleza nature; disposition; **— muerta** *art* still life
naufragar to be shipwrecked
naufragio shipwreck
náusea nausea; **dar —s** to nauseate
Náutico Club in the city of Bilbao
navarro,-a Navarrese (*from Navarra, region in N. Spain which corresponds to the ancient kingdom located W. and N. of Aragon*)
navegar to sail; float
Navidad *f.* Christmas
neblinoso,-a misty
necesidad *f.* need, necessity
necesitar to need, require; **— +** ***inf.*** to have to, need to
negado,-a unfit, incompetent
negar (ie) to deny; refuse; **—se a +** *inf.* to refuse to
negocio business
negro,-a black
negrura darkness, blackness; **—s** black moments (of grief)
negruzco,-a blackish, dark
nene *m. coll.* baby, small child
nervio nerve
nervioso,-a nervous; vigorous, energetic
ni neither, nor, not, not even; **— . . . —** neither . . . nor; **— aun** not even; **— que** not even if; **— (siquiera)** not even; **— tampoco** nor
nido nest; home
niebla fog; **de —** foggy
nieve *f.* snow; **de —** snowy
niño,-a child, baby; boy, girl; *adj.* young, childish, inexperienced
nirvana nirvana (*in Buddhism, a beatific spiritual condition which is oblivious to external reality*)
nivel *m.* level
nivelar to level, even
noción *f.* notion, idea
nocturno,-a night, nocturnal
nombre *m.* name; *fig.* fame; **en — de** in the name of; **— de pila** first name, Christian name; **— propio** proper name
Norte *m.* North: *fig.* purpose
notable notable, noteworthy
notar to notice, observe, perceive
noticia *pl.* news; information
novedad *f.* novelty
novelero,-a fond of fiction, "romantic"
noviazgo engagement, courtship
novia sweetheart, fiancée; bride
novio fiancé; bridegroom
nube *f.* cloud
nuca nape
nudillo knuckle
nuera daughter-in-law
nuevo,-a new; **de —** again
numeración *f.* numeration, numbering
número number; item of a program; *coll.* bit (*incident*)
numeroso,-a numerous, sizable

obedecer to obey
objetar to object
objeto object; purpose, aim, reason; **al — de** with the object of
obligar to oblige, force, compel; **— a +** *inf.* to oblige to, force to
obra work; labor; **maestro de —s** master builder
obrar to proceed
obrero workman, worker
o(b)scuridad *f.* obscurity; darkness; humbleness
o(b)scuro,-a obscure, unknown; dark; **a —as** in the dark
obsequiar to treat
observar to observe
obstáculo obstacle
obús *m.* howitzer (*light cannon*)
ocasión *f.* occasion, opportunity, chance

Occidente *m.* Occident (*the West*)
ocio leisure; pastime
ociosidad *f.* idleness, period of inactivity
ocultación *f.* concealment, hiding
ocultar to hide, conceal; **—se** to hide
ocupar to occupy, busy; **—se de** to attend to, pay attention to
ocurrencia occurrence; bright, clever idea; **¡qué —!** what an idea!
ocurrente witty
ocurrir to occur, happen; **—sele a uno** + *inf.* to occur to one, think of
odalisca odalisque
odiar to hate
odio hatred
Oeste *m.* West
ofender to offend
ofendido,-a offended (person)
oficina office
oficinista *m.* & *f.* clerk, office worker
oficio office; occupation, profession; rôle; **buenos —s** good offices (*dipl.*)
ofrecer to offer; **—se** to offer, offer oneself, offer one's services
oído hearing; ear
ojeras circles under the eyes
ojo eye; **con buenos —s** favorably, kindly; **echar un —** *coll.* to keep an eye
ola wave
olé *interj.* bravo!
oleada surge, wave, big wave
oleaje *m.* surge, rush of waves; rough sea
oler (hue) to smell; **— a** to smell of
oliváceo,-a olive-colored
olivo olive (*tree*)
olor *m.* odor, scent, smell
oloroso,-a odorous, smelly; **— a humedad** musty smelling
olvidado,-a forgetful; forgotten
olvidar(se) (de) to forget
olvido oblivion
Olympia a painting by Edouard Manet; in 1865 he shook the art world by exhibiting this painting, a nude portrait of a typical Parisian demimondaine. It was obviously inspired by Giorgione's *Sleeping Venus* and by Goya's *Maja desnuda.*
olla pot, kettle; **— exprés** pressure cooker
ómnibus *m.* bus, omnibus
omóplato shoulder blade
onda wave; **— hertziana** *elec.* Hertzian wave
operación *f.* operation, maneuver
opinar to judge, think, express or have an opinion
oponer to offer (*e.g. resistance*), oppose
oprimir to oppress
oprobio infamy, disgrace
opulento,-a full blown, fully developed; opulent, rich
oracionero,-a prayerful
orbe *m.* world
orden *m.* order
ordenanza *m.* orderly
ordenar to order, arrange
ordinario,-a ordinary, common; mean, vulgar
oreja ear; **—s despegadas** ears that stick out
orgullo pride
orgulloso,-a haughty, proud, conceited
orientación *f.* orientation; bearings
Oriente *m.* Orient (the East)
origen *m.* origin
originar to originate
orilla edge; bank; shore
oro gold; **de —** golden
oruga caterpillar
otoño fall, autumn
oveja sheep
Oviedo province in northwest Spain on the Bay of Biscay; its capital city

pabellón *m.* pavilion
paciencia patience
paciente patient
pacificador,-a peace-maker
pacífico,-a peaceful
padecer to suffer
pagar to pay
página page
país *m.* country
paisaje *m.* landscape
paisano,-a rustic
paja straw
pájaro bird
pajita straw (*for drinks*)

palacio palace, mansion
paladar *m.* palate (*taste*)
palanca lever
palanganero washstand
palazzo Vecchio *It.* the Old Palace, also known as *Palazzo della Signoria,* in Florence, built around 1453, was the seat of the republican government from its establishment till its abolition in 1530
palidecer to pale, turn pale; look pale
palidez *f.* paleness, pallor
pálido,-a pale
palma palm (*tree*); palm (*of the hand*)
palo stick
paloma pigeon, dove
palomar *m.* pigeon house, dovecot
palomo cock pigeon
pampa pampa; **la Pampa** the Pampas (*of Arg.*)
pan *m.* bread
pánico panic, fright
pantalonero,-a one who makes trousers (*tailor, seamstress*)
panteón *m.* cemetery
paño cloth
pañuelo handkerchief
papel *m.* paper, newspaper; rôle; wallpaper; **hacer el** — to play the rôle
paquete *m.* package
par like, similar, equal; *m.* pair, couple; **al** — equally; at the same time; **de — en** — wide-open; completely
para for; to; toward; in order to; **estar** — to be about to; to be in the mood for; — **con** for, toward; — **mi** in my opinion, for me; — **que** *conj.* in order that; ¿— **qué?** what for?
parabién *m.* congratulation; **declarar el — a** to congratulate
parado,-a standing
paragüero umbrella stand
Paraíso Paradise
paraje *m.* place, spot
paralítico,-a paralytic
paralizar to paralyze
parar to stop; put up, lodge; — **mientes en** to consider, pay attention to; **—se** to stop
Parca fate, death
parchís *m.* pa(r)chisi (*game resembling backgammon*)
parecer to seem, appear, look, resemble; **al** — apparently; **—se a** to resemble, look like; **¿qué le parece?** what do you think? what is your opinion?; *n.m.* opinion
parecido,-a like, similiar; *m.* likeness, similarity
pared *f.* wall
pareja pair, couple
pariente *m.* & *f.* relative, kinsman; **ser algo —s** to be somewhat related (*by blood*)
parlamento speech
parpadear to blink
parque *m.* park
parsimonioso,-a parsimonious; moderate
parte *f.* part; **en gran** — mainly; **en** — in part; **por otra** — on the other hand; **(por, a, en, para) todas —es** everywhere, on all sides; *m.* message; **dar** — to inform
partida game, match; **ganar la** — to win the match, come out the victor
partido side
partir to start (off); split, crack
pasadito soaked with perspiration
pasado,-a past; last; *m.* past
pasaporte *m.* passport
pasar to pass, go through; cross; come in; go beyond; suffer, undergo; happen, turn out; *command form* come in!; — **a mejor vida** to pass away to a better life (to die); — **de** to go beyond; **—lo** to get along, live; **—lo mal** to struggle; **—se** to spend; pass; **¿qué (le) pasa?** what's the matter (with you, him)?
pascua: hacerle la — (a alguien) to play a dirty trick (on someone)
pasear to walk; wander; go for a ride
paseo walk, path; avenue; **hacer un** — to take a walk
pasillo passage, corridor, hall
paso passing; step; pass; passage
pastelería pastry shop
pastiche *Fr. pastiche* (*an artistic composition imitating, often cari-*

caturing, previous writings or paintings)
pastor *m.* shepherd
patada kick; **pegarle una — (a alguien)** to deal (someone) a kick, to kick (a person)
patata potato
patente patent, evident
paternidad *f.* paternity, fatherhood
patilla sideburn
patio patio, courtyard
patrocinio sponsorship
patulea *coll.* group of noisy or disorderly brats, gang of roughnecks
pausado,-a deliberate
pavimento pavement
pavo turkey
paz *f.* peace, tranquillity; **dejar en —** to leave alone, in peace; **en —** calmly, peacefully; at peace; **estar en —** to be even, at peace
peca freckle
pecado sin
pecera fish bowl
pecho chest; breast, bosom
pedazo piece, part, fragment
Peer Gynt play in verse by Henrik Ibsen, written in 1867. The author describes a hero who is a victim of an apathy which Ibsen tries to present as representative of the Norwegian people. This is a masterful satire of moral faithlessness and self-betrayal.
pega *coll.* trick; **de —** *slang* fake
pegar to let go (a blow, slap, etc.), hit, strike; stick; let out (a cry); **—se** to have a fist fight, exchange blows; be catching
peinado hair-do
peinarse to comb one's hair
peineta ornamental comb
pelamesa hair-pulling fray
peldaño step (*of stairs*)
pelea fight, quarrel, struggle
pelear to fight, quarrel, struggle; **—se** to fight, fight with each other
película film, motion picture, movies; **jefe de producción de —s** movie producer; **producción de —s** movie production
peligro danger
peligroso,-a dangerous
pelo hair; **no tener —s en la lengua** *coll.* not to mince words
pelón,-a hairless; with very close haircut
pelota ball
pena grief, sorrow; shame; **dar —** to grieve, feel sorry
pendiente pending
penoso,-a difficult, painful, trying
pensamiento thought
pensar to think, think over, consider; **— en** to think about, think of; **— +** *inf.* to intend; **estar bien pensado** to be a good idea
pensativo,-a pensive, thoughtful
pensión *f.* pension, boarding house
pequeñez *f.* trifle; smallness, pettiness
pequeño,-a small, little; young; **de —,-a** as a child; **en —** in his own small way
percibir to perceive
perder (ie) to lose; flunk (a course); waste, squander; ruin; **echar a —** to spoil, ruin; **— la cabeza** to become befuddled
perdido,-a lost, mislaid; *n.* dissolute, dissipated; *f.* woman of loose morals
perdón *m.* pardon, forgiveness
perdonar to pardon, forgive
perenne perennial, perpetual
perezoso,-a lazy
perfilar to outline
perfumar to perfume
Perico nickname for Pedro
periódico newspaper
perito expert; **— agrónomo** surveyor
perjudicar to harm
permanecer to remain
permiso permission
permitir to permit, allow; **—se to** allow onself, be permitted; **—se +** *inf.* to take the liberty to
Pernod a French liqueur
perpetuo,-a perpetual
perro dog; **— de lujo** lap dog; show dog
persa Persian
persecución *f.* pursuit
perseguir (i) to pursue; harass
Perseo Perseus; refers to the famous sculpture by Benvenuto Cellini

(1553) of Perseus with the bloody head of Medusa. Perseus in Greek mythology was a son of Zeus and Danaë. He slew the Gorgon Medusa and gave her head to the goddess Athena.
perseverante persistent
Persia Iran
persiana blind
persistir persist
persona person; *pl.* people
personaje *m.* character
personal personal; *m.* personnel, crew
perspectiva perspective; **en —** future (*adj.*)
pertenecer to belong
perturbar to disturb
Peruzzi: *see* **capilla Peruzzi**
pesadilla nightmare
pesado,-a heavy; tiresome, dull
pesar *m.* sorrow, regret, grief; *v.* to weigh; **a — de** in spite of
pescado fish
pese: — a todos los pesares in spite of everything
peseta Spanish monetary unit
peso Arg. monetary unit
pesquisa inquiry, investigation
pesquisador,-a investigating
pesquisativo,-a (*adj. made from* **pesquisar** to investigate) investigative
pestaña eyelash
pestañear to wink, blink
petaca cigar case; tobacco pouch
petición *f.* petition; **— de manos** asking of hand in marriage
petulante flippant
pez *m.* fish
pezuña hoof
Piazza della Signoria *It.* the main square in Florence
pibe *m. Arg.* kid
picante highly seasoned
picar to mince, chop up
picarse to begin to turn sour
pico beak, bill
pictórico,-a pictorial
pichel *m.* pewter tankard
pie *m.* foot; **a —** on foot; **al —** at the base or foot (of *something*); **al — de** near, close; **de (en) —** standing; **ponerse en —** to stand or rise up
piedad *f.* pity, mercy
piedra stone, rock; flint
piel *f.* skin; fur
pierna leg
pieza piece
pila: nombre de — first name, Christian name
píldora pill
pincel *m.* brush
pinchar to jab, poke
pino pine
pintar to paint
pintor *m.* painter
pintoresco,-a picturesque
pintura painting; **— de academia** academic painting; **— de caballete** easel painting; **— de museo** museum painting
piña cluster
pipa pipe (*smoking*)
piropo *coll.* compliment, flirtatious remark
pirulí *m.* candy lollipop
pisar to tread on, step on
piso floor, story (*of building*); apartment, flat
pista dance floor, area in a night club where artists perform
pito cigarette; whistle
Pitti Palace the most grandiose and monumental of the Florentine palaces. The building, begun about 1440, was designed by Filippo Brunelleschi and has been added to through the centuries following the original plans.
placer to please; *n.m.* pleasure; **a —** at one's convenience *or* pleasure
planchado ironing, pressing; **— mecánico** automatic presser
planchador,-a presser, ironer
plano plan, design; plane (*area*)
plantado,-a: bien —,-a good-looking
plantar to establish, set (up); **—se** to stand
plata silver
plátano banana
plateado,-a silver (*in color*)
platino platinum
plato plate, dish
plaza plaza, square

plazo time, instalment; time limit; **a —s** on time, in instalments
plazoleta small square
pleno,-a full; **en —** as a whole, unanimously
pliego sheet (*of paper*)
plomizo,-a leaden, gray
plomo lead
pluma feather
poblador,-a inhabitant
poblar to people, populate
pobreza poverty
poco,-a little, small; *pl.* few, a few; **a —** shortly, shortly afterwards; **— a —** little by little, slowly; **por —** almost, nearly
podar to prune
poder (ue) to be able, can, may; *in pret.* managed (to), succeeded (in); **no — más** to be exhausted, give in; **no — ver** not to be able to bear
poderío power; wealth, riches
poderoso,-a powerful
poesía poetry
polaco,-a Polish; Pole
polen *m.* pollen
policía police, policeman
polvo dust; powder; **en —** powdered
polvoriento,-a dusty; powdery
Pompeya Pompeii, an ancient seaport on the Neapolitan Riviera. About 80 B.C. it became a Roman colony and later a favorite resort for wealthy Romans. Its population must have been about 20,000. In 79 occurred that terrific eruption of Vesuvius which in one day overwhelmed the towns of Pompeii, Herculaneum, and Stabiae. It was not until 1748 that excavations were made in modern times.
pomposo,-a pompous
pómulo cheekbone
poner to put (on), set, place; fix, arrange; represent, give; utter; make; contribute; **— la mesa** to set the table; **—se** to become, grow, get; put on; **—se a** to begin to; **—se en (de) pie** to stand up, get up, rise; **sol poniente** setting sun
Ponte di S. Trinitá *It.* Holy Trinity bridge, the most beautiful of all Florentine bridges built by Ammannati in the 16th Century
Ponte Vecchio *It.* Old Bridge, the best known and most characteristic bridge in Florence, built in the 14th Century
por for; to; by; through; over; along; around; about; in; from; of; because of; for the sake of; **el — qué** the reason why; **—** + *adj.* + **que** however; **— demás** too, too much; **— donde** where; **— no** instead of; **— poco** almost, nearly; **¿— qué?** why?
porcelana porcelain
por qué *m. coll.* why, reason; **tener —** to have a reason
portador,-a bearer
portal *m.* vestibule, entrance hall, doorway
portarse to behave, conduct oneself
portátil portable
portazo: pegar un — to slam the door
portero,-a porter, doorkeeper, janitor
porvenir *m.* future
posar to put down (a load) in order to rest, lay; **—se** to alight, perch, rest
poseer to own, possess, have
poso sediment, dregs
postura posture, position
poverello *It. see* **S. Francisco de Asís**
pozo well; pit; **— negro** cesspool
Prado, Museo del: *see* **Museo del Prado**
preceder to precede
preciarse to esteem oneself
precisamente precisely; then; as a matter of fact
precursor *m.* precursor, forerunner
preferente preferential
preferido,-a favorite
preferir (ie,i) to prefer
pregunta question
preguntar to ask (about), inquire
preguntón,-a *coll.* inquisitive
prejuicio prejudice
premio prize, reward
prenda darling, loved one
prender to pin, fasten; catch (*fire*)
prensa press
preocupación *f.* preoccupation, concern, worry

preocuparse to worry, become preoccupied
preparar to prepare
presa prey
prescindir (de) to dispense with
prescribir to prescribe; *law* to become invalidated by default
presencia presence
presentación *f.* introduction
presentar to present; introduce; **—se** to present oneself, appear
presentidor anticipatory
presentimiento presentiment, misgiving
presentir (ie,i) to foresee, have a presentiment (of), surmise
presidio prison, group of prisoners
presidir to preside
préstamo loan
prestar to lend; **—se** to lend onself
presumir to presume; **— de** + *adj.* or *n.* to boast of being
presunto,-a hopeful
presuroso,-a speedy, quick
pretender to pretend; woo, court
pretendiente *m.* suitor
pretensión *f.* presumption, claim; proposal of marriage
pretenso,-a pretended
preterido,-a overlooked
prevenido,-a ever-ready
prevenir (ie,i) to anticipate; forewarn
prever to foresee
primavera spring, springtime
primaveral spring-like
primero (primer),-a first, early; *adv.* first; **lo —** first of all
primitivo,-a primitive; first, early
primo,-a cousin; **— hermano,-a** first cousin; **— segundo,-a** second cousin; **— tercero,-a** third cousin
primoroso,-a skillful, careful, graceful, dexterous
principal principal, main; essential, important
principio start, beginning; principle; **al —** at first; **a —s de** toward the beginning of
prisa hurry, haste; **darse —** to hurry, make haste; **tener —** to be in a hurry
prisionero prisoner
privar to deprive; **— a** to be in vogue; **—se** to deprive onself
probar (ue) to prove; try, try out, test; **— a** + *inf.* to try, attempt to
procurar to strive for; **—** + *inf.* to try to
producir to produce; happen, take place
profano,-a worldly person
proferir (ie,i) to utter, express
profeta *m.* prophet
prófugo,-a fugitive; *m.* slacker (*one who evades military service*)
profundo,-a deep, profound
progenitor *m.* progenitor (*father*)
programa *m.* program; set of exercises
prohibir to prohibit, forbid
promesa promise
prometedor,-a promising
prometer to promise
prometido,-a fiancé; fiancée
pronóstico prognosis; **ser de —** to be of (such seriousness as to require medical) prognosis
pronto,-a prompt, quick; ready; *adv.* quickly, soon; **al —** at first; **de —** suddenly, right away
prontuario notebook; **¡gran —!** long record!
pronunciar to pronounce; utter; deliver, make (*a speech*); **—se** to declare oneself
propietario proprietor, owner
propio,-a proper, suitable; typical, characteristic, natural; own; same; himself, herself (*e.g.* **la propia Rosa** Rosa herself); **nombre —** proper name
proponer to propose, decide
proporción *f.* proportion; *pl.* proportions (*size, dimensions*)
proposición *f.* proposition, offer, proposal
propósito intention
propuesto,-a *p.p. of* **proponer** proposed; *f.* proposal
prorrumpir to burst forth
prosperar to prosper, thrive
próspero,-a prosperous
protector,-a *or* **protectriz** protective; *m.* protector
proteger to protect
provecho profit; **buen —** good luck!

proveedor,-a supplier
proverbio proverb
provincia province; **de —s** provincial
provocar to provoke, induce, incite
proximidad *f.* proximity, vicinity
próximo,-a next, forthcoming, near
proyectar to plan, project
proyecto plan; design
prudencia caution
prudente prudent, cautious
prueba proof
público,-a public; *n.* public, audience
puchero pot, kettle
pudor *m.* shyness, modesty; virtue
pueblo town, village; country
puente *m.* bridge
puerco hog
pueril puerile, childish, boyish
puerto port, seaport
pues then, well, but; *conj.* since, for; *interj.* why, well
puesto,-a *p.p. of* **poner**; *n.m.* place, booth, stand; job, position, post; **— que** *conj.* since, inasmuch as; although
pulga: de malas —s hot-tempered
pulso pulse; **tomar el — a** to feel or take the pulse of; *fig.* to look into, scrutinize
punta tip, end
punterazo *aug. of* puntero
puntero *coll.* kick
punto point, dot; degree (*e.g.* **hasta un punto notable** to a considerable degree); stitch, loop (*in knitting*); **a — de** on the point of, about to; **de —** knitted; **de todo —** completely, entirely
puñalada stab (*with a dagger*)
puñetazo punch; **pegar un —** to strike a blow
puño fist; grasp
puré *m. purée; fig.* (*said of something all smashed up*)
pureza purity, honesty
purgar to expiate
pusilánime fearful

que: es — the fact is that; **ni —** not even if
¿qué? what? so?; **¡—!** how! what! what a!; **¿— hay?** what's up?; how, hello; **¿y —?** well?
quebrar to break; fail; become bankrupt
quedar to remain, stay, be left; have (left over); be, become; turn out; **— hecho,-a** to turn out to be, end by being; **—se** to remain, stay; **—se mirando (a una persona)** to stare at (someone)
queja complaint
quejarse to complain; lament, moan
quemar to burn (up), consume; parch, scorch; **—se** to burn, be burning up
querer to wish, want, desire; love, like; **— decir** to mean, think
querido,-a dear, beloved
queso cheese
quicio pivot hole (*for hinge pin*); window hinge; corner of a window or door; **sacar de —** to unhinge (a person), to exasperate (someone)
quieto,-a quiet, still, calm
quiste *m.* cyst
quitar to take away, take off, remove; detract; **—se** to get rid of; take off; give up

rabadilla: carne de — rump meat
rabia anger, rage, fury
rabioso,-a mad; raving mad
rabo tail
radiador *m.* radiator
radioyente *m.* & *f.* radio listener; *pl.* radio audience
Rafael Raphael Sanzio (1483–1520), one of the greatest painters of the Italian Renaissance. The opinion of his contemporaries, that his work was the highest perfection of pictorial art, is denied by some modern artists and critics. His works embody, however, the best of all the Central Italian schools, and are, in this sense, the culmination of Italian painting.
raíz *f.* root
rajar to rip open
ramillete *m.* bouquet
rana frog
rapaz *m.* lad
rápido,-a rapid, quick, swift; *m.* rapid (*train*), express

raquítico rickety, weak, sickly
raro,-a rare, strange, curious
el Rastro the flea market of Madrid
rata rat; **más pobre que las –s** *coll.* poor as a church mouse
rato while, little while, time, moment; **un** – awhile; **a –s perdidos** in spare time, in one's leisure hours
raya stripe; fine line, wrinkle; **a –s** striped
rayar to mark, underscore
rayo ray
raza race
razón *f.* reason; **con** – rightly; **dar la** – to agree with; **tener** – to be right
razonable reasonable
razonar to reason
reacción *f.* reaction; **por** – as a reaction
reaccionar to react
real real; *m.* real (*Spanish coin*)
realidad *f.* reality; truth; **en** – in reality; in fact
realizable attainable, realizable
realización *f.* fulfillment, realization
realizar to carry out, fulfill, accomplish, perform; **–se** to be carried out, become fulfilled
realquilado roomer; **tomar –s** to take in roomers
reanimar to revive
rebajar to lower, cheapen
rebeca cardigan
rebelarse to rebel
rebeldía defiance, rebelliousness
rebosante overflowing, brimming
rebotar to bounce; bounce back, rebound
recabar to get back
recado errand; message
recaída relapse
recepción *f.* reception, receiving; reception (*party*)
recibir to receive; take, accept
recién recently, just, newly, freshly
reciente recent
recitador,-a reciter (*an interpreter of a rôle or poem*)
recitar to recite (*interpret a rôle or poem*)
reclamar to claim
recobrar to recover
recocho,-a hard-burned (*brick*)
recoger to pick up, gather, collect, gather together; **–se** to retire (*go to bed*)
recomendar (ie) to recommend
recomponer to recompose, repair
reconcentrar to concentrate; absorb (*in thought*)
reconocer to admit, acknowledge
reconocimiento recognition
reconvención *f.* remonstrance; **hacer –es** to remonstrate (with)
recordar (ue) to remind, recall, remember; – **a** to remind of
recortar to trim, cut off
rectificar to rectify, correct
recua drove of beasts of burden
recuadro square; block
recuerdo memory
recular to back up
recuperar to recuperate, recover
recurrir to resort to
rechazar to reject, push away
(re)chistar to mumble, mutter; **sin** – without saying a word
red *f.* net; – **metálica** chicken wire
redondear to round off, round out
redondo,-a round; **caer** – to fall senseless
reemplazar to replace
referirse (ie,i) to refer to, relate to
reflejar to reflect; **–se** to be reflected
reflexionar to reflect
reflorecimiento reblossoming
reformar to reform; remodel
refrenar to curb, restrain
refresco refreshment, cold drink
refriega scuffle
refugiarse to take refuge
regalar to give, present; **–se** to feast
regalo gift, present
regar (ie) to water, sprinkle
registrar to register, record
regla rule
regocijar to cheer, delight
rehacer to do over, remake
reina queen; – **madre** dowager queen
reino kingdom
reintegración *f.* restoration, recovery
reintegrar to restore, recover
reír(se) (i) to laugh

reiterar to reiterate, repeat
rejonear to jab, pierce
relacionado,-a related
reloj *m.* watch, clock
reluciente shining
relucir to shine; **sacar a — el grado** to pull one's rank (on someone)
rellano landing (*of stairs*)
relleno,-a stuffed
remachar to clinch (a driven nail); stress; **— el clavo** *coll.* to drive home a point
remar to row
rematar to finish (off), complete, put an end to; *in arch.* crown, top
remate *m.* sale (*at an auction*)
remedio remedy, help; **no hay (más) —** there is no hope; **no tener (más) —** to be unavoidable, have no choice but to, be unable to help; **sin —** hopelessly, inevitably
remendón *m.* mender, repairer; **zapatero —** shoe repairer
remiendo patch (*in mending*)
remirar to look twice, look more carefully
remisión *f.* forgiveness
remolonear to loiter
remontación *f.* elevation
rémora hindrance
remordimiento remorse
remoto remote, distant
remover (ue) to upset; shake
Renacimiento Renaissance (*the transitional movement in Europe between the medieval and the modern, marked especially by a revival of classical influence. It covers roughly the 14th to 16th Centuries.*)
rencilla feud, quarrel
rencor *m.* rancor, grudge
rencoroso,-a rancorous, spiteful
rendido,-a tired, worn-out
rengo,-a lame
renovar (ue) to transform, restore
renta income
renunciar to renounce; **— a** to give up
reñido at odds, at variance
reñir (i) to quarrel, fight; scold
reparador,-a restorative
reparar to repair, restore
repartir to distribute
repente *m.* sudden movement or impulse; **de —** suddenly, all of a sudden
repetir (i) to repeat
repicar to sound
repleto,-a full, loaded
replicar to reply
repoblación *f.* repopulation
reponer to reply, retort; **—se** to recover
represar to check, repress
representación *f.* performance, production
representar to represent, present; perform
reprochar to reproach; **— (algo a alguien)** to reproach (someone for something)
requerir (ie,i) to require
requetebién *coll.* very well, fine
resabio unpleasant aftertaste
resaltar to stand out; highlight
resbalar to slip, slide; skim
rescatar to rescue
reseña outline; review (*of a book or event in the newspapers*)
reservar to reserve
reservorio reservoir
residir to reside
residuo remains
resistir to stand, withstand, endure
resollar (ue) to breathe; *coll.* to show up
resonar (ue) to (re)sound, ring, (re)echo
resoplar to puff, breathe hard
resorte *m.* spring; motive
respaldo back (*of something, e.g. a chair, yard*)
respecto respect, reference; **— a** with respect to, with regard to
respetable respectable, sizeable, considerable; worthy
respetar to respect
respeto respect; consideration
respetuoso,-a respectful
respirar to breathe; breathe again, breathe freely, catch one's breath
respiro respite, breathing spell
responder to answer, reply
respuesta answer, response
resquebrajar(se) to crack, split
resquemor *m.* sting, bite; grief

resto(s) remains, remnants; remainder, rest
resucitado,-a reborn; a reborn person
resucitar to revive
resultar to result, prove to be, turn out (to be)
retaco short (person)
retardar to retard, slow down, delay
retemblar (ie) to shake, quiver
retina retina (*of the eye*)
retirada retreat
retirar to withdraw, take away; **—se** to retire
reto defiance
retrasar to delay, defer, put off; be late
retratar to photograph; paint a portrait
retrato photograph; portrait
retribuir to recompense, remunerate
retrógrado,-a reactionary
retumbar to resound, sound loudly
reumático,-a rheumatic
reunión *f.* gathering, reunion, meeting
reunir to join; assemble, gather; **—se** to gather together
revelador,-a revealing
reverberación *f.* reverberation, repercussion; reflection
reverbero heat reflector; **horno de —** smelting furnace
revés *m.* back; wrong side; **al —** backwards, in the opposite way; **por el —** on the wrong side
revirar to turn over
revista review, magazine
revolver (ue) to shake; stir, turn upside down; **—se** to whirl around; shift (about), move around; **—se contra** to revolt against
revuelo confusion
revuelto,-a *p.p. of* **revolver** stirred up; *n.f.* confusion
rey *m.* king
Reyes the three Wise Men, or the Magi
rezar to pray; *coll.* to say, read
rico,-a rich; dear, darling
ridiculez *f.* ridicule
ridículo,-a silly, ridiculous
riel *m.* rail
rienda rein; **dar — suelta a** to give free rein to
riesgo risk; **correr —** to run or take a risk
rigidez *f.* rigidity, stiffness
rigor *m.* rigor, severity, intensity
rincón *m.* corner, nook
rinconada corner, out-of-the-way place
río river
Río Negro territory of Argentina (*in central part*)
riqueza wealth, riches
risa laugh, laughter; **darle (entrarle) — (a alguien)** to be overcome with laughter
ritmo rhythm
rizado,-a curly
rizo curl
rizoso,-a curly
robar to steal; **— a mano armada** to commit an armed robbery
robo theft
rodar to roll, roll down, tumble; **salir rodando** to slip, fall down
rodear to surround; **rodeado de** surrounded by
rodilla knee
roer to gnaw (away) at
rogar (ue) to beg; request
rojizo,-a reddish
rojo,-a red
Roma Rome
romper to break; tear
ropa clothing, clothes
rosa rose (*color*); rose (*flower*)
rostro face
roto *p.p. of* **romper** broken; torn; debauched, licentious
royendo *pres. p. of* **roer**
rozar to graze, touch
rubianco,-a fair-haired, ruddy
rubio,-a blond
rubor *m.* blush, flush
rudeza crudeness, coarseness, roughness
rueda wheel
ruido noise
ruidoso,-a noisy; sensational
ruin mean; puny
ruina undoing, ruin
rumbo course, direction
rumiar to ruminate; *coll.* to meditate
rumor *m.* rumor; sound, murmur (*of*

voices), rumble
ruso,-a Russian

sábana bed linen (sheet)
saber to know, know of, know how (to), find a way to; — **lo que es bueno** to know what things are really like
sabio,-a wise
sabor *m.* taste, flavor
sacar to take out, bring out; exhibit, show; get, obtain; — **a relucir el grado** to pull one's rank (on someone)
sacerdote *m.* priest
sacristán *m.* sexton
sacudir to shake
sagrado,-a sacred; **Sagrada Familia** *see* **Familia**
sala room; living-room, drawing-room, parlor; hall; show room; — **de recibir** living room
saldar to settle (*an account*)
salero *coll.* charm, grace
saleta little hall
salida departure; witticism; — **de tono** *coll.* impropriety (*lit.* getting out of line)
salir to go out, come out, leave, get out, emerge, issue; escape; sail; rise (*of the sun*); result, turn out; — **de** to get rid of; — **rodando** to slip, fall down
saliva saliva, spit
salmodia *coll.* singsong, monotonous song
salobre saltish
salón *m.* salon, drawing-room; **Salón de Otoño** Salon d'Automne (*the fashionable exhibition place for the "official" French art*)
saltamontes *m.* (*pl.* **-tes**) grasshopper
saltar to leap, jump, spring; spurt; burst; **hacer** — *naut.* to lower (*cable or buoys*); — **a la vista** to be self-evident, obvious; — **por todo** to leap over anything; **—sele las lágrimas (a alguien)** tears come to one's eyes
salto jump; **de un** — at one jump; **pegar un** — to jump
salud *f.* health
saludar to greet
saludo greeting
salvar to save
salvo,-a safe; **a** — out of danger
sanar to heal
sangrante bleeding
sangrar to bleed
sangre *f.* blood
sano,-a healthy; **cortar por lo** — *coll.* to use desperate remedies; cut something short
santito *coll.* sissy
santo,-a blessed, holy; *coll.* simple; **campo** — cemetery
sargento sergeant
sarpullido rash
satisfacer to satisfy, settle, pay; **—se** to take satisfaction
secar to dry, wipe dry; **—se** to dry up
sección *f.* section; — **de sucesos** news section (*newspaper*)
seco,-a dry; dried up, withered
sector *m.* sector, section
sed *f.* thirst; **dar** — to make one thirsty; **tener** — to be thirsty
sedancia (*from* **sedar**) calmness, quiet
sediento,-a thirsty; dry (*land*)
seductor,-a tempting, seductive
seguida succession; **en** — immediately, right away
seguir to follow; continue; to be (now); — + *ger.* to keep, continue
según as, according as; according to; judging from
seguridad *f.* security; assurance
seguro,-a sure, certain, secure; reliable; *m.* insurance (policy); — **de vida** life insurance
sello seal; stamp; distinctive mark
semana week
sembrar (ie) to sow, plant (*flowers*)
semejar to be like, look like
semejante like, similar; such
semilla seed
sempiterno,-a everlasting
sencillez *f.* simplicity, simpleness
sencillo,-a simple, plain
senda path
sensato,-a sensible
sensibilidad *f.* sensibility, sensitivity
sensible sensitive
sentado,-a seated; settled, established
sentar to seat; agree with, suit; — **la cabeza** to settle down; **—se** to sit

down
sentencia sentence
sentido meaning, sense; feeling; *pl.* senses; **sin** — meaningless
sentimiento sentiment, feeling; concern
sentir (ie,i) to feel; hear; be or feel sorry, regret; **—se** to feel; *n.m.* opinion, feeling
señal *f.* sign; **en — de** in token or proof of
señalar to indicate, point out, mark
señero,-a unique
señorío arrogance, majesty, nobility
señorito (young) master, young gentleman; sir
separado,-a separate, separated
separar(se) to separate
sepulcral sepulchral; *fig.* dead (*e.g.* dead silence)
sequedad *f.* dryness
ser to be; *n.m.* being, creature; **es, era (etc.) que** (*introductory expression giving emphasis*) it is true that, the fact is that; **¿qué va a —?** what is going to happen?
serenidad *f.* serenity, calm
serio,-a serious; stern; **en** — seriously
serpenteo winding
servicio service; servants; **— de vasos** set of glasses
servidor,-a humble servant; **un** — your humble servant
servil servile, subservient
servilleta napkin
servir (i) to serve, help; be good (for), be useful; serve as a domestic; **criada de** — domestic servant; **para —le** at your service; **— de** to serve as, be used as; **— para** to be good for, be used for
sesera brain(s)
seta mushroom
severo,-a severe
si if; whether; what if; why; you see; **como** — as if; **— no** otherwise
sí yes; indeed, certainly; **— que** certainly, indeed, truly; **claro que** — of course; **verdad que** — isn't it (that) so
sí himself, herself, themselves; **volver en** — to come to
siderúrgico,-a (pertaining to) steel; **Siderúrgica** steel plant
sidra cider
siempre always, still; **de** — usual; **la misma . . . de** — the customary . . .; **— que** whenever
sifón *m.* siphon; siphon water
sigiloso,-a secretive
siglo century
significar to mean
signo sign, mark
siguiente following, next; **al día** — (on) the following day
silbar to whistle
silencio silence; **en** — silently
silencioso,-a silent, still, quiet
silueta silhouette
silla chair
sillón *m.* armchair
símbolo symbol
similor: de — fake
simpatía sympathy; liking, friendliness
simpático,-a sympathetic; pleasant, agreeable, likable, congenial, "nice"
simular to feign, fake
sin without; **— más ni menos** *coll.* just like that, without more ado; **— que** *conj.* without; **— remedio** hopelessly, inevitably
sindicato syndicate, labor union
siniestro,-a sinister
siquiera at least; even; **ni** — not even
sisear to hiss
sitio place, spot, room; position
situar(se) to situate, place
sobaco armpit, underarm
soberbio,-a proud, haughty
sobra extra, excess; **de** — superfluous, unneeded
sobrante *m.* leftover, refuse; *adj.* leftover
sobrar to be left, remain; be superfluous; be more than enough
sobre on, upon; over, above; against; for; as to, about; **dar** — to overlook; **— la marcha** at once, right away; **— todo** above all, especially
sobreaviso: *see* **aviso**
sobrehaz *f.* surface, outside
sobreponerse to triumph (over)
sobresaltar to startle, frighten; **—se** to become startled
sobresalto fright, sudden fear

sobriedad *f.* sobriety, moderation (*of style*)
sobrina niece
sobrio,-a sober
sociabilidad *f.* sociability
sociedad *f.* society; — **anónima** stock company
socorro: casa de — first-aid station, emergency hospital
sofocar to choke, suffocate
sol *m.* sun, sunlight; — **poniente** setting sun
solamente only, solely, just
solapa lapel
solar *m.* lot, empty lot; *adj.* solar (*pertaining to the sun*)
soldado soldier
soledad *f.* solitude, loneliness
soler (ue) to be accustomed (to), have a habit (of); — + *inf.* usually
solícito,-a solicitous
solidez *f.* solidity, stability
solitario,-a solitary, deserted, lonely
soliviantar to stir up
solo,-a alone; only; sole, mere, single; without anything; **a —as** alone, by oneself
soltarse (ue) to get loose
soltero,-a single, unmarried
solterón *m.* confirmed bachelor
solución *f.* solution; **sin** — without remedy (hopeless)
solventar to settle
sollozo sob
sombra shade, shadow, darkness
sombreado,-a shaded
sombrero hat
sombrilla parasol; umbrella
sombrío,-a somber, gloomy
somero,-a superficial, shallow
someter to subject, submit; **—se** to comply, conform
somo top
son *m.* sound
sonado,-a talked-about, celebrated
sonar (ue) to sound, resound, ring; **—se** to blow one's nose
sonoro,-a sonorous
sonreír (i) to smile
sonriente smiling
sonrisa smile
sonsacar to draw out (*e.g. a secret*)
soñar (ue) to dream
soplo puff
soportar to support; endure, tolerate
sorber to sip; — **el aire por** *coll.* to be crazy about
sordo,-a silent, mute
sorna covert irony
sorprendente surprising, extraordinary
sorprender to surprise; find; **—se** to be surprised
sorpresa surprise; **llevarse una** — to become surprised
sosiego calm, serenity
sospechar to suspect; — **de** to distrust, suspect
sospechoso suspicious
sostener (ie) to support, hold up, maintain
sótano basement
suave gentle
suavidad *f.* mildness, gentleness, softness; **con** — gently
suavizar to soften
subida ascent, climb
subir to raise; go up, climb, rise; spring up; bring up
súbito,-a sudden
subsidiario subsidiary
subsuelo subsoil, undersoil
suceder to happen; succeed, be the successor of; — **bien** to turn out well; — **mal** to turn out badly
sucesión *f.* succession
suceso event, happening; **sección de —s** news section (*newspaper*)
suciejo,-a dirtyish
sucinto,-a succinct, brief, concise
sucio,-a dirty, soiled, foul
sucumbir to succumb
sudor *m.* perspiration, sweat
sudoroso,-a sweating
Suecia Sweden
sueco,-a Swedish; Swede
sueldo salary, pay
suelo ground; floor; bottom; **por el, los** —(s) to or on the floor
suelto,-a loose; single
sueño sleep, sleepiness; dream; **tener** — to be sleepy
suerte *f.* luck, fortune, fate, a piece of luck; **echar** — to cast lots; **la — está echada** the die is cast; **tener** — (**de** + *inf.*) to be lucky (to); **tocarle**

en — (a uno) to fall to one's lot
suficiente enough, sufficient
sufrimiento suffering
sufrir to suffer
suicidarse to commit suicide
sujeto,-a fastened, bound, caught, held
suministro provision, supply
sumiso,-a submissive
superar to overcome
superponer to superpose, superimpose
superviviente survivor
súplica supplication; **de —** supplicating
suplicar to entreat
suponer to suppose, imagine, assume; mean
suprimir to suppress, cut out
supuesto,-a *p.p. of* **suponer** supposed
Sur *m.* South
surco furrow
surgir to appear, come forth
suripanta chorus girl
suscripción *f.* subscription
suspender to suspend
suspenso,-a *p.p. of* **suspender** suspended
suspirador,-a sighing
suspirar to sigh
suspiro sigh
sustancia substance
susto scare, fright; **dar un —** to frighten, give a fright
susurro whisper
suyo,-a his, hers, yours, theirs, its, one's; **de —** on his (her, etc.) own; by nature (*e.g.* **de suyo apacible** peaceful by nature)

tabaco tobacco; cigarettes
tabique *m.* partition, thin wall
tabla board
tablero board
tacón *m.* heel (*part of shoe*)
tal such, such a, so; **con — (de) que** provided (that); **¿qué —?** how? hello! how did it go?
talabartero saddler, harness maker
talante *m.* mien
talmente *coll.* the same thing as
talonario stub (*in check book*)
talla height, stature
talludo,-a tall; grown up
tampoco neither; either; not either; **ni —** nor
Tánger Tangier (*seaport in northwest Morocco*)
tanto,-a so much, as much, such; *pl.* so many, as many; **mientras —** meanwhile; **— más (or menos) cuanto que** all the more (or less) because; **un —** somewhat
tapa lid; *coll.* a small snack (*served in Spain with a glass of wine or any drink at a tavern*)
tapar to cover, hide
tapete *m.* rug
tapia wall
tarasca *coll.* ugly wench
tarde *f.* afternoon; *adv.* late, too late; **más —** later; **por la —** in the afternoon; **— o temprano** sooner or later
tarea task, work
tarjeta card; **— de *vendido*** a *sold* sign
tarlatana tarlatan, stiff cloth
tasca tavern
tasquero tavern attendant or owner (*from* **tasca**)
tatuaje *m.* tattoo (*could refer to an artificial beauty mark*)
taza cup
té *m.* tea
teatro theater
teclear to play the piano
técnica technique
techo ceiling; roof
tejado tile roof; roof
teje maneje the business, the matter
tela cloth, fabric; *art* canvas
Telaviv Tel Aviv (*main city of the state of Israel*)
telefónico,-a telephonic
telégrafo telegraph; **Telegrafos** Telegraph Office
temblar (ie) to shake, tremble, quiver
temblor *m.* quivering, shaking
tembloroso,-a shaking, tremulous
temer to fear, be afraid
temeroso,-a fearful
temor *m.* fear, dread, terror
témpano (de hielo) iceberg
tempestad *f.* tempest, storm
temple *m.* spirit, temper

templo church, temple
temporada period (*of time*); season; **por —s** from time to time
tempranero,-a early
temprano,-a early; *adv.* early; **tarde o —** sooner or later
ten *2nd sing. imperative of* **tener**
tenaz tenacious
tender (ie) to extend, spread, stretch out; hang out (clothes to dry); to run (*a horse*) at full gallop; tend
tenderete *m.* stand, booth
tendero,-a storekeeper, shopkeeper
tener to have; hold; keep; own; **— edad** to be old enough; **— miedo** to be afraid, fear; **— prisa** to be in a hurry; **— que** + *inf.* to have to; **— que ver (en)** to have something to do with; **— razón** to be right; **— sed** to be thirsty; **— sueño** to be sleepy; **— suerte** to be lucky; **no — (más) remedio** to be unavoidable, have no choice but to
teniente *m.* lieutenant
tensión *f.* tension, strain
tentación *f.* temptation
tentar (ie) to tempt
tenue tenuous; soft, faint
teñir to dye
terciar to interpose; **—se** to come out, turn out
terco,-a stubborn
térmico,-a thermal; **central —a** thermal station, heating plant
terminante absolute, definite, peremptory
terminar to terminate, end (up), finish
término end, limit
termométrico,-a thermometric
ternura tenderness
terraza terrace
terremoto earthquake
terrible terrible; awesome, awe-inspiring
territorio territory; ground
terroso,-a darkish
terso,-a smooth, limpid
tertulia party; group of friends who gather together to talk
tesonero,-a obstinate
tesoro treasure
testamento will
testarudez *f.* stubbornness
testigo witness
texto text, textbook
tía aunt; *coll.* dame
tiempo time; weather; day; **a —** on time; **al mismo —** at the same time; **andando el —** in time, eventually; **al poco — de** shortly after; **con —** in time; **en los primeros —s** during the first (weeks, months); **hacer —** to mark time; **por aquel —** at that time; **tener — de** to have time to
tienda store, shop
tiendecilla small stall
tierno,-a tender
tierra earth, world, land; country
tiesto flowerpot
tifoidea typhoid; **fiebre —** typhoid fever
tifus *m.* typhus
tigre *m.* tiger
timbrado,-a: bien — sonorous
tintero inkwell
tintinear to clink
tío uncle; *coll.* guy
tipo type; queer type, strange person; **tener — de** to look like (a certain type)
tirar to throw, fling; cast off; tear down; knock down; **— a** to shade into (*e.g.* **tirar a cereza** to shade into cherry color); **— por la ventana** to throw out the window; **ir tirando** *coll.* to get along
tiro shot (*gun*)
titular to entitle; **—se** to be called
título title
tizón *m.* brand (*a stick of wood partly burned, whether burning or not*); **— encendido** burning brand
tocar to touch; play (*an instrument*); **—le a uno** to be one's turn; fall to one's lot; **—le en suerte (a uno)** to fall to one's lot
todo,-a all, all over, whole; every; *pl.* all; everybody; *n.m.* the whole, everything; *adv.* completely; **de — punto** completely, entirely; **del —** completely, at all; **sobre —** above all, especially;**— un hombre** quite a man
Toledo province in central Spain; city on Tagus river

tolerancia tolerance
tolerar to tolerate
tomar(se) to take; take on; get; have (*e.g. breakfast, drink*); engage (*e.g.* engage a maid); — **a mal** to take offense, be offended; — **el aire** to get some fresh air, go out for a walk; — **la voz** to get hoarse; — **parte en** to participate
tomo volume
tono tone; **dar (el)** — to set a high tone; **salida de** — *coll.* impropriety (*lit.* getting out of line)
tontería (piece of) foolishness; *pl.* nonsense
tonto,-a foolish, silly, stupid; *n.* fool
tope *m.* bumper
toque *m.* touch
torcaz (paloma torcaz) ringdove
torcido,-a crooked
tornillo vise, clamp
torno turn; **en** — **de** around
toro bull
torpe awkward, clumsy
torre *f.* tower
torreón *m.* turret; fortified tower
tortuga turtle
torvo,-a fierce
tosco,-a coarse, rough
tostado,-a tan, sunburned; brown
total total; *adv.* in a word, in short
tozudez *f.* stubbornness
tozudo,-a stubborn
trabajado,-a overworked, taxed
trabajador,-a industrious, hard-working; *n.* worker, workman
trabajar to work
trabajo work, operation, job; trouble; *pl.* hardships, tribulations
trabajoso,-a arduous, laborious
traducir to translate
traer to bring; bring back; — **un mal** — *coll.* to bring something evil
tragar(se) to swallow (up), gulp down
tragedia tragedy
traición *f.* treachery; **hacer** — **a** to betray
traicionar to betray
traje *m.* dress; suit; — **de baño** bathing suit; — **de calle** street clothes; — **de noche** evening clothes
tramar to plot
trampa trap
tranquilidad *f.* tranquillity, calm, composure, serenity
tranquilizar to calm, reassure
tranquilo,-a tranquil, calm, quiet
transcurrir to pass, elapse, continue
transcurso course, lapse
transeúnte *m.* & *f.* passer-by
transformar(se) to transform, change, alter; turn into
transmitir to broadcast, transmit
transversal transverse, intersecting
tranvía *m.* streetcar, trolley
trapalón,-a *coll.* cheater
trapecista trapeze artist
trapero,-a ragpicker
trapos rags; *coll.* duds (*clothes*)
tras after, behind
trascender (ie) to spread, leak out
trasponer to pass, cross; get sleepy
traspuesto,-a *p.p. of* **trasponer** asleep
trastornar to upset, disturb
tratamiento treatment; title; **dar** — **(a una persona)** to give a person his title (*in speaking to him*); address a person in a certain way (*with familiarity, taking the person in one's confidence*)
tratar to treat; try; deal with; have or be in contact (*with a person or persons*); — **con** to deal with; — **con todo lo mejor** to rub elbows with the best (*of society*); — **de** + *inf.* to try to; —**se de** to treat of, be a question of, be about (*said of something*)
trato friendly relations
través *m.* inclination, bias; **a** — **de** through, across
traviesa: a campo — across country
trayecto journey; **compañero de** — traveling companion
trazar to trace, draw
trazo trace (*line drawn*); stroke
tregua letup; **dar** — to ease up
tremendo,-a tremendous; *coll.* tremendous (very great)
tren *m.* train; **por** — by train
trepidación *f.* trepidation, vibration; **poner en** — to agitate, shake up
Triano quarter in the province of Vizcaya, municipality of Santurce-Ortuella, in the north of Spain

tribu *f.* tribe
tribulación *f.* tribulation, affliction
tributar to pay, render (*admiration*)
trifulca *coll.* squabble
tripulación *f.* crew (*of ship, etc.*)
tris *m. coll.* shave, inch; **en un —** *coll.* almost, within an ace
triste sad
tristeza sadness
triunfante triumphant
triunfar to triumph, succeed
triza shred, fragment; **hacer —s** to smash to pieces, tear to pieces
trocarse to change
tromba *fig.* avalanche, rush
trompeta trumpet; trumpet or trumpeter (*player*)
trono throne
tropero cowboy; leader of a herd of horses (*in Arg.*)
tropezar (ie) to hit; stumble, fall (over), run (into); **— con** to encounter, come upon, run into
tropilla a herd of horses (*in Arg.*)
troupe *Fr.* a company of traveling actors
trova love song (*words*)
trovar to court (*with nice compliments and words*)
trozo bit, section; excerpt
tullido,-a crippled
tumbar to knock down or over; **—se** to lie down, let oneself drop
túnel *m.* tunnel
Túnez Tunisia
turbio,-a muddy
turco,-a Turkish; Turk
turnar to alternate, take turns; **—se a** + *inf.* to take turns to or in
turno turn; round
Turquía Turkey
tutear to address using familiar form **"tú"**; treat with familiarity
tutelar *adj.* guardian, tutelar

ubérrimo,-a superabundant or most fertile
ufano,-a proud
últimamente lately
último,-a last, final, latest; previous, latter
un(o),-a a, an, one; *pl.* some; **el — para el otro** each other; **— a otro, —s a otros** each other, one another; **—s con otros** one another; one against the other, with each other
único,-a only, sole; unique, rare, matchless
uniformar to uniform
unir to unite, join
universitario,-a university student, college student
uña nail, fingernail
urbano,-a urban
urbe *f.* city
usar to use
usura usury; profit
útil useful
utilidad *f.* usefulness

vacación *f.* vacation; *pl.* vacation; **tener —es** to be on vacation
vacada drove of cattle (cows)
vaciar to empty
vacilante vacillating, unsteady, hesitant
vacío,-a empty
vagabundear to wander (about), roam; loaf around, idle
vagabundeo vagabondage, wandering
vago,-a vague, indefinite
vainilla vanilla
vaivén *m.* vicissitude; *pl.* ups and downs
valer to be equal to; have worth, be worthy; help, defend
válgame: ¡— Dios! Heaven help me!
valiente brave
valioso,-a valuable
valor *m.* value
valorar to value, appraise
valquiria Valkyrie
vamos *interj.* Why! well! goodness! come now!
vanidad *f.* vanity
vano,-a vain
vara measure of length; shaft (*of a carriage*); rod; **mula de —s** draft mule (*one between the shafts of a carriage*); **por —s** by the yard; **— de nardo** nard (*the flower has a long stem*)
variar to vary, change
vario,-a varied
varios,-as various, several
varón *m.* male, man

"Vasari": in the text it refers to the book *Lives* by Giorgio Vasari (1511–74), Italian architect and painter known principally as a biographer of the artists of the Italian Renaissance
vascongado,-a Basque (*of Spain*)
vaso glass, tumbler
vaticinio prophecy, prediction
vaya *interj.* goodness; why; what a
vecindad *f.* neighborhood
vecindario neighborhood
vecino,-a neighbor
vela vigil, evening work (*of a student*); wakefulness; candle; **en —** awake, wakeful
velada evening, evening gathering
velado,-a blurred, veiled
velatorio wake (*beside corpse*)
velillo small veil
velocidad *f.* speed
velorio wake
vena vein; qualities; *fig.* poetical inspiration; **estar en —** *coll.* to be inspired
vencedor *m.* victor
vencer to win out, overcome
vendedor,-a salesman; sales clerk; saleslady; seller
vender to sell
veneciano,-a Venetian
venenoso,-a poisonous
vengador,-a avenging; *n.* avenger
venganza revenge, vengeance
vengar to avenge
vengativo,-a vengeful
venido,-a come, arrived
venir to come; go; **no — a que** to have no reason (*for being*); — + *ger.* to be + *ger.*; **— a** to come to; **—se abajo** *fig.* to come down; **— a menos** to decline in social standing, become impoverished, come down in the world
venta sale, selling
ventaja advantage
ventana window; **tirar por la —** to throw out the window
ventanal *m.* large window
Ventas del Espíritu Santo a lower middle-class quarter of Madrid
venturoso,-a lucky, fortunate, happy
ver to see; look at; **a —** let's see; **echar de —** to notice; **hasta más —** see you later, so long; **— de** + *inf.* to try to; **—se con** to see (habitually)
verano summer
veras *f. pl.* truth, reality; earnestness; **de —** in truth, truthfully, really
verdad truth; true; ¿—? isn't it (so)?; **de —** really, truly; real, actual; **en —** actually; **— que sí** isn't it or that so
verdadero,-a real, true, genuine, sincere
verde green
verdor *m.* vigor
verdura vegetables, greens
vereda path, roadside; sidewalk
vergonzoso,-a embarrassing, shameful; bashful, shy
vergüenza shame; **darle a uno —** to feel shame, be ashamed
versículo versicle (*in Bible*)
verso verse
vertiginoso,-a giddy, dizzy
vestido clothing, dress; **— de** dressed in
vestir to dress; wear; **— de** to dress in; **—se** to dress; put on; get dressed
vete *irr. imperative form of* **irse**
vez *f.* time, occasion; turn; **a la —** at one time, at the same time; **alguna —** sometimes, occasionally; **a su —** in turn; **a veces** at times; sometimes; **cada — (que)** every time (that); **de una —** at one time, once and for all; **de — en cuando** from time to time; **en — de** instead of; **muchas veces** often; **otra —** again; **tal —** perhaps; **una (alguna) que otra —** once in a while; **una —** once
vía road, way; **— láctea** Milky Way
viajante *m.* traveling salesman
viajar to travel
viaje *m.* trip, journey
viajero,-a traveler
vicio vice
vicioso,-a vicious; spoiled (*child*)
victoria victory, triumph
victorioso,-a victorious, triumphant
vida life; **pasar a mejor —** to die (pass away to a better life); **seguro de —** life insurance; **— de casados**

married life
vidrio glass
viejo,-a old; *f.* old woman
Viena Vienna (*capital city of Austria*)
viento wind; air; **de —** windy
vientre *m.* stomach; belly
vigilante vigilant, watchful
vigilar to watch, keep guard
villanía villainy
vinagre *m.* vinegar
vino wine; **tener el — atravesado** to be a quarrelsome drunk; **— de Jerez** sherry wine
virgen *f.* virgin; *cap.* Virgin Mary
Virgilio Vergil (Publius Vergilius Maro) (70–19 B.C.), celebrated Latin poet, born near Mantua. In 37 B.C. his *Eclogues,* a collection of pastoral poems, were published. His most famous composition is the epic *Aeneid,* to which he devoted the last eleven years of his life.
viril virile
virtud *f.* virtue
visión *f.* vision, sight
visita visit; visitor; social call
visitante *m.* & *f.* visitor
visitar to visit
víspera eve, day before
vista sight; glance; eyes; appearance; **por las —s** apparently, on the surface
vistoso,-a showy; beautiful
vitrina glass case, (china) cabinet
viuda widow
vivienda dwelling, housing
viviente living
vivificación *f.* revival
vivo,-a alive; intense; **los —s** the living
vocear acclaim
volar (ue) to fly; flutter; disappear (rapidly), vanish
volcar(se) to spill over
voluntad *f.* will; **tener — en** + *inf.* to be willing to
voluptuosidad *f.* voluptuousness
volver to return; turn; make; **— a** + *inf.* to do again; **— en sí** to come to; **— loco** to drive crazy; **—se** to become, turn; **—sele (a alguien)** to change the subject
vomitar to vomit, belch forth

vorágine *f.* vortex, whirlpool
votación *f.* voting
voz *f.* voice; *pl.* outcry; **aclarar la —** to clear one's throat; **en alta —** aloud; **tomar la —** *coll.* to get hoarse
vuelo flight; **en un —** in a flash; in a single flight, without let-up
vuelta return; turn; **a la — de** around (*e.g. the corner*); **dar la —** to turn around, go around; **dar una —** to take a walk; have a look, go around; **no hay que darle —s** there is no doubt about it

water *m.* water closet, lavatory
Waterloo the Battle of Waterloo on June 18, 1815, in which the Allies under Wellington defeated Napoleon's troops

ya already, now, still; aye; *with future verbs often means* later, by and by, presently, in time; *sometimes used to emphasize, sometimes untranslatable; interj.* I see; oh, yes; **¡— lo creo!** of course, I should say so! yes, indeed; **— no** no, no longer; **— que** since, seeing that
yacente lying, recumbent
yacer to lie, lie buried
yema yolk (*of egg*); **— del dedo** finger tip
yerno son-in-law
yeso plaster
yuyo wild plant

zaguán *m.* vestibule, entry hall
zancudo,-a long-legged; **ave —a** wading bird
zapatero shoemaker; **— remendón** shoe repairer, cobbler
zapatilla slipper; pump (*low shoe*)
zapato shoe
zas bang!
zascandil *m. coll.* busybody
zorros *m.pl.* duster
zumbar to ring
zurcir to darn
zurdo,-a left, left-handed; awkward